D1028345

BRUNETTI EN TROIS ACTES

DONNA LEON

BRUNETTI EN TROIS ACTES

Roman traduit de l'anglais
par Gabriella Zimmermann

calmann-lévy

Titre original :
FALLING IN LOVE
Première publication : Atlantic Monthly Press, New York, 2015

© Donna Leon, 2015

Pour la traduction française :
© Calmann-Lévy, 2016

COUVERTURE
Maquette : Alistair Marca
Photographie : © DEA/F. Ferruzzi/De Agostini/Getty Images

ISBN 978-2-7021-5895-1

Pour Ada Pesh

Le voci di virtù
Non cura amante cor, o pur non sente.

« Un cœur aimant n'a cure des voix de la vertu,
ou ne peut même les entendre. »

HÄNDEL, Rodelinda

1

La femme était penchée au-dessus de son bien-aimé, le visage et le corps tout entier figés de terreur. Elle regardait fixement sa main tachée de sang. Lui était couché sur le dos, un bras quasiment arraché, la paume de la main retournée, comme s'il la priait d'y déposer quelque chose ; sa vie, peut-être. Elle lui toucha la poitrine, pour l'exhorter à se lever et à s'enfuir avec elle, mais il ne bougea pas. Elle se mit alors à le secouer – quelle marmotte, jamais disposée à sortir du lit.

Sa main était rouge et, instinctivement, elle la pressa contre sa bouche pour étouffer un hurlement ; elle ne devait pas faire de bruit, elle le savait bien, ni leur faire savoir qu'elle était là. Mais l'horreur finit par avoir raison de sa prudence et elle cria son nom ; elle le cria encore et encore, en se disant qu'il était mort et que tout était fini ; que tout s'était achevé ainsi, dans le sang.

Elle regarda l'endroit où elle avait posé sa main et vit les traces pourpres ; comment autant de sang avait-il pu en couler, alors qu'elles étaient petites, si petites ? Elle frotta sa main contre sa bouche, vit qu'elle était rougie par le sang répandu sur son visage. Paniquée, elle dit son nom. Tout était fini, vraiment fini. Elle répéta son nom, plus fort encore, mais il ne pouvait plus l'entendre, ni lui répondre. Elle s'inclina spontanément pour l'embrasser, le saisit par les épaules dans une vaine tentative de ranimer un peu d'ardeur en lui, mais ils étaient désormais l'un et l'autre privés de vie.

Le chef de la bande qui l'avait tué poussa un grand cri sur sa gauche ; elle plaqua sa main sur sa poitrine. Elle voulait parler, mais, en proie à la peur, elle ne put que grogner « ah, ah », comme une bête blessée. Elle tourna la tête et les vit ; elle les entendait hurler, mais sans parvenir à comprendre leurs mots : elle ne ressentait plus que la terreur et, maintenant qu'il était mort, une crainte soudaine pour elle-même, pour ce qu'ils allaient lui faire.

Elle se leva et s'éloigna de lui, sans un regard en arrière. Il était mort et tout était fini : tout espoir était éteint, toute promesse tarie.

Les hommes, quatre sur la gauche et cinq sur la droite, sortirent sur le toit encombré de détritus, où avait eu lieu le crime. Le chef du groupe cria quelque chose, mais elle n'était pas en état de l'entendre, ni d'entendre rien ni personne. Tout ce qu'elle savait, c'était qu'elle devait s'échapper, mais ils l'avaient prise en tenailles. Elle se tourna et aperçut derrière elle le bord du toit, sans aucun bâtiment en vue : elle n'avait nulle part où aller, nulle part où se cacher.

Elle avait le choix, mais pas véritablement : la mort était préférable à ce qu'il venait de se produire, ou se produirait inévitablement dès qu'ils la captureraient. Elle trébucha une fois, puis deux, en courant vers le rebord, où elle grimpa avec une grâce inattendue avant de se tourner pour regarder les hommes qui se précipitaient vers elle. « *O Scarpia, avanti a Dio*[1] ! » lança-t-elle, puis elle pivota et sauta.

_____

1. « Ô Scarpia, nous nous retrouverons devant Dieu. » *(Toutes les notes sont de la traductrice.)*

La musique s'affaiblit, continua à gronder encore un peu, comme toujours lors de ces finales à sensation un peu pathétiques, puis un long silence s'installa, le temps que le public assimile ce qu'il venait d'entendre et de voir. Depuis la Callas – autrement dit, un demi-siècle –, on n'avait rien vu ni entendu du niveau de cette *Tosca*. Tosca avait réellement tué Scarpia, le chef de la police, n'est-ce pas? Et son bien-aimé avait réellement été tué par ces saligauds en uniforme? Et elle avait réellement sauté dans le Tibre. Dieu, cette femme savait jouer et savait, mieux encore, chanter. Tout était vrai : le meurtre, la fausse exécution qui s'était avérée réelle et l'ultime plongeon de Tosca, n'ayant plus rien à faire, ni à perdre. Ce n'était que de romantiques balivernes, tout allait au-delà de la parodie, mais alors pourquoi le public applaudissait-il à tout rompre et criait-il comme un beau diable?

Le rideau s'ouvrit lentement et Flavia Petrelli se faufila dans l'étroite fissure. Elle était vêtue d'un rouge plus rouge que le rouge, et elle portait un diadème qui avait apparemment survécu à son saut dans le fleuve. Elle regarda le public et sur son visage ébahi passa une onde de plaisir. Pour moi? Tout ce bruit pour *moi*? Son sourire s'élargit et elle porta une main – comme par magie vierge de sang, ou de toute substance analogue – sur son décolleté et la pressa contre son cœur, comme pour le forcer à garder son calme au sein de toute cette excitation.

Elle enleva sa main et ouvrit un bras comme pour les étreindre tous, puis l'autre, en exposant cette fois son corps entier à l'assaut des applaudissements. Puis ses deux mains revinrent à sa poitrine et elle s'inclina avec grâce, en un geste entre la révérence et la génuflexion. Les acclamations augmentèrent et les voix d'hommes et de femmes criaient à l'unisson *« brava ! »* ou, pour ceux qui étaient aveugles ou n'étaient pas italiens, « bravo ! ». Elle ne semblait pas s'en offusquer, du moment qu'ils criaient. Encore une révérence, puis elle renversa le visage en arrière, comme pour l'immerger dans la cascade de clameurs.

La première rose, au bout d'une longue tige, aussi jaune que le soleil, tomba juste devant elle. Son pied recula involontairement, comme si elle avait eu peur de la blesser, ou qu'elle ne la blesse, puis elle se pencha pour la ramasser, mais si lentement qu'on aurait pu croire que son geste était étudié, presque calculé. Elle la serra contre son sein et croisa les mains sur elle. Son sourire s'atténua à sa vue – « C'est pour moi ? Pour *moi* ? » – mais elle leva un visage resplendissant de joie vers les galeries supérieures.

Comme en écho à sa réaction, les roses se mirent à pleuvoir : d'abord deux, puis trois autres, lancées séparément depuis le côté droit, puis davantage encore ; des douzaines de fleurs jonchaient maintenant la scène devant elle, la métamorphosant en Jeanne d'Arc, avec les branchages qui atteignaient ses chevilles et recouvraient même ses pieds.

Flavia sourit sous le tonnerre des applaudissements, s'inclina de nouveau, s'écarta des roses et se glissa à travers le rideau. Elle émergea un instant plus tard, en tenant par la main son amant-qui-n'était-plus-mort. Comme les cris des sbires de Scarpia, les éloges augmentèrent à son apparition, avoisinant le délire qui se déclenche souvent à la vue d'un jeune et beau ténor bénéficiant de toutes les notes aiguës et sachant en faire le meilleur usage. Tous deux jetèrent un regard nerveux à leurs pieds, essayant d'éviter de marcher sur le tapis de fleurs, puis ils en prirent leur parti et finirent par les piétiner.

Décelant intuitivement que les applaudissements étaient cette fois réservés à son compagnon, Flavia fit un pas en arrière et leva haut les mains, pour s'unir à eux. Au moment où ils commençaient à diminuer, elle le rejoignit, prit son bras et se pencha vers lui, puis l'embrassa furtivement sur la joue, lui donnant ce rapide baiser amical dont on gratifie un frère, ou un bon collègue. Il lui saisit la main en retour, et propulsa leurs mains jointes au-dessus de leurs têtes, comme s'il présentait le vainqueur d'un combat.

Le ténor recula d'un pas pour lui faire de la place, en écrasant d'autres roses ; elle glissa alors devant lui, puis derrière le rideau, et il la suivit. Après un instant, Scarpia ressuscité, dont le devant de la veste de brocart avait toujours sa teinte incarnat, traversa le rideau et se mit sur la droite, en évitant la plupart des fleurs. Il s'inclina, puis s'inclina encore, et croisa les mains sur sa poitrine couverte de sang pour exprimer sa gratitude puis, regagnant l'ouverture du rideau, il alla chercher Flavia, qui tenait le jeune ténor par l'autre main. Scarpia conduisit la farandole des trois personnages qui-n'étaient-plus-morts vers la droite, tandis que Flavia poussait les fleurs sur le côté avec le bord de sa robe. Ils unirent leurs mains une dernière fois et firent ensemble la révérence ; transformés par le plaisir et leur reconnaissance envers le public enthousiaste, leurs visages exhalaient un même et unique rayonnement.

Flavia lâcha les deux hommes et passa de nouveau derrière le rideau, pour réapparaître cette fois main dans la main avec le chef d'orchestre. C'était le plus jeune sur scène, mais son assurance n'avait rien à envier à celle de ses collègues plus âgés. Il s'avança, n'ayant même pas remarqué les fleurs, et balaya le public du regard. Il sourit et s'inclina, puis fit signe à l'orchestre de se lever pour recevoir sa part d'applaudissements. Il s'inclina de nouveau, recula d'un pas et se plaça entre Flavia et le ténor. Tous les quatre s'avancèrent et firent une nouvelle révérence, toujours emplis de joie et de gratitude. Sensible au léger affaiblissement des battements de mains, Flavia fit joyeusement signe au public, comme si elle s'apprêtait à monter dans un train ou un bateau, et conduisit ses collègues derrière le rideau. Les clameurs se réduisirent peu à peu et lorsque les chanteurs cessèrent de revenir sur scène, ils s'amenuisèrent jusqu'à cesser complètement. Mais au cri de *« Evviva Flavia ! »*, poussé par une voix d'homme au premier balcon, une nouvelle salve d'applaudissements éclata dans la salle, suivie du silence et des simples murmures et chuchotements du public serpentant vers la sortie.

2

Toute cette comédie prit fin derrière le rideau. Flavia s'éloigna des trois hommes sans un mot et se dirigea vers sa loge. Le ténor la suivit des yeux avec le même regard que celui qui animait le visage de Cavaradossi à l'idée, pire que la mort, de perdre ses « *dolci baci, o languide carezze*[1] ». Scarpia sortit son portable pour appeler sa femme et lui dire qu'il arriverait au restaurant dans vingt minutes. Le chef d'orchestre, pour qui Flavia avait juste à obéir à ses *tempi* et à bien chanter, adressa un signe silencieux de la tête à ses collègues et gagna sa loge.

Vers le milieu du couloir, Flavia trébucha sur l'ourlet de sa robe écarlate et tituba ; elle serait tombée si elle n'avait pu se raccrocher de justesse à l'une des assistantes de la costumière. La jeune femme se révéla étonnamment forte, et prompte d'esprit : elle entoura la chanteuse de ses bras et réussit à soutenir son poids sans être entraînée elle-même dans la chute.

Dès que Flavia eut retrouvé son équilibre, elle se dégagea de l'étreinte de la jeune assistante et lui demanda :

« Tout va bien ?

— Ce n'est rien, signora », répondit-elle en se frottant l'épaule.

---

1. « Doux baisers, ô langoureuses caresses. »

Flavia posa sa main sur le bras de la femme.

« Merci de m'avoir retenue.

— Je n'ai pas réfléchi, en fait : je vous ai juste rattrapée au vol. Une chute peut suffire pour ce soir, vous ne croyez pas ? »

Flavia fit un signe d'approbation, la remercia de nouveau et descendit le couloir jusqu'à sa loge. Elle allait ouvrir la porte, mais se ravisa. Elle tremblait, rétrospectivement, à l'idée d'avoir failli tomber et sous l'effet de la poussée d'adrénaline qui suit toujours les représentations. Se sentant prise d'une légère faiblesse, elle posa son autre main contre le montant de la porte et ferma les yeux. Un moment s'écoula, puis un éclat de voix à l'autre bout du couloir lui donna un sursaut d'énergie ; elle ouvrit la porte et entra.

Des roses ici, des roses là ; des roses partout. Elle retint son souffle à cette vision ; il n'y avait pas un endroit sans un vase débordant de douzaines de fleurs. Immobile, elle observait cette mer jaune et fut encore plus déconcertée lorsqu'elle nota que les vases n'étaient pas ces fourre-tout habituels que la plupart des théâtres gardaient pour ces occasions : ébréchés, peints à la va-vite, sortis de toute évidence du magasin des accessoires pour un usage discret.

« *Oddio* », murmura-t-elle, en regagnant la porte.

Son habilleuse attitrée se tenait sur la gauche dans le couloir ; c'était une femme brune, assez âgée pour pouvoir être la mère de l'assistante qui lui avait évité de tomber. Comme après chaque représentation, elle venait chercher le costume et la perruque de Flavia pour les rapporter au dépôt.

« Marina, se risqua à lui demander Flavia, avez-vous vu qui a apporté ces fleurs ? »

18

Elle fit un vague signe de la main et recula pour la laisser entrer.

« Oh, qu'elles sont belles ! s'exclama Marina à leur vue. Et qu'est-ce qu'elles ont dû coûter cher. Il y en a des dizaines et des dizaines. »

Puis, remarquant les vases, elle demanda soudain :

« D'où viennent-ils ?

— N'appartiennent-ils pas au théâtre ? »

Marina secoua la tête.

« Non. Nous n'avons rien de ce genre. Ce sont de vrais vases. »

Face à la confusion de Flavia, elle désigna un grand vase orné de bandes blanches alternant avec des bandes transparentes.

« Je veux dire, en verre. C'est un Venini[1], spécifia-t-elle. Lucio travaillait pour eux. Je peux vous l'assurer.

— Je ne comprends pas », dit Flavia, se demandant comment leur conversation avait pu glisser sur ce sujet. Elle tourna le dos à la femme et lui demanda :

« Pouvez-vous descendre la fermeture Éclair ? »

Elle leva les bras et Marina l'aida à enlever les chaussures, puis le costume. Flavia prit son peignoir sur le dossier d'une chaise et s'assit devant son miroir puis, en un geste presque automatique, commença à enlever son épais maquillage. Marina suspendit la robe au dos de la porte et se tint derrière Flavia pour l'aider à ôter sa perruque. Elle glissa les doigts sous la partie arrière et la retira, ainsi que le sous-bonnet en caoutchouc qui lui plaquait les cheveux. Flavia passa la main sur sa tête enfin libérée et se gratta une bonne minute, soupirant d'aise.

---

1. Un des plus prestigieux maîtres verriers de Murano.

« Tout le monde dit que c'est le pire, déclara Marina. Les perruques. Je ne sais pas comment vous pouvez les supporter. »

Flavia écarta les doigts et sillonna ses cheveux à plusieurs reprises, sachant qu'ils sécheraient rapidement dans cette pièce surchauffée. Ils étaient coupés à la garçonne ; c'était une des raisons pour lesquelles on la reconnaissait si rarement dans la rue, ses fans ayant dans les yeux la belle chanteuse à la longue chevelure qu'ils voyaient sur scène, et non pas cette femme avec ses boucles courtes, que ponctuaient déjà de légères mèches grises. Elle se gratta plus fort, savourant la sensation de sentir ses cheveux sécher peu à peu.

Le téléphone sonna ; elle hésita à répondre par son nom.

« Signora, pouvez-vous me dire pour combien vous en avez encore ? lui demanda une voix d'homme.

— Cinq minutes. »

C'était la réponse qu'elle donnait toujours, qu'il s'agît effectivement de ce laps de temps ou d'une demi-heure de plus. Ils n'avaient qu'à attendre.

« Dario, dit-elle avant de raccrocher. Qui a apporté ces fleurs ?

— Elles sont arrivées par bateau. »

Vu qu'on était à Venise, il était peu probable qu'elles soient livrées par un autre moyen, mais elle se limita à demander :

« Savez-vous qui les a envoyées ? À qui était ce bateau ?

— Je ne sais pas, signora. Il y avait deux hommes et ils ont tout laissé devant la porte, ici. »

Puis il précisa, après un instant :

« Je n'ai pas vu le bateau.

— Ont-ils donné un nom ? »

— Non, signora. Je pensais que… eh bien, je pensais que, vu la quantité de fleurs, vous saviez d'où elles venaient. »

Flavia ignora la remarque et répéta :

« Cinq minutes », avant de raccrocher.

Marina était partie ; elle avait pris la robe et la perruque avec elle et avait abandonné Flavia au silence et à la solitude de sa loge.

Elle regarda fixement son reflet dans le miroir, saisit une poignée de mouchoirs en papier et s'essuya le visage jusqu'à ce que le gros du maquillage fût parti. Se souvenant qu'il y avait des gens qui l'attendaient à la sortie, elle souligna son regard avec du mascara et estompa les signes de fatigue sous les yeux. Elle prit un rouge à lèvres et se l'appliqua soigneusement. Une vague de fatigue la submergea ; baissant les paupières, elle attendit que l'adrénaline chasse cette impression et lui redonne des forces. Elle ouvrit les yeux et observa les objets sur la table, puis elle sortit du tiroir son sac à bandoulière en coton et enleva tout ce qu'il y avait dedans — maquillage, peigne, brosse, mouchoir. Elle n'apportait plus d'objets de valeur à la Fenice — ni dans n'importe quel autre Opéra, d'ailleurs. Un jour, à Covent Garden, on lui avait volé son manteau ; au palais Garnier, ce fut le tour de son carnet d'adresses, la seule chose que l'on eût prise de son sac à main, qu'elle avait laissé dans un tiroir. Qui, au nom du Ciel, pouvait convoiter son carnet d'adresses et, comme elle l'avait depuis une éternité, qui pouvait bien déchiffrer le méli-mélo de noms et d'adresses supprimés, d'adresses e-mail remises à jour et de numéros de téléphone qui la gardaient en contact avec les membres de cette étrange profession nomade qu'était la sienne ? Heureusement, elle avait aussi dans son ordinateur la plupart des adresses et des numéros, mais cela lui avait pris des semaines pour en récupérer certains. Puis, incapable de retrouver un carnet d'adresses qui lui plaise, elle avait décidé de faire confiance à son appareil et de prier pour qu'il n'arrive jamais le moindre accident, ou qu'aucun virus ne vienne s'y loger sournoisement et ne les efface tous.

Ce n'était que la troisième représentation de cette série vénitienne, et elle savait que des gens l'attendaient. Elle enfila une paire de collants noirs et mit la jupe et le pull qu'elle avait pour venir au théâtre. Elle glissa les pieds dans ses chaussures, sortit son manteau de l'armoire et s'enroula une écharpe en laine – aussi rouge que sa robe – autour du cou : Flavia se plaisait à désigner ses écharpes comme son *hijab* à elle : impossible de sortir sans en porter une.

Elle s'arrêta à la porte et regarda la pièce : *Est-ce là la réalité qui se substitue au rêve du succès ?* se demanda-t-elle. Une petite pièce impersonnelle, utilisée à un moment donné par une personne, le mois suivant par une autre ; une simple armoire ; un miroir entouré – comme dans les films – d'ampoules électriques ; pas de tapis par terre ; une petite salle de bains avec une douche et un lavabo. *Et voilà : quand on a cela, on est une star*, supposa-t-elle. Elle avait tout cela, donc elle était une star. Mais pas à ses yeux ; elle n'était qu'une femme de quarante ans passés – s'efforçant de se mettre son âge en tête – qui venait de travailler à corps perdu pendant plus de deux heures et qui maintenant devait partir et sourire à des inconnus aspirant à obtenir un fragment d'elle-même, à devenir ses amis, ses confidents ; pourquoi pas ses amants.

Alors que tout ce qu'elle voulait, c'était aller au restaurant, manger et boire quelque chose puis rentrer chez elle, appeler ses deux enfants pour prendre de leurs nouvelles et leur dire bonne nuit, et, une fois que l'excitation de la représentation commencerait à se dissiper et que la vie normale reprendrait son cours, aller au lit en espérant dormir. Lors des productions où elle connaissait ou appréciait ses collègues, elle attendait impatiemment le moment convivial où ils iraient dîner ensemble après le spectacle – où les plaisanteries fuseraient et les histoires iraient bon train : des histoires sur les agents, les managers et les directeurs de théâtre –, et où elle serait en compagnie de ceux qui venaient juste de vivre avec elle le miracle de faire de la musique. Mais ici, à Venise, une ville où elle avait pourtant passé pas mal de temps et où elle connaissait beaucoup de monde, elle n'avait aucune envie de se mêler à ses acolytes : un baryton imbu de son succès, un chef d'orchestre qui ne l'aimait pas et avait du mal à le dissimuler, et un ténor apparemment tombé amoureux d'elle, ce qu'elle gardait pour elle et avait bien évité d'encourager. Car non seulement il devait avoir à peine dix ans de plus que son fils, mais il était bien trop insipide pour l'intéresser.

En quittant sa loge, elle se rendit compte qu'elle avait occulté l'histoire des fleurs. Et des vases. Si l'homme qui les lui avait envoyés était à l'entrée, il faudrait qu'il la voie quitter le théâtre avec au moins un bouquet.

« Qu'il aille au diable », dit-elle à la femme dans le miroir, qui lui répondit sagement par un signe d'assentiment.

Cela s'était produit la première fois à Londres, deux mois auparavant, après la dernière représentation des *Nozze*, où une seule rose jaune était tombée sur elle au premier rappel et à tous les suivants. Puis, lors d'un récital en solo à Saint-Pétersbourg, elles étaient arrivées au milieu d'une infinité de bouquets plus traditionnels. Elle avait été charmée par la manière dont certains Russes, surtout des femmes, s'étaient avancés vers la scène après la représentation, en lui tendant ces fleurs. Flavia aimait voir les yeux des personnes qui les lui offraient, ou lui disaient quelque chose de gentil : c'était plus humain, d'une certaine manière.

Puis la situation s'était reproduite ici, le soir de l'ouverture ; d'innombrables roses, tombant comme une pluie jaune, mais personne dans sa loge après le spectacle. Pourtant, les fleurs étaient réapparues aujourd'hui même. Aucun nom, aucune information, aucun mot pour expliquer un geste aussi excessif.

Elle temporisa : elle n'avait nullement envie de prendre la moindre décision à ce propos ni d'aller signer des programmes et d'échanger quelques mots avec des étrangers ou, pire encore, avec les fans qui, venus à de nombreuses représentations, s'imaginaient que leur assiduité leur donnait droit à une certaine familiarité.

Elle glissa son sac en coton sur son épaule et se passa de nouveau la main dans les cheveux ; ils étaient secs. À l'extérieur, elle aperçut l'habilleuse au bout du couloir.

« Marina ? appela-t-elle.

— Oui, signora, répondit la femme, en s'approchant d'elle.

— Si vous voulez, prenez les roses chez vous, vous et les autres habilleuses. Tous les gens qui en veulent. »

Elle ne réagit pas immédiatement, ce qui surprit Flavia. Combien de femmes recevaient-elles des roses par douzaines ? Mais le visage de Marina resplendit ensuite d'un vif plaisir.

« C'est très aimable à vous, signora. Ne voulez-vous pas toutefois en prendre quelques-unes ? »

Elle désigna de la main la pièce où les fleurs brillaient autant qu'un jour artificiel.

Flavia secoua la tête. « Non, vous pouvez toutes les emporter.

— Mais vos vases ? Seront-ils à l'abri, si nous les laissons ici ?

— Ils ne sont pas à moi. Vous pouvez les prendre aussi, si vous voulez », dit Flavia, en lui tapotant le bras. Et d'une voix plus douce elle ajouta :

« Vous gardez le Venini, n'est-ce pas ? »

Elle pivota sur ses talons et se dirigea vers l'ascenseur qui allait la conduire aux fans qui l'attendaient.

3

Flavia savait qu'elle avait mis longtemps à se changer et espérait que ce retard ait découragé certains de ses fans. Elle était épuisée et avait faim : après cinq heures dans un théâtre bondé, entourée de gens sur, devant et derrière la scène, elle n'avait qu'un souhait : trouver un endroit tranquille pour manger seule, et en paix.

Elle sortit de l'ascenseur et descendit le long couloir menant au bureau du gardien et à l'espace devant sa loge, où les gens pouvaient attendre. Les applaudissements commencèrent alors qu'elle était encore à dix mètres et elle afficha son plus délicieux sourire, celui qu'elle réservait à ses admirateurs. Elle fut ravie, à leur vue, d'avoir tenté de masquer son épuisement. Elle accéléra le pas, endossant son rôle de chanteuse ayant à cœur de les voir et de les entendre, de signer leurs programmes et de les remercier d'avoir patienté tout ce temps.

Au début de sa carrière, ces rencontres étaient pour elle une source de joie triomphante : ils tenaient suffisamment à elle pour attendre qu'elle apparaisse ; ils voulaient sa reconnaissance, son attention, une preuve que leurs éloges étaient importants à ses yeux. Cela n'avait pas changé aujourd'hui : elle était suffisamment honnête pour admettre qu'elle avait toujours besoin de leurs compliments. Il aurait juste fallu qu'ils se dépêchent un peu plus : dire qu'ils avaient apprécié l'opéra, ou son interprétation, lui serrer la main, et s'en aller.

Elle vit les deux premiers fans, un couple marié – arrivés maintenant à un certain âge, tous deux plus petits que lorsqu'elle les avait vus la première fois, des années auparavant. Ils vivaient à Milan et venaient à beaucoup de ses représentations, puis ils gagnaient l'arrière-scène pour la remercier et lui serrer la main. Elle les voyait régulièrement depuis, mais ne savait toujours pas comment ils s'appelaient. Derrière eux se tenait un autre couple, plus jeune et moins disposé à simplement la remercier et à partir. Bernardo, le barbu – elle se souvenait de son nom car les deux mots commençaient par un B –, commençait toujours par la féliciter pour une seule phrase, ou, de temps à autre, pour une seule note, dans le but manifeste de lui montrer qu'il était autant versé qu'elle en musique. L'autre, Gilberto, se tenait sur le côté et les prenait en photo pendant qu'elle signait leur programme, puis il lui serrait la main et la remerciait par une formule générale, Bernardo s'étant chargé des détails.

Ils s'en allèrent enfin, et leur place fut prise par un homme de grande taille avec un léger pardessus, posé nonchalamment sur ses épaules. Flavia remarqua que le col était en velours et elle essaya de se souvenir de la dernière fois où elle l'avait vu : probablement après une soirée d'ouverture, ou un concert de gala. Ses cheveux blancs contrastaient avec son visage profondément tanné par le soleil. Il se pencha pour embrasser la main qu'elle lui tendait, dit qu'il avait entendu la Callas chanter ce rôle à Covent Garden un demi-siècle plus tôt, et la remercia sans générer l'embarras qu'aurait pu provoquer toute comparaison, délicatesse à laquelle elle fut sensible.

La fan suivante était une jeune femme au visage doux et aux cheveux bruns, qui avait mal choisi son rouge à lèvres. En fait, Flavia la soupçonna de l'avoir mis juste pour cette rencontre, tellement il contrastait avec la pâleur de son teint. Flavia serra la main qu'elle lui tendait et regarda derrière elle pour voir combien de gens attendaient encore. Lorsque la jeune fille – elle ne devait pas avoir beaucoup plus de vingt ans – lui dit combien elle avait aimé l'opéra, elle lui énonça ces simples mots de la plus belle voix que Flavia ait jamais entendue. C'était un contralto profond, sensuel, dont la profondeur et la richesse détonnaient avec son évidente jeunesse. Flavia en éprouva un frisson quasi charnel, comme si son visage avait été caressé par une écharpe en cachemire. Ou par une main.

« Êtes-vous cantatrice ? lui demanda-t-elle, comme par réflexe.

— Étudiante, signora, répondit-elle et la simplicité de sa réponse atteignit Flavia comme la note la plus grave d'un violoncelle.

— Où donc ?

— Au conservatoire de Paris, signora. Je suis en dernière année. »

Elle vit la jeune fille transpirer de nervosité, mais sa voix était aussi ferme qu'un cuirassé sur une mer calme. Tandis qu'elles poursuivaient leur conversation, Flavia capta l'agitation croissante des personnes debout derrière elle.

« Alors bonne chance ! » lui dit-elle en lui serrant de nouveau la main.

Si elle chantait avec cette même voix – ce qui n'était pas forcément le cas –, elle se retrouverait de l'autre côté de cette foule en l'espace de quelques années, dosant savamment les plaisanteries et les remerciements à dispenser aux fans reconnaissants, avant d'aller dîner avec les autres chanteurs, et non plus en train de se tenir gauchement devant eux.

Flavia serrait les mains vaillamment, souriait, parlait aux gens et les remerciait pour leurs compliments et leur bienveillance, leur disait combien elle était heureuse qu'ils aient attendu pour la saluer. Elle signait des programmes et des CD, veillant à demander le ou les noms des personnes auxquelles elle faisait la dédicace. Pas une seule fois ne fit-elle montre d'impatience ou de réticence à écouter les histoires de ses fans. On aurait dit qu'elle avait une pancarte sur le front avec écrit : *Parlez-moi*, tellement elle donnait l'impression d'avoir envie d'entendre ce qu'ils avaient à lui raconter. C'était sa capacité à chanter qui la rendait digne de leur confiance et de leur affection, continuait-elle à se dire. Ainsi que sa capacité à jouer. Elle leva une main et se frotta les yeux, comme dérangée par une poussière. Puis elle les cligna quelques fois et gratifia la foule d'un radieux sourire.

Elle remarqua, parmi les gens qui s'attardaient encore, un homme d'âge moyen, en retrait : un homme aux cheveux bruns, la tête penchée pour écouter ce que lui disait la femme à ses côtés. Celle-ci était plus intéressante : d'un blond naturel, avec un nez puissant, les yeux clairs, faisant probablement moins que son âge. Elle souriait à tous les propos que l'homme lui tenait et tapota plusieurs fois sa tête contre son épaule, puis elle recula et leva les yeux vers lui. L'homme l'entoura d'un bras et la tira à lui avant de regarder ce qui était en train de se passer au bout de la file.

Elle le reconnut alors, même si cela faisait des années qu'elle ne l'avait plus vu. Il avait les cheveux plus grisonnants, le visage plus maigre, et elle vit une ride descendre du coin gauche de sa bouche à son menton, dont elle n'avait pas le souvenir.

« Signora Petrelli, commença un jeune homme qui était parvenu à lui prendre la main, tout ce que je peux vous dire, c'est que c'était merveilleux. C'est la première fois que je vais à l'Opéra. »

Avait-il rougi à ces propos ? Certainement, car cet aveu avait semblé lui coûter.

Elle lui pressa la main en retour.

« Bien, dit-elle, *Tosca* est un bon début. »

Il hocha la tête, les yeux agrandis par la magie de ces mots.

« J'espère que cela vous a donné envie d'aller en voir un autre, ajouta Flavia.

— Oh oui. Je ne pouvais pas imaginer que cela puisse être aussi... »

Il haussa les épaules face à son incapacité à exprimer son idée, saisit de nouveau sa main et elle craignit, l'espace d'un instant, qu'il ne la porte à sa bouche et l'embrasse. Mais il la lâcha, la remercia et partit.

Quatre fans encore, et ce fut au tour de l'homme et de la femme blonde.

« Signora, je vous avais dit que ma femme et moi souhaitions vous entendre chanter, dit-il en lui tendant la main, avant de conclure, avec un sourire qui accentua les rides de son visage : Cela valait la peine d'attendre.

— Et je vous avais dit, répliqua-t-elle, ignorant le compliment et tendant la main à la femme, que je voulais vous inviter tous deux à une représentation. »

Après que les deux femmes se furent serré la main, Flavia précisa :

«Vous auriez dû me prévenir. J'aurais laissé des billets pour vous. Je vous l'avais promis.

— C'est très aimable à vous, dit la femme blonde. Mais mon père a un abonnement et il nous a donné ses billets. »

Pour éviter que Flavia ne les pense présents uniquement parce que ses parents n'en avaient pas eu envie, elle précisa :

« Nous serions venus dans tous les cas, mais mes parents étaient pris ce soir. »

Flavia fit un geste d'assentiment, regarda par-dessus leurs épaules pour voir s'il y avait encore quelqu'un, mais il ne restait plus que le couple. Elle se demanda, soudain, comment devait s'achever cette rencontre. Elle avait de bonnes raisons d'être reconnaissante envers cet homme qui l'avait sauvée d'une horrible… elle ne savait comment qualifier exactement cette situation, tellement son aide avait été rapide et efficace. Il l'avait sauvée deux fois, en vérité, et la seconde fois il avait aussi sauvé la personne qui lui était la plus chère à l'époque. Après cela, elle l'avait vu un jour pour prendre un café, puis il avait disparu de la circulation ; ou c'est elle qui avait disparu, emportée par une carrière en pleine ascension, chantant dans d'autres théâtres, quittant cette ville provinciale et cet Opéra plus provincial encore. La vie, les horizons, son talent avaient élargi toutes ses perspectives et il lui était sorti de l'esprit des années durant.

« C'était palpitant, dit la femme. Ce n'est pas un opéra que j'aime d'habitude, mais ce soir c'était réel, et émouvant. Je comprends pourquoi il y a autant de gens qui l'aiment. » Se tournant vers son mari, elle ajouta : « Même s'il ne donne pas une image très flatteuse des policiers, n'est-ce pas ?

— Juste une autre journée de bureau, ma chère, à régler au mieux toutes ces choses, répliqua-t-il aimablement. Chantages sexuels, tentatives de viol, meurtres, abus de pouvoir. » Puis, s'adressant à Flavia : « Je me suis senti comme à la maison. »

Elle rit de bon cœur et se souvint qu'il ne se prenait jamais vraiment au sérieux. Devait-elle les inviter à dîner ? Ce serait une compagnie agréable et amusante, mais elle ne savait pas si elle avait besoin de compagnie, pas après un spectacle, et pas après la vision de toutes ces fleurs.

Il perçut son hésitation et prit la décision pour eux tous.

« C'est là où nous devons aller, maintenant. À la maison. »

Il n'avança aucune excuse, ni ne donna aucune explication, ce qu'elle apprécia.

Une certaine gêne s'installa tout de même et Flavia trouva juste à dire :

« Je suis encore là une semaine environ. Peut-être cela vous ferait-il plaisir (elle s'adressa à tous les deux) de prendre un verre ? »

Elle fut surprise d'entendre la femme lui proposer :

« Seriez-vous libre à dîner dimanche soir ? »

Avec le temps, Flavia avait développé, et souvent utilisé, la procrastination pour esquiver ce genre de situation, prétextant une invitation en suspens lorsqu'elle ne savait pas encore si elle voulait accepter une offre, ou si elle avait besoin de temps pour la prendre en considération. Mais elle songea aux roses et au fait qu'elle pourrait lui en parler, et répondit que oui. Ne voulant pas qu'ils pensent qu'elle était seule et abandonnée dans cette ville, elle répondit :

« Je suis prise demain soir, donc dimanche sera parfait.

— Cela vous dérange-t-il de venir chez mes parents ? demanda la femme, qui poursuivit, en guise de brève justification : Ils partent pour Londres la semaine prochaine, c'est donc notre seule possibilité de les voir avant leur départ.

— Mais pouvez-vous inviter…, commença Flavia, en prenant bien soin de la vouvoyer.

— Bien sûr, répondit la femme sans lui laisser le temps de terminer sa question. En fait, tous deux seraient ravis que vous veniez. Mon père a été un de vos fans pendant des années et ma mère parle encore de vous dans votre rôle de Violetta.

— Dans ce cas, j'en serais très heureuse.

— Si vous voulez venir accompagnée…, suggéra l'homme, laissant sa phrase en suspens.

— C'est très aimable, répliqua-t-elle d'un ton affable, mais je viendrai seule.

— Ah, fit-il et la blonde enregistra la réponse de son mari.

— C'est à Dorsoduro, juste après le campo San Barnaba, expliqua l'épouse, qui la tutoya à son tour. Tu descends la *calle* à gauche de l'église, de l'autre côté du canal. C'est la dernière porte sur la gauche. Falier.

— À quelle heure ? s'enquit Flavia, qui avait déjà visualisé l'endroit.

— 20 h 30, répondit-elle, tandis que son mari sortait son portable et que commençait la valse des numéros de téléphone.

— Bien, dit Flavia en entrant leurs deux numéros, et merci pour votre invitation. »

Encore intriguée par l'affaire des fleurs, elle précisa : « Je dois dire un mot au gardien. »

Ils se serrèrent de nouveau la main ; Flavia Petrelli retourna à la loge du concierge, et Paola Falier et Guido Brunetti quittèrent le théâtre.

4

Lorsque Flavia arriva à la loge vitrée du concierge, il était parti. Peut-être faisait-il une ronde dans le théâtre, ou plus probablement était-il rentré chez lui. Elle voulait qu'il lui raconte dans les détails comment les roses étaient arrivées et qui les avait apportées. Quel fleuriste avait-on contacté ? Son fleuriste favori, Biancat, n'était plus là : elle l'avait constaté le lendemain de son arrivée, quand elle était sortie acheter quelques fleurs pour son appartement et avait découvert que l'exubérante profusion florale avait fait place à deux magasins vendant des sacs et des porte-monnaie bas de gamme, *made in China*. Les couleurs des sacs à main en vitrine avaient rappelé à Flavia les bonbons à deux sous que ses enfants aimaient manger quand ils étaient petits : des rouges vicieux, des verts agressifs, pour ne pas parler de la vulgarité des autres teintes. Les sacs étaient faits de matériaux qui n'arrivaient pas, malgré toute leur bonne volonté et leurs couleurs criardes, à ressembler à autre chose qu'à du plastique.

Cela peut attendre un jour, se dit-elle, et elle quitta le théâtre. Elle se mit en route vers son appartement, qui occupait la moitié d'un *secondo piano nobile*[1] à Dorsoduro,

---

1. Second étage noble, ou second étage d'apparat.

pas très loin du pont de l'Académie. Depuis son arrivée, un mois auparavant, ses collègues vénitiens n'avaient eu de cesse de parler du déclin de la ville et de sa transformation progressive en un Disneyland sur l'Adriatique. Marcher n'importe où, à midi, dans le centre-ville signifiait se frayer un chemin au milieu de hordes de gens ; prendre le vaporetto était parfois impossible, souvent désagréable. Biancat avait fermé boutique : mais pourquoi devrait-elle s'en faire ? Même si elle était originaire du Nord, elle n'était pas vénitienne et les raisons qui poussaient les Vénitiens à vendre leur patrimoine ne la regardaient pas. N'y avait-t-il pas un passage dans la Bible où un homme vendait son droit d'aînesse pour — expression qui l'avait fascinée lorsqu'elle l'avait entendue pour la première fois au catéchisme, il y a des décennies de cela — un « potage de lentilles » ? Ces mots lui rappelèrent à quel point elle avait faim.

Elle s'arrêta campo Santo Stefano et mangea des pâtes chez Beccafico, mais prêta peu d'attention à son plat et but seulement un demi-verre de Teroldego. Moins, elle ne dormirait pas ; plus, elle ne dormirait pas non plus. Puis elle traversa le canal, prit sur la gauche, passa le pont de San Vio, descendit la première à gauche, mit la clef dans la serrure et entra dans l'immense hall du *palazzo*.

Flavia s'arrêta en bas de l'escalier, non pas tant par fatigue que par habitude. Après chaque spectacle, sauf si le décalage horaire était trop important, elle essayait d'appeler ses deux enfants mais, pour pouvoir le faire, il fallait qu'elle soit en paix vis-à-vis de la représentation qu'elle venait d'effectuer. Elle se remémora le premier acte, et ne trouva rien à redire. Même chose avec le deuxième. Au troisième, le jeune ténor n'avait pas été tout à fait au point, mais il avait été peu soutenu par le chef d'orchestre qui n'avait pas cherché à déguiser la piètre opinion qu'il avait de lui, à l'exception de ses notes aiguës. Sa propre prestation avait été bonne. Pas inoubliable, mais bonne. Ce n'était pas un grand opéra, à dire vrai ; juste quelques passages où sa voix pouvait briller, mais elle avait travaillé suffisamment de fois avec le metteur de scène pour qu'il lui donne carte blanche, si bien que les moments dramatiques avaient tourné à son avantage.

Elle partageait l'avis de ce metteur en scène sur le baryton qui chantait Scarpia, mais elle restait bien plus discrète que lui sur la question. Il avait décidé que Tosca devait lui donner un coup de couteau dans l'estomac, pas à la poitrine, et à maintes reprises. Lorsque le baryton s'était insurgé contre un tel affront, ce dernier lui avait expliqué que la brutalité du comportement de Tosca devait être proportionnelle à la brutalité dont il avait fait preuve envers elle dans les deux premiers actes : c'était l'occasion, pour lui, de créer, de par sa voix, un véritable monstre dramatique et de pousser encore plus loin son talent tragique.

Flavia avait noté l'expression de suffisance sur le visage du baryton lorsqu'il s'était rendu compte de l'occasion qui lui était donnée de souffler la vedette à Tosca. Mais elle avait vu aussi le clin d'œil que le metteur en scène lui avait fait dans le dos de Scarpia lorsque ce dernier s'était emparé de l'idée par les mots et par les actes. Elle n'avait pas tué beaucoup de gens sur scène, mais pouvoir l'assassiner, et se délecter d'avance des trois prochains meurtres à venir, était le nectar et l'ambroisie.

Ragaillardie à cette pensée, elle se mit à gravir les marches, sans se tenir à la rampe et ravie de la largeur de l'escalier, conçu sans doute pour permettre aux femmes vêtues d'amples robes de se croiser en montant ou en descendant, ou de l'emprunter bras dessus bras dessous. Elle arriva au palier et prit à droite pour gagner son appartement.

Elle resta bouche bée. Devant la porte, le sol était jonché du plus grand bouquet de fleurs qu'elle ait jamais vu : de roses jaunes, bien sûr — sinon, comment aurait-elle pu établir cette comparaison ? —, cinq ou six douzaines, disposées en une énorme couronne resplendissante qui, au lieu de lui procurer la joie que devrait susciter une telle beauté, remplit Flavia d'une sensation proche de la terreur.

Elle regarda sa montre : il était minuit passé. Elle était seule dans l'appartement ; la personne qui avait déposé les fleurs était entrée par la porte d'en bas et pouvait être n'importe où. Elle resta debout et respira profondément, jusqu'à ce que son cœur retrouve un rythme normal.

Elle sortit son portable et trouva le numéro de l'ami qui lui prêtait cet appartement. Il vivait à l'étage au-dessus, mais elle se disait qu'un coup de fil à cette heure serait moins menaçant qu'un coup de sonnette.

« Allô ? répondit une voix d'homme à la quatrième sonnerie.

— Freddy ?

— Oui. Est-ce toi, Flavia ?

— Oui.

— Es-tu enfermée dehors ? »

Sa voix était chaleureuse, presque paternelle, et dénuée du moindre brin de reproche.

« Es-tu encore debout ? lui demanda-t-elle au lieu de répondre à sa question.

— Oui.

— Pourrais-tu descendre ? »

Après une infime hésitation, il répondit :

« Bien sûr. Une minute, le temps que je le dise à Silvana. »

Flavia recula contre le mur, pour s'écarter le plus possible de la porte et de ces fleurs. Elle s'employa à évaluer la taille du bouquet. Elle le compara à un cerceau, mais c'était trop grand. À un ballon de plage, mais c'était trop petit. Au pneu d'une voiture : voilà la bonne circonférence. Les fleurs formaient un bouquet en forme de champignon, mais un champignon devenu fou, comme dans un film d'horreur, craché par une radiation atomique et échappant à tout contrôle, le genre de film qu'elle allait voir autrefois au cinéma et dont, aujourd'hui encore, elle se souvenait avec jubilation.

Aucun bruit à l'étage supérieur. D'où provenait la plus forte menace : de ce paisible bouquet, mais d'une beauté perverse dans ce contexte, ou des champignons atomiques ? Ces inepties la dispensaient de réfléchir à la signification des roses, ou de se demander comment quelqu'un avait pu pénétrer dans le *palazzo*. Ou à ce qui, diable, était véritablement en train de se passer.

Elle entendit un bruit venu d'en haut, puis des voix, d'homme et de femme, et des pas descendant l'escalier. Elle jeta un coup d'œil à travers la rampe et vit des pieds chaussés de pantoufles, le bas d'un pyjama, l'ourlet puis la ceinture d'un peignoir en soie rouge, une main d'où pendait un trousseau de clefs, et enfin le visage barbu, rassurant, du marquis Federico d'Istria. Son ami Freddy était un ancien amant ; il avait hésité à venir à son mariage non pas par jalousie, comme elle le découvrit plus tard, mais parce qu'il connaissait trop bien le marié et que l'honneur lui ordonnait de se taire – tout en maudissant son silence.

Il s'arrêta sur la dernière marche et regarda l'énorme bouquet étalé devant la porte. « Tu les as apportées à la maison ?

— Non, elles étaient ici. As-tu laissé entrer quelqu'un ?

— Non. Silvana non plus. Personne n'est venu.

— Les gens d'en haut ? s'enquit-elle en levant un doigt, comme s'il pouvait ignorer ce que signifiait "en haut".

— Ils vivent à Londres.

— Donc personne n'est venu ?

— Pas que je sache. Silvana et moi sommes les seuls ici en ce moment. »

Freddy descendit cette dernière marche et s'approcha des fleurs. Il les poussa du bout du pied, comme il l'aurait fait avec un ivrogne endormi sur le seuil, ou avec un paquet suspect. Rien. Il regarda Flavia et haussa les épaules, puis se pencha et les ramassa. On ne le voyait pratiquement plus derrière le bouquet.

« Des roses jaunes, affirma-t-il vainement.

— Mes préférées. »

Mais, à ces mots, Flavia prit conscience que ce n'était plus le cas.

« Veux-tu que je t'aide à les rentrer ? suggéra-t-il.

— Non, rétorqua-t-elle d'un ton féroce. Je ne les veux pas à la maison. Donne-les à Silvana. Ou mets-les dans la rue. »

Elle sentit la note de panique s'intensifier dans sa voix et s'appuya contre le mur.

« Attends ici », dit Freddy.

Il lui passa devant et descendit l'escalier. Elle entendit le bruit de ses pas diminuer, puis elle perçut un son différent lorsqu'il traversa le hall d'entrée qu'il ouvrit, puis il ferma la porte et revint vers elle.

« Tu veux bien entrer avec moi ? »

Face à sa surprise, elle lui précisa :

« Et jeter un coup d'œil tout autour. Je veux être sûre…

— Que la porte d'en bas soit bien la seule qui ait été ouverte ? »

Elle hocha la tête.

« Cela t'est-il déjà arrivé, Flavia ? s'informa-t-il.

— Quelques fois, mais dans des théâtres. Des fleurs lancées sur la scène, mais ce soir il y avait des douzaines de bouquets dans ma loge aussi. »

Il regarda ses bras vides.

« Tu les as laissés là-bas ?

— Je ne les voulais pas. Je ne les veux pas », déclara-t-elle, tout en percevant la terreur sensible dans sa voix.

Elle le regarda, immobile, plongée dans ses réflexions, puis elle explosa.

« Pour l'amour du Ciel, aide-moi, Freddy. »

Il traversa le palier et la prit par les épaules, puis l'enlaça ; elle se blottit contre sa poitrine et sanglota.

« Freddy, comment a-t-il pu entrer ici ? Comment sait-il que j'habite ici ? Qui est-ce ? »

Il n'avait pas de réponses, mais la sensation familière de son corps contre lui ranima le tourbillon d'émotions qu'il éprouvait autrefois pour elle : amour, jalousie, colère, passion, tout comme celles que sa rupture n'avait pas fait disparaître en lui : le respect, l'amitié, le désir de la protéger, la confiance. Il aimait sa femme et était amoureux d'elle, mais il ne pouvait s'empêcher de penser à son amante. Maintenant Flavia avait deux grands enfants et lui en avait trois, ainsi qu'une épouse, et leur bien-être était le pivot de sa vie.

Il recula un peu, tout en veillant à garder un bras autour d'elle.

« Donne-moi une minute, Flavia, je rentre et je vérifie. Si les fleurs sont devant la porte, il y a peu de chances qu'il y ait quelqu'un à l'intérieur, tu ne crois pas ? »

Il lui sourit et haussa les épaules. *Un garde du corps en peignoir de soie*, se dit-elle. *Peut-être qu'il peut enlever une pantoufle et le frapper avec.*

Elle s'écarta de lui et il trouva la bonne clef. Il la tourna quatre fois et entendit le verrou s'ouvrir. *S'il y avait quelqu'un à l'intérieur, il se serait enfermé*, songea-t-elle. Freddy poussa la porte et entra pour allumer la lumière. Il avança de deux pas dans le vestibule et s'arrêta. Flavia le suivit.

« Je croyais que tu voulais que je jette un coup d'œil, observa-t-il, comme s'il craignait que la présence de Flavia ne compromette son courage.

— C'est mon problème, répliqua-t-elle.

— C'est ma maison », rétorqua Freddy.

Sa profonde connaissance de l'appartement lui donnait l'impression qu'il n'y avait personne.

À sa grande surprise, Flavia se mit à rire.

« Cela fait dix minutes à peine que nous sommes ensemble, et nous nous disputons déjà. »

Freddy se tourna pour la regarder en face, se demandant si c'était là une autre manifestation de son talent de comédienne. Mais il y avait encore des larmes sur son visage et elle avait l'air hagard d'une personne en état de choc. « Reste ici, dit-il, et ne ferme pas la porte. »

Il passa de pièce en pièce, se baissa pour regarder sous le lit dans les trois chambres. Il déplia les couvertures, regarda dans la douche de la chambre d'amis et ouvrit la porte de la terrasse. Il n'y avait personne, pas même une sensation de présence.

Lorsqu'il retourna dans le hall, elle était appuyée contre le mur près de la porte, la tête penchée en arrière, les yeux fermés.

« Flavia, il n'y a personne ici. »

Elle essaya de sourire, en vain.

« Merci, Freddy, je suis désolée d'avoir crié.

— Tu étais tout à fait en droit de crier, Flavia. Maintenant, monte avec moi ; tu vas nous parler un moment et prendre un verre avec nous.

— Et puis ?

— Et puis, tu redescendras ici et tu iras dormir.

— Pourquoi ? Tu ne veux pas que je dorme dans votre appartement ? »

Son regard resta chaleureux et affectueux, et il secoua la tête, faussement exaspéré.

« Tu me déçois, Flavia. Il faut que tu redescendes dormir chez toi, sinon tu ne pourras jamais plus le faire. »

Il gagna la porte et désigna la serrure.

« Si tu t'enfermes de l'intérieur, même les pompiers ne pourront pas entrer, alors qu'ils peuvent ouvrir pratiquement toutes les serrures de la ville. Et il est impossible d'atteindre le balcon. Sauf si l'on veut descendre en rappel depuis le nôtre, mais ça me paraît fort peu probable. »

Flavia savait que tout ce qu'il disait était vrai, savait que sa réaction était exagérée car elle était épuisée par le stress de sa représentation et par la folle terreur qu'elle avait ressentie à la vue des fleurs jonchant le palier. Elle avait déjà eu peur par le passé, mais l'objet de ses craintes avait une logique : elle savait de quoi il retournait. Ces fleurs étaient dépourvues de sens : ce pouvait être une manière de la féliciter pour son talent ; elles avaient pu être envoyées à la suite d'une bonne représentation. Et pourtant, elle les sentait empreintes de menace, et même d'une sensation encore plus forte, une sensation proche de la folie, même si elle ne savait absolument pas pourquoi elle formulait ce type de pensées.

Elle inspira profondément et regarda Freddy : « J'avais oublié à quel point tu es gentil et patient, dit-elle, en posant sa main sur son bras. Merci pour ton invitation, mais je vais aller me coucher. Cela fait un peu trop : d'abord le spectacle et les fleurs à la fin, puis voir tous ces gens, et maintenant, ça. »

Elle se passa les mains sur le visage et lorsqu'elle les retira, elle sembla encore plus épuisée. « Très bien. Tu as mon numéro. Pose ton téléphone près du lit et appelle-moi en cas de besoin. N'importe quand. Si tu entends quoi que ce soit, si tu crois l'entendre, tu m'appelles. D'accord ? »

Flavia l'embrassa sur la joue, à la manière de vieux amis. « Merci, Freddy. »

Il se dirigea vers la porte. D'une voix dénuée du moindre pathos, il lui conseilla : « Enferme-toi une fois que je serai parti. » Il lui tapota le bras. « Va te coucher. »

C'est ce qu'elle fit, prenant juste le temps de se déshabiller et d'enfiler un vieux tee-shirt qu'elle avait chipé à son fils. Elle et Mickey Mouse étaient presque endormis lorsqu'elle s'aperçut qu'elle avait oublié d'appeler ses enfants. C'était la première fois après une représentation et cette sensation de culpabilité la poursuivit jusqu'au moment où elle plongea dans le sommeil.

5

Flavia se réveilla avec une sensation de gueule de bois, ou tout au moins une sensation qu'elle associait à un excès de boisson, même si cela ne lui était plus arrivé depuis des années. Elle avait mal à la tête et ses yeux collaient lorsqu'elle essaya de les ouvrir. En s'étirant sous les couvertures, elle sentit la raideur de son dos et de ses épaules. Elle ne pensait pas que le stress pouvait la mener là, mais elle se souvint ensuite du saut et de la chute qu'elle avait faits la veille depuis le toit du château Saint-Ange : elle s'était élancée sur une pile de matelas en mousse, mais avait atterri sur un côté, et non sur l'estomac. Elle s'était bien rendu compte qu'elle n'était pas tombée à plat comme elle aurait dû, mais les tonnerres d'applaudissements de l'autre côté du rideau le lui avaient fait sortir de l'esprit.

Espérant que la chaleur ferait disparaître toutes ces sensations désagréables, elle prit une longue douche, aussi chaude qu'elle put le supporter, laissant l'eau fouetter sa tête, puis son dos. Enveloppée dans une immense serviette, une autre enturbannée autour de ses cheveux, elle alla à la cuisine et se fit un café, qu'elle but pur et sans sucre. Pieds nus, elle entra dans le salon en sirotant son deuxième espresso, et se dirigea vers les fenêtres qui donnaient sur le balcon. Dans les pièces de devant, elle entendait passer les vaporetti, à peine audibles à l'arrière de l'appartement où se trouvaient les chambres. Une autre grise et morne journée la saluait d'un air torve et elle songea que, si elle ouvrait les fenêtres, sortait sur le balcon et passait sa main au-dessus de l'eau, elle pourrait saisir une poignée d'humidité et la ramener avec elle à l'intérieur.

Elle resta un long moment à la fenêtre, à regarder les bateaux haleter dans les deux directions. Elle pouvait distinguer, sur sa droite, l'embarcadère de Santa Maria del Giglio, situé de l'autre côté du canal, et eut le temps de suivre l'amarrage de deux bateaux. *Si seulement mon esprit aussi n'avait que deux directions*, se surprit-elle à penser et elle revint dans la chambre pour regarder l'heure.

Le réveil près de son lit lui indiqua qu'il était presque 11 heures ; le téléphone posé à côté lui apprit que Freddy lui avait envoyé trois messages, le dernier lui disant que, s'il n'avait pas de nouvelles avant midi, Silvana descendrait et sonnerait, car lui était au bureau et ne pouvait le faire.

Elle tapa un SMS lui demandant de cesser de la houspiller, puis effaça ces mots et les remplaça par un message l'informant qu'elle venait de se réveiller et qu'elle trouvait le monde meilleur. Même si le portable n'était guère l'instrument approprié, elle le remercia pour l'aide et la patience qu'il lui avait manifestées la veille et lui déclara que son amitié n'avait pas de prix à ses yeux.

En un clin d'œil, sa réponse apparut. « Tout comme la tienne, ma chère. » Rien de plus, mais cela lui mit immensément de baume au cœur. Elle s'habilla rapidement, d'une robe marron qu'elle avait depuis des années mais dont elle ne pouvait se résoudre à se séparer, et d'une paire de chaussures à talons plats suffisamment confortables pour pouvoir rester debout pendant des heures entières de répétition.

Elle s'arrêta au bar situé sur la gauche de la *calle* qui menait au pont et commanda un croissant et un café. Elle n'avait pas plus tôt passé sa commande qu'elle se demanda si elle n'était pas folle de saboter sa séance en y arrivant avec une haute dose de caféine et de sucre. Elle appela le garçon et changea : elle prit un *tramezzino* au jambon et mozzarella et un verre de jus d'orange. Quelqu'un avait laissé un exemplaire du *Gazzettino* sur le comptoir et elle le feuilleta nonchalamment en mangeant, n'appréciant ni le journal ni le sandwich, mais fière d'avoir su résister à l'attrait du sucre et d'un nouveau café.

Lorsque Flavia arriva au théâtre, elle trouva le gardien dans sa loge vitrée et lui demanda de lui donner plus de détails sur les hommes qui avaient apporté les roses, mais il se souvint seulement du fait qu'ils étaient venus à deux. En réponse à sa question, il lui confirma que c'étaient effectivement des Vénitiens, même s'il ne les avait jamais vus livrer des fleurs au théâtre.

Elle pivota pour s'en aller mais le gardien la rappela et lui demanda s'il était vrai, comme le lui avait rapporté Marina, qu'elle ne voulait ni les vases ni les roses. Dans ce cas, pouvait-il en apporter quelques-unes à sa fille ? Non, sa femme l'avait quitté et était partie vivre avec quelqu'un d'autre, mais sa fille – qui n'avait que quinze ans – avait insisté pour rester avec lui – non, elle ne voulait pas vivre avec sa mère et son nouveau compagnon, et le juge avait décrété qu'elle pouvait rester avec son père. Comme elle aimait les belles choses, il avait demandé à Marina s'il pouvait lui donner un des vases et quelques fleurs, mais Marina lui avait répondu seulement si la signora était d'accord, parce qu'elle avait dit qu'elles étaient pour les habilleuses, mais vu que seulement deux d'entre elles avaient travaillé avec la signora, elle les garderait jusqu'à ce que la signora lui donne son consentement.

De nouveau, Flavia se demanda en vertu de quelle qualité personnelle elle donnait envie aux gens de lui parler, ou si c'était simplement que le moindre signe d'intérêt ou de curiosité pouvait déclencher en eux un véritable torrent d'informations, indépendamment de l'interlocuteur.

Elle sourit, regarda l'horloge au-dessus de son bureau et afficha une surprise bien visible en voyant qu'il était si tard.

« Dites à Marina que vous m'avez parlé et que je vous ai dit que vous pouvez prendre tout ce que vous voulez.

— Votre pianiste n'est pas encore arrivé, signora, lui apprit-il pour lui rendre la politesse. Il habite à Dolo, c'est pourquoi il est souvent en retard.

— Dolo est la porte à côté, répliqua-t-elle, en faisant un geste vague de la main en direction du continent.

— Ce n'est qu'à vingt kilomètres, signora. Mais il n'a pas de voiture. »

Comment s'était-elle retrouvée happée dans cette conversation ?

« Il y a sûrement un train, ou un bus.

— Bien sûr. Mais il n'y a plus beaucoup de trains, tout au moins le matin. Et les bus mettent plus d'une heure. »

Plus d'une heure ? L'avait-on transférée au Burkina Faso pendant son sommeil ?

« Bien, j'espère qu'il ne va pas tarder », conclut-elle.

Renonçant à s'enliser davantage dans cet échange, elle se dirigea vers l'ascenseur.

En haut, elle trouva une des femmes de ménage qui lui certifia que la plupart des fleurs et des vases avaient été distribués, même s'il restait encore deux vases en bas, dans le casier de Marina. Sans lui laisser le temps d'ajouter un mot, Flavia jeta un coup d'œil à sa montre en écarquillant les yeux comme elle l'avait fait devant l'horloge du gardien et l'informa qu'elle était en retard pour sa rencontre avec le pianiste. Pour ne pas donner l'impression qu'elle s'échappait, elle descendit l'escalier lentement, en révisant dans sa tête les deux airs qu'elle devait, en accord avec le pianiste, travailler ce jour-là.

Du vérisme[1] au bel canto, en un mois. Une fois finie cette série de représentations, passer une semaine de vacances en Sicile avec les enfants, puis travailler à Barcelone avec une mezzo-soprano qu'elle admirait, mais avec laquelle elle n'avait jamais chanté. Ce serait sa première apparition en Espagne depuis son divorce, son ex-mari étant un Espagnol bien nanti, mais violent et doté de beaucoup d'entregent. Ce n'étaient que son remariage avec lui et leur installation en Argentine qui lui avaient ouvert les portes à la fois du Liceu et du Teatro Real, où elle avait pu chanter les rôles qu'elle souhaitait interpréter depuis toujours : Marie Stuart et Anne Boleyn, de Donizetti, qui avaient toutes les deux perdu la tête, même si c'était pour des raisons différentes, et sur différentes musiques.

La Fenice lui avait fourni une salle de répétition où préparer ces rôles, généreuse concession de sa part, puisqu'elle les chanterait ensuite tous deux dans un autre théâtre. Sa pièce était la dernière du couloir, sur le côté droit.

---

1. Courant littéraire italien du xixe siècle, correspondant au mouvement français du naturalisme.

En passant devant la première porte, elle entendit des notes de piano; c'était la joyeuse introduction d'une aria qu'elle reconnut, mais ne put identifier. *Tra la la la la*: cela sonnait comme un air plein de gaieté; cependant, sa mémoire musicale la mettait en garde contre toute cette fausse insouciance. Le temps de formuler cette pensée, la musique prit des accents de mauvais augure. Une voix grave de femme se mit à chanter: « *Se l'inganno sortisce felice, io detesto per sempre virtù.* » Dès que la chanteuse commença à travailler ce passage, Flavia se souvint de l'aria. Qu'est-ce que Händel et – plus incroyable encore – l'ennemi d'Ariodante venaient faire ici? La chanteuse émit ensuite un tourbillon de vocalises que Flavia ne s'attendait pas à entendre chez une contralto, car cette virtuosité relevait en principe d'une soprano, mais d'une soprano remarquablement à l'aise dans les sombres notes graves, et riches d'une fragrance musquée.

Elle s'appuya contre le mur du couloir et ferma les yeux. Flavia comprenait chaque mot: les consonnes étaient prononcées distinctement, les voyelles avaient leur juste degré d'aperture. « Si la trahison apporte le bonheur, je détesterai la vertu pour toujours. » La mélodie ralentit imperceptiblement et la voix de Polinesso se fit de plus en plus menaçante: « *Chi non vuol se non quello, che lice, vive sempre infelice quaggiù.* » Flavia s'abandonna au plaisir du contraste: tandis que la mélodie sautillait allègrement, Polinesso déclarait en fait que rectitude est synonyme de malchance, en ce bas monde.

Puis elle fit des allers-retours en *la*, où sa voix de coloratur pourchassait toutes les notes possibles qu'elle effleurait à peine, avant de se livrer à un nouveau jeu de cache-cache musical. Flavia avait vu *Ariodante* deux ans auparavant à

Paris, où un ami à elle interprétait le rôle plutôt ingrat de Lurcanio : elle se souvenait de trois des chanteurs, mais pas de Polinesso, qui ne pouvait que rêver de chanter ainsi. Les fioritures vocales devenaient de plus en plus délirantes, grimpant en flèche pour mieux glisser jusqu'au registre le plus bas pour une contralto. Les dernières gammes ascendantes et descendantes firent vaciller Flavia d'un plaisir physique, et elle se sentit profondément soulagée de n'avoir jamais à rivaliser avec une telle cantatrice.

Au moment même où elle en arrivait à cette conclusion, une voix d'homme lui parvint de la droite : « Flavia, je suis là. »

Elle se tourna, mais elle était tellement ensorcelée par cette musique qu'elle mit un moment à reconnaître Riccardo, le répétiteur avec lequel elle avait travaillé *Tosca* et qui lui avait proposé son aide pour préparer l'opéra de Donizetti. Petit, trapu, barbu, le nez tordu, Riccardo pouvait facilement être pris pour quelqu'un d'agressif, alors qu'il avait un jeu sensible et lumineux, surtout dans les douces introductions aux arias, auxquelles, insistait-il, trop de chanteurs ne prêtaient pas toute l'attention voulue. Au cours des semaines où ils avaient travaillé ensemble à l'opéra de Puccini, il lui avait révélé bien des nuances dans la musique qu'elle n'avait pas remarquées en lisant la partition, ni entendues en chantant à sa manière. Sa façon de jouer les avait rendues audibles, s'arrêtant après des passages qui exigeaient, selon lui, une emphase dramatique. Ce n'est qu'après le triomphe de la première, une fois sa tâche accomplie, qu'il avoua à Flavia combien il n'aimait pas *Tosca*. Pour lui, l'opéra s'était arrêté à Mozart.

Ils s'embrassèrent sur les deux joues ; il lui dit combien sa dernière représentation avait été grandiose, mais elle le coupa pour lui demander, en désignant la porte en face d'elle :

« Savez-vous qui est là ?

— Non, répondit Riccardo. Allons voir ! »

Il frappa à la porte avant que Flavia n'ait le temps de l'arrêter.

Une voix d'homme cria : « Un moment ! », une voix de femme dit quelque chose, puis un homme grand, avec quelques partitions à la main, ouvrit la porte.

« Qu'y a-t-il ? »

Il s'avança dans le couloir, mais lorsqu'il reconnut son collègue, puis Flavia, il s'immobilisa et leva la partition devant sa poitrine, comme s'il voulait se cacher derrière.

« Signora Petrelli ! » s'exclama-t-il, incapable de réprimer sa surprise, ou d'en dire davantage.

Derrière lui, Flavia aperçut la fille qui l'avait attendue la veille à l'entrée des artistes après le spectacle, qui lui avait parlé avec une si belle voix et une grande agitation. Elle semblait en bien meilleure forme aujourd'hui, les cheveux tirés en arrière et sans la moindre trace de maquillage. Sans ce vilain rouge à lèvres, elle avait un très joli visage. Elle tenait aussi quelques feuillets et Flavia vit en elle l'éclat de qui vient juste de bien chanter, et qui le sait.

« On vous a très bien formée à Paris, ma chère », dit Flavia en entrant dans la pièce sans demander la permission et en se dirigeant vers la jeune fille.

Elle se pencha pour l'embrasser à son tour, lui tapota le bras et sourit.

« Je suis étonnée que vous vous essayiez à un tel rôle. Mais vous êtes parfaite pour lui, même à votre âge. Que préparez-vous d'autre ? »

La fille ouvrit la bouche pour répondre, mais semblait incapable de parler.

« Je… Je…, commença-t-elle, puis elle parcourut rapidement les papiers et indiqua une page.

— Ottavia Lament, lut Flavia. C'est un bourreau des cœurs, n'est-ce pas ? s'enquit-elle auprès de la jeune fille qui opina du chef, mais ne pouvait toujours pas proférer un son. J'ai toujours eu envie de le chanter, mais c'est beaucoup trop grave pour moi. »

Flavia prit soudain conscience de la situation et s'excusa, en s'adressant à la fois à la fille et au pianiste :

« Je suis désolée de vous avoir interrompus.

— Nous étions en train de finir, précisa l'homme. La séance dure une heure et nous l'avons largement dépassée. »

Flavia jeta un coup d'œil à la jeune fille, qui semblait s'être un peu calmée.

« Vous avez vraiment aimé, signora ? » parvint-elle à demander.

Cette fois, Flavia rit de bon cœur.

« C'était merveilleusement bien chanté. C'est pourquoi je suis entrée : pour vous le dire. »

La fille rougit de nouveau et se mordit les lèvres, comme si elle cherchait à refouler ses larmes.

« Comment vous appelez-vous ?

— Francesca Santello.

— C'est ma fille, signora, spécifia le pianiste. Je suis Ludovico Santello. »

Il s'avança d'un pas et lui tendit la main.

Flavia la lui serra, puis elle tendit la sienne formellement à la fille.

« À mon tour de travailler », conclut-elle, en leur souriant à tous deux et en se tournant vers Riccardo, qui se tenait dans l'embrasure de la porte.

Flavia fit un signe de tête amical à la jeune fille avant de quitter la pièce et descendit le couloir. La porte se referma derrière eux et ils entendirent des éclats de voix à l'intérieur. Quelques personnes, parlant entre elles, longeaient le couloir en sens inverse et, une fois passées, Flavia confia à Riccardo :

« Cette fille a une voix merveilleuse. Elle sera une bonne cantatrice, je pense. »

Riccardo sortit la clef de sa poche et déclara :

« Si vous permettez, je dirais qu'elle l'est déjà. »

Il ouvrit la porte et la tint pour elle.

Elle entra dans la pièce, continuant sur sa lancée :

« Ce n'est pas souvent que des gens jeunes sont si… »

Sa phrase s'interrompit à la vue des fleurs : un bouquet, dans un simple vase en verre. Il se trouvait au sommet du piano, avec une petite enveloppe blanche posée contre le vase.

Flavia s'approcha du piano et prit l'enveloppe. Sans réfléchir, elle la tendit à Riccardo :

« Voulez-vous bien l'ouvrir et me la lire, s'il vous plaît ? »

Même s'il trouva sa requête étrange, il n'en laissa paraître aucun signe. Il glissa l'ongle de son pouce sous le rabat, ouvrit l'enveloppe et en sortit une simple carte blanche. Il se tourna vers elle et lut :

« Je regrette que vous ayez donné les roses. J'espère que vous ne le ferez plus.

— Est-ce signé ? »

Riccardo retourna la carte et vérifia au dos de l'enveloppe, puis il les posa sur le piano.

« Non. »

Il la regarda et demanda :

« Qu'est-ce qui ne va pas ?

— Rien. »

Elle plaça sa chemise avec les feuillets de musique sur le lutrin, prit le vase et le sortit dans le couloir.

« Je crois que nous en étions à la fin du second acte », déclara-t-elle.

6

Brunetti et Paola parlèrent de la représentation en rentrant à la maison ; chacun l'avait appréciée à sa façon. Brunetti avait vu une fois Flavia chanter Violetta ; c'était à la télévision, à l'époque où les producteurs de la RAI considéraient encore l'opéra comme suffisamment important pour être diffusé sur les antennes. Depuis lors, il avait disparu des écrans, tout comme il ne faisait plus l'objet de considérations sérieuses dans la presse. Naturellement il arrivait que l'on évoque, à l'occasion, tel ou tel opéra, mais on consacrait davantage d'espace à la vie sentimentale du chanteur, à ses ruptures ou à ses nouvelles conquêtes qu'à son travail en tant qu'artiste.

Il ne pouvait se résoudre à croire qu'il s'était écoulé autant de temps depuis qu'il avait vu Flavia chanter *La Traviata* et qu'il l'avait regardée mourir, le cœur serré par le désir de se précipiter à son secours. Il savait, tout comme il savait que Paolo et Francesca passeraient l'éternité à se chercher au milieu des vents de l'Enfer, que Violetta crierait sa joie à son retour à la vie et à l'énergie, avant de sombrer, morte, comme seuls les morts peuvent l'être. C'était juste une histoire. Donc, bien que Tosca eût tué Scarpia et fût prête à sauter, il savait qu'elle reviendrait sur scène en l'espace de quelques minutes, souriante et saluant le public.

Mais cela ne pouvait pas changer la réalité du meurtre, ou de son suicide. Les faits étaient vides de sens : seul l'art était réel.

Paola s'était mise à aimer davantage l'opéra ces dernières années et l'interprétation de Flavia lui avait inspiré une admiration inconditionnelle, même si elle trouvait l'intrigue ridicule.

« J'aimerais la voir dans un opéra intéressant, avoua-t-elle au moment où ils atteignaient le sommet du pont du Rialto.

— Mais tu m'as dit que tu avais aimé. »

Il commença à descendre les marches, soudain en proie à la fatigue et ayant pour seule envie de boire un verre et d'aller se coucher.

« Elle était captivante par moments, approuva Paola, avant de hausser les épaules. Mais je pleure quand on tue la mère de Bambi, tu sais bien.

— Et alors ?

— Et alors, je n'ai jamais été transportée par l'opéra comme toi. J'aurai toujours des réserves quant à son sérieux. »

Elle lui tapota la main en parlant, puis elle glissa son bras sous le sien une fois arrivés en bas du pont et ils longèrent la *riva*. Elle ajouta, d'un ton pensif :

« Cela vient peut-être de ce que tu lis tellement de livres d'histoire.

— Pardon ? fit-il, complètement perdu.

— La majeure partie de l'histoire – tout au moins celle que tu lis – est tissée de mensonges : César obligé d'accepter le pouvoir contre son gré, Néron qui joue de la lyre pendant que Rome brûle, Xerxès qui ordonne la flagellation

60

des eaux de l'Hellespont. Ce qui passe pour vrai, dans ces livres, n'est que rumeurs et ragots. »

Brunetti s'arrêta et se tourna pour la regarder en face.

« Je ne vois pas du tout où tu veux en venir, Paola. Je croyais que nous étions en train de parler d'opéra.

— Je suis tout simplement en train de suggérer que tu as acquis le don d'écouter. »

À la façon dont elle ralentit le rythme à la fois de son discours et de ses pas en prononçant les derniers termes, Brunetti savait qu'elle n'avait pas fini d'exprimer sa pensée, donc il ne souffla mot.

« Dans ton travail, la plupart des choses que tu entends sont des mensonges, donc tu as appris à prêter attention à tout ce qui t'est dit.

— Est-ce un bien ou un mal ?

— Prêter attention aux mots est toujours un bien », répliqua-t-elle promptement.

Elle reprit sa marche, mais elle dut le tirer par le bras pour le remettre en route.

Brunetti songea aux journaux et aux magazines qu'il lisait, aux rapports des crimes établis par ses collègues, aux dossiers du gouvernement. Il l'admit : la plupart de ces écrits étaient davantage de la fiction que des faits, et il les lisait en connaissance de cause.

« Je pense que tu as raison. Il est souvent impossible de faire la différence.

— C'est le cas pour l'art tout entier. *Tosca* est un tissu de mensonges, mais ce qui arrive à Tosca ne l'est pas. »

Combien ces mots furent prophétiques ! Brunetti s'en rendit compte deux soirs plus tard, lorsqu'il rencontra

Flavia au dîner chez les parents de Paola. Il arriva avec elle à 20 h 30 et il trouva le comte et la comtesse dans le grand salon, celui qui donne sur les *palazzi* de l'autre côté du Grand Canal. Il n'y avait aucune trace de Flavia Petrelli.

Il fut surpris de voir ses beaux-parents habillés de manière décontractée, mais cela signifiait simplement que la cravate du comte était en laine et non pas en soie et que la comtesse portait un pantalon en soie noire, au lieu d'une robe. Brunetti vit sortir, de la manche de sa veste, le bracelet que le comte lui avait rapporté d'un voyage d'affaires en Afrique du Sud quelques années plus tôt ; lui, il lui avait bien ramené des chocolats de Zurich, non ? Donc il était tout à fait naturel de revenir d'Afrique du Sud avec des diamants.

Tous les quatre étaient assis sur des canapés disposés en vis-à-vis et parlaient des enfants, de leurs universités, de leurs espoirs et de leurs propres espérances pour eux : ces sujets que l'on aborde toujours en famille. La petite amie de Raffi, Sara Pagnuzzi, était partie faire ses études à Paris pour un an, mais Raffi n'était pas encore allé la voir, ce qui livrait les quatre adultes à des spéculations sans fin sur ce qui se passait entre eux. Ou pas. Chiara ne semblait pas encore s'intéresser aux garçons, ce que les quatre parents comprirent et applaudirent.

« Cela ne va pas tarder, déclara Paola, exprimant l'éternel pessimisme des mères de jeunes filles. Un de ces jours, elle va nous arriver au petit déjeuner dans un pull moulant et avec deux fois plus de maquillage que Sophia Loren. »

Brunetti se passa les mains dans les cheveux et gémit, puis grogna :

« J'ai un revolver. Je peux le tuer. »

Il vit les trois têtes se tourner brusquement vers lui et il laissa glisser les mains lentement sur son visage, pour finir par un large sourire.

« N'est-ce pas ce que sont censés dire les pères d'adolescentes ? »

Le comte, qui sirotait son prosecco, observa sèchement :

« Je me demande avec le recul si ce n'est pas ce que j'aurais dû faire quand Paola t'a amené à la maison la première fois, Guido.

— Arrête, Orazio, proféra la comtesse. Tu sais bien qu'après quelques années tu n'as plus vu Guido comme un intrus. »

Cette information aurait procuré bien peu de réconfort à Brunetti si sa belle-mère ne s'était arrangée pour lui tapoter le genou.

« C'était bien plus tôt que cela, Guido. »

Comme j'aimerais pouvoir le croire, songea Brunetti.

La comtesse fut interrompue par l'arrivée de Flavia Petrelli, qui fut introduite dans la pièce par la domestique. Elle avait l'air moins fatiguée que l'autre soir et sourit à tous chaleureusement en entrant. Le comte se leva immédiatement et se dirigea vers elle.

« Ah, signora Petrelli, vous ne pouvez pas imaginer combien je suis ravi que vous ayez pu venir. »

Il lui prit la main et se pencha pour embrasser l'air à quelques millimètres au-dessus de sa peau, puis il unit son bras au sien pour la conduire vers les autres, aussi fier qu'un chasseur rapportant dans sa gibecière un faisan bien dodu pour le dîner.

Brunetti se leva à son tour, mais se limita à lui serrer la main et à lui dire combien il était heureux de la revoir. Paola se permit de lui faire la bise. La comtesse resta assise, mais retapa le coussin près d'elle et pria signora Petrelli de prendre place à ses côtés. Une fois assise, la comtesse lui dit qu'elle admirait sa manière de chanter depuis qu'elle l'avait entendue lors de ses débuts à la Fenice, dans le rôle de Zerlina. Elle se garda d'en mentionner l'année, et Brunetti ne s'étonna pas que la famille de la comtesse ait donné un grand nombre de diplomates aussi bien au Vatican qu'à l'État italien.

« C'était une belle production, n'est-ce pas ? » demanda Flavia, question qui ouvrit sur une discussion à propos de la dramaturgie, des décors et de la mise en scène, et sur la qualité des autres chanteurs de la distribution.

Brunetti remarqua qu'elle ne se référait jamais à sa propre interprétation et ne semblait avoir ni envie ni besoin d'en récolter les éloges. Il se souvint de la femme qu'il avait rencontrée quelques années auparavant, toujours prête à occuper le devant de la scène, et se demandait ce qu'elle était devenue, ou si cette paisible conversation était simplement une autre preuve du remarquable talent de comédienne qu'il lui connaissait.

Le comte tendit un verre de prosecco à Flavia et prit une chaise en face d'elle, tandis que sa femme exhortait la cantatrice à évoquer le souvenir de cette représentation qu'il n'avait pas vue. Lorsque la conversation roula sur la *Tosca* actuellement à l'affiche, il lui précisa qu'il avait déjà réservé leurs billets pour la dernière représentation car ils avaient changé de programme et qu'ils ne resteraient que peu de temps à Londres.

« Si elle a lieu, nota Flavia en suscitant une confusion générale.

— Pardon ? fit le comte.

— Le bruit court qu'il y aura une grève pour les deux dernières représentations. Toujours la même histoire : un des contrats n'a pas été renouvelé, donc ils ont décrété qu'ils ne travailleraient pas.»

Avant même qu'ils puissent exprimer leur surprise, elle leva les mains pour calmer la situation et précisa :

« Ce n'est que le personnel technique qui est concerné et il est peu probable que d'autres iront grossir leurs rangs. Donc, même s'ils font grève, nous pouvons être sur scène et chanter.»

La domestique vint leur annoncer que le dîner était servi. Le comte se leva et offrit son bras à Flavia ; Brunetti prit sa belle-mère par le bras, puis, brisant scandaleusement l'étiquette, donna la main à Paola et conduisit les deux dames dans la salle à manger, et l'éventuel mouvement de grève leur sortit de l'esprit.

Brunetti se retrouva en face de la cantatrice, qui continuait à discuter avec la comtesse ; leur conversation était passée entre-temps aux impressions de Flavia sur la ville, qu'elle avait quittée depuis un long moment.

Lorsque la domestique servit les *involtini*[1] avec les premières asperges de la saison, Flavia regarda les visages réunis autour de la table.

«Vous êtes tous vénitiens, commença-t-elle, donc je devrais peut-être garder mon avis pour moi.»

Le silence se fit ; Brunetti se servit de cette pause et de l'attention que tous prêtaient à leurs mets pour observer le visage de Flavia. Il s'était trompé sur sa première impression : bien loin d'être détendue, elle avait les nerfs à fleur de peau. Elle mangeait peu, remarqua-t-il, et ne touchait guère à son vin. Il se souvint également comme il avait été frappé, il y a des années de cela, par la beauté

_____
1. Paupiettes.

65

de sa voix : non seulement sa tonalité, mais aussi la fluidité avec laquelle elle glissait d'une expression à l'autre, et l'extrême clarté de sa prononciation. Or, elle avait trébuché ce soir-là sur certains mots et il lui arriva même de ne pas achever une phrase, comme si elle avait oublié son propos. Son timbre, toutefois, avait toujours son velouté de pêche.

Le stress professionnel des chanteurs n'appartenant pas à son monde, Brunetti se demanda s'ils parvenaient vraiment à se détendre avant la fin de leur tournée et à se libérer de toute inquiétude pour leur santé, leur voix, leurs collègues, voire le temps qu'il faisait. Ainsi, dans le sillage de cette pensée, chercha-t-il à imaginer ce que pouvait signifier passer toute la sainte journée concentrés sur la représentation, comme des athlètes condamnés à ne rivaliser que le soir.

Lorsqu'il reprit part à la conversation, Brunetti entendit Flavia demander au comte quels autres opéras il avait vus au cours de cette saison.

« Ah, répondit-il, en échangeant un regard avec sa femme et en s'éclaircissant la gorge. Je dois avouer que je n'ai encore rien pu voir, admit-il avec un sourire, et Brunetti décela dans sa voix la même nervosité que dans celle de Flavia. Le vôtre sera le premier. »

Le regard de Flavia était l'absolution même.

« J'en suis honorée. »

Elle s'apprêtait à continuer lorsqu'elle fut interrompue par l'arrivée de la domestique qui débarrassa leurs assiettes. Celle-ci fut vite de retour avec un grand plat de *merluzzo con spinaci*[1].

_____
1. Merlan aux épinards.

Une fois partie, le comte goûta le poisson, hocha la tête et déclara :

« En fait, signora, c'est le théâtre qui est honoré que vous y chantiez. »

Flavia leva un sourcil en signe manifeste de scepticisme et croisa le regard de Brunetti, mais se tourna vers le comte.

« Ce n'est plus le cas, monsieur le comte, mais je vous remercie pour le compliment. C'était vrai il y a quarante, cinquante ans. Ça, c'étaient des chanteurs. Et tout théâtre était honoré de leur présence. »

Tandis que Brunetti découvrait le nouveau concept de « modestie chez les chanteurs », la comtesse demanda :

«Vous référez-vous à ce théâtre ?

— J'ai toujours trouvé plus sage, expliqua Flavia, regardant la comtesse mais, comme le soupçonnait Brunetti, en s'adressant à tous les convives, de ne jamais me livrer à des commentaires sur les gens qui me proposent du travail. »

Puis elle passa la balle au comte en lui demandant :

«Vous avez grandi avec La Fenice, monsieur le comte. Vous avez pu déceler le changement de qualité chez les chanteurs. »

Comme il ne soufflait mot, elle ajouta :

«Vous y avez un abonnement, donc vous avez pu voir la différence au fil des années. »

Brunetti nota comme elle glissait habilement sur la raison de son absence lors de cette saison.

Le comte recula dans son fauteuil et sirota légèrement son vin.

« Je suppose que c'est comme avoir un cousin qui a mal tourné : qui a volé sa famille, s'est entiché de femmes perdues, a raconté mensonges sur mensonges, est sorti de prison uniquement parce que la famille est riche. »

Il sourit, but une gorgée et, visiblement satisfait de sa comparaison, il conclut :

« Mais quoi qu'il fasse, quoi qu'il vole, vous ne pouvez pas oublier comme il était charmant plus jeune, et le bon temps que vous avez passé, enfant, avec lui et ses amis. Et donc, quand il vous appelle, à moitié ivre, à 2 heures du matin et qu'il vous dit qu'il lui est venu une nouvelle idée de génie pour ses affaires, ou qu'il veut épouser une nouvelle femme, mais qu'il a besoin d'un peu d'argent pour pouvoir le faire, vous lui en donnez, même si vous savez que vous ne devriez pas. Vous savez qu'il le dépensera en vacances onéreuses, peut-être avec cette nouvelle femme, ou avec une ancienne ; vous savez que vous n'en reverrez jamais plus la couleur ; mais, surtout, vous savez qu'il recommencera son manège dans six mois, ou un an. »

Le comte posa son verre sur la table et secoua la tête en feignant le désespoir, puis les regarda tous tour à tour.

« Mais c'est la famille.

— Oh mon Dieu ! s'exclama Flavia, riant tout en parlant. S'il vous plaît, ne m'y faites pas penser la prochaine fois que je verrai le directeur. »

Elle rit tellement qu'elle dut se couvrir la bouche avec sa serviette et baisser les yeux sur son assiette. Lorsqu'elle eut fini, elle regarda le comte dans les yeux et lui assena :

« Si je ne vous connaissais pas mieux, je penserais que vous y avez travaillé. »

7

Comme si tous avaient convenu, par un accord tacite, que la remarque de Flavia ne souffrait aucune réplique, ils cessèrent de parler d'opéra. Paola s'intéressa aux enfants de Flavia : son fils avait le même âge que Chiara ; sa fille était plus jeune que Raffi. Flavia semblait ravie de mentionner leurs bons résultats à l'école internationale de Milan, où elle vivait la plupart du temps, et elle ajouta − en essayant de ne pas trop se vanter − qu'ils avaient l'avantage de parler couramment italien, espagnol et anglais. Brunetti remarqua que son seul commentaire, à propos de son ancien mari, était qu'il était espagnol.

La conversation glissa sur des sujets généraux et Brunetti y contribua par quelques remarques, mais la nervosité de la cantatrice captait toute son attention. Elle avait semblé plutôt heureuse de le voir, l'autre soir, donc son état n'était pas dû au fait de rencontrer une personne bien au courant de sa vie privée. Le comte et la comtesse, lorsqu'ils étaient détendus et à leur aise, auraient apaisé même un lévrier, peut-être parce que le chien, lui, n'aurait pas remarqué le portrait du Titien dans le salon et les armoiries gravées sur les couverts. Et Paola, observa-t-il, jouait les mères poules parfaites.

La comtesse lui demanda où avait lieu son prochain spectacle. Flavia expliqua qu'elle chantait *Tosca* encore une semaine, qu'elle avait ensuite quelques jours de repos, puis qu'elle irait à Barcelone. Brunetti trouva intéressant qu'elle ne dise pas où elle allait après Venise et qu'elle ne prenne pas soin non plus de mentionner quel rôle elle interpréterait en Espagne. Il était d'avis que la plupart des gens n'étaient que trop disposés à parler d'eux-mêmes : on ne s'attendait pas à une telle modestie chez une diva.

Paola les surprit tous en déclarant :

« Ce doit être une vie difficile. »

Flavia tourna la tête vers elle d'un coup sec, mais baissa ensuite les yeux et prit son verre de vin. Elle but consciemment une longue gorgée, posa son verre et confirma :

« Oui, ça peut l'être, en effet. Être constamment en voyage, rester dans une ville – seule – parfois plusieurs semaines de suite. Et les enfants qui me manquent, mais ils sont à un âge où ils n'ont pas trop envie de passer leur temps libre avec leur mère. »

Puis, consciente qu'elle pouvait donner l'impression de s'apitoyer sur elle-même, elle précisa rapidement :

« Mais, après toutes ces années où j'ai travaillé avec tellement de gens, il y a toujours quelqu'un dans la production que je connais. Cela me facilite la vie.

— Quel est le pire côté, si je puis vous demander ? s'enquit la comtesse, qui essaya d'alléger ensuite sa question en ajoutant : Je suis si rarement seule que je dois dire que cela me paraît séduisant.

— Il n'y a pas de pire côté, répondit Flavia et Brunetti pensa qu'elle allait enfin être sincère. Je soupçonne qu'il n'y ait même pas ce que j'appellerais un mauvais côté. Je me plains juste bêtement. »

Elle jeta un coup d'œil à la ronde et vit qu'ils étaient tous suspendus à ses lèvres.

« C'est toujours une joie de chanter, surtout si vous savez que vous avez bien chanté et que vous travaillez avec de bons collègues. Je suppose que c'est le cas pour toutes les professions qui requièrent beaucoup de préparation et de réflexion – comme restaurer des tableaux, ou fabriquer une paire de chaussures : on passe beaucoup de temps à apprendre à le faire mais, à la fin, on a un beau produit. »

Brunetti pensa que la comparaison ne fonctionnait qu'en partie. Les autres avaient le tableau, ou les chaussures : tout ce que les chanteurs avaient, c'étaient leurs souvenirs. Du moins, avant YouTube.

Flavia n'avait pas terminé.

« Les journées peuvent être très longues si vous êtes seule dans une ville que vous ne connaissez pas. Ou que vous n'aimez pas. C'est peut-être cela le mauvais côté.

— Et quelles sont-elles ? s'enquit Brunetti.

— Bruxelles, affirma-t-elle sans hésitation. Et Milan. »

Il ne les aimait pas non plus, mais s'abstint de toute réflexion sur son choix de vivre dans l'une d'entre elles.

« Êtes-vous fatiguée d'entendre les gens vous dire comme votre vie doit être passionnante ? » demanda la comtesse, curieuse et prête à la compassion.

Flavia rit.

« Je ne sais pas combien de fois on me l'a dit. Je suppose que les gens le disent à toute personne qui voyage beaucoup.

— Mais personne ne le dirait à un comptable, ou à un courtier d'assurances, n'est-ce pas ? remarqua Paola.

— J'en doute, répondit Flavia. La chose bizarre, c'est que les gens qui le disent ne comprennent probablement pas ce qu'est véritablement notre vie.

71

— Est-ce que les fans ont vraiment cette curiosité ? »
demanda Paola.

D'un geste involontaire, Flavia recula sur sa chaise,
comme si elle essayait d'échapper à ces mots.

« Qu'y a-t-il ? l'interrogea la comtesse, d'un ton où
l'inquiétude était aussi transparente que sur le visage de
Flavia.

— Rien, dit Flavia. Rien. »

Brunetti sentir l'air se charger de tensions. Flavia était
assise, incapable d'énoncer d'autres mots, et les autres évitèrent soigneusement de se regarder, de peur d'attirer l'attention sur le comportement de leur invitée qui finit par
demander à Paola, d'une voix nouée :

« Quelqu'un vous l'a-t-il dit ?

— M'a dit quoi ? s'informa Paola, manifestement
confuse.

— Au sujet des fleurs. »

Paola se pencha vers elle, comme si elle espérait que la
proximité pouvait lui être de quelque secours.

« Flavia, je ne sais pas de quoi vous parlez », dit-elle.

Elle regarda son visage et attendit jusqu'à ce qu'elle ait,
de toute évidence, assimilé ces mots.

D'une voix lente et claire, Paola répéta :

« Je ne sais rien à ce sujet. »

Flavia baissa la tête, posa la main sur le côté et fit glisser
son couteau en une position horizontale. Puis, le saisissant
de ses index aux deux bouts, elle lui fit dessiner à maintes
reprises un demi-cercle, comme si c'était le compteur d'une
voiture livrée à un chauffeur peu constant. Sans regarder
Paola, elle énonça :

« On m'a envoyé des fleurs. »

La nervosité de sa voix altéra la banalité du propos.

« Et cela vous fait peur ? » s'étonna Paola.

Flavia remit le couteau en position verticale avant de se tourner vers elle.

« Oui. Des dizaines de fleurs : dix, douze bouquets. Sur la scène. Dans ma loge. »

Elle regarda Brunetti.

« Devant chez moi.

— Devant l'immeuble, ou à l'intérieur, près de la porte de l'appartement ?

— À l'intérieur, spécifia Flavia. J'ai demandé à mon ami qui vit au-dessus s'il était au courant, mais il ne savait rien : personne ne lui a demandé d'ouvrir la porte.

— Y a-t-il d'autres gens qui vivent dans l'immeuble ? demanda Brunetti, cette fois du ton du policier.

— Oui. Mais ils ne sont pas là en ce moment. »

Ce doit être ce qui la perturbe, songea Brunetti, ne comprenant pas vraiment son état anxiété. Les fleurs n'avaient pas été envoyées pour la menacer, mais pour lui faire plaisir, ou en guise de compliment. Le livreur avait pu trouver la porte d'entrée ouverte, ou la femme de ménage le laisser entrer.

Le comte épargna à Brunetti de suggérer l'une de ces possibilités en demandant :

« Cela vous est-il déjà arrivé d'autres fois, ma chère ? »

Flavia fut tellement émue par la chaleureuse sollicitude lisible dans sa voix et par son affectueuse appellation qu'elle le regarda, sans pouvoir émettre un son. Les larmes lui montèrent aux yeux, mais sans couler. Elle leva la main et l'agita en geste d'impuissance. Le comte prit son verre et le tint en l'air, attendant qu'elle se ressaisisse. Personne ne soufflait mot.

Finalement, Flavia déclara :

« J'ai eu des fans, mais c'était toujours amical. Pas comme cette fois. Cela me fait peur.

— Quand cela a-t-il commencé, ma chère ? s'enquit le comte, posant son verre auquel il n'avait pas touché.

— Il y a environ deux mois. D'abord à Londres, puis à Saint-Pétersbourg. Et maintenant, ici. »

Le comte fit un signe d'assentiment pour montrer qu'il trouvait sa réaction entièrement naturelle et justifiée.

« C'est trop, enchaîna Flavia. Il y a trop de fleurs, et tout ceci dénote une quête d'attention excessive.

— Pour attirer l'attention sur vous ?

— Non, sur la personne qui les envoie. C'est cela qui ne va pas dans cette histoire. Il a envoyé un mot disant qu'il savait que je les avais jetées. »

Sa voix était plus aiguë que d'habitude.

« Qu'avez-vous fait de la lettre ? » demanda Brunetti d'un ton neutre.

Elle lui lança un regard noir de colère.

« Je l'ai déchirée et jetée à la corbeille, au théâtre. »

Brunetti commença à comprendre sa réaction. Les gens déposaient des fleurs à l'entrée des artistes, ou sur le devant de la scène, et les lançaient aux pieds de la cantatrice pour lui rendre hommage. Le public regardait les fleurs et la cantatrice, et non pas la personne qui les apportait.

« Celles sur la scène, continua-t-il, savez-vous qui les a lancées ?

— Non.

— Aucune idée ?

— Non. Vous avez bien vu, l'autre soir, la montagne que c'était. Je ne les voulais pas. Vous avez vu que nous avons dû leur marcher dessus lorsque nous sommes sortis saluer le public. »

Elle grimaça à ce souvenir.

« Elles étaient pour vous ? demanda Brunetti.

— Et pour qui d'autre ? » rétorqua-t-elle, sur le ton de la femme que Brunetti avait connue quelques années auparavant.

Flavia, cependant, avait simplement clarifié un fait qui aurait dû être l'évidence même.

« Avez-vous parlé aux gens là-bas ?

— Le gardien à l'entrée m'a dit que les fleurs qui étaient dans ma loge avaient été apportées par deux hommes qu'il n'avait jamais vus. Que c'est tout ce qu'il savait. »

Elle fit un signe de la main, comme si elle désignait les galeries supérieures, et dit :

« Je ne lui ai pas demandé pour celles qui ont été lancées sur la scène. »

Bien que la domestique eût apporté les pêches à la crème et aux *amaretti* pendant leur discussion, aucun d'entre eux n'y avait goûté et ainsi, sur un accord général, retournèrent-ils au grand salon et à ses canapés. Puis la domestique arriva avec les cafés ; le comte demanda si quelqu'un voulait s'unir à lui pour une grappa, mais seul Brunetti était intéressé.

Le silence se fit dans la pièce. Ils restèrent assis un certain temps, à écouter les bateaux qui montaient et descendaient le Grand Canal, et à regarder la rive opposée. Les lumières s'allumaient et s'éteignaient, mais on ne percevait aucun mouvement derrière les fenêtres.

Brunetti fut frappé de constater combien leur silence était confortable, même face à ces événements qui étaient pour le moins inquiétants, et au pire… Il ne savait trop comment les qualifier. Étranges et perturbants, et déplacés dans un monde censé privilégier la beauté et procurer du plaisir.

Il pensa à un ami de son père, un homme qui avait fait la guerre avec lui. Angelo était probablement illettré, rien de surprenant pour un homme né dans ces terribles années trente, où les enfants allaient travailler à l'âge de dix ans. C'est sa femme qui lisait pour la famille, payait les factures, s'occupait de la bonne marche de la maison.

Le père de Brunetti avait fait part un jour à Angelo d'une de ses réflexions bizarres à propos de la vie : Brunetti ne se souvenait plus de ce que c'était, mais il se rappelait que ça l'avait déconcerté à l'époque.

À ces mots, Angelo ne s'était pas opposé à son ami, ni ne l'avait contredit, et, comme son père avait insisté pour qu'il lui donne son avis, Angelo avait reculé sur sa chaise et s'était frotté la joue à maintes reprises puis lui avait dit, avec un sourire :

« J'ai une opinion différente de la tienne, mais c'est parce que j'ai une seule tête, qui ne me donne qu'une seule idée sur les choses. »

Angelo avait affirmé cela comme on s'excuse d'un handicap mental, comme s'il ne pourrait jamais rivaliser avec son ami, capable de concevoir, lui, une idée plus complexe, voire plus d'une idée. Peut-être que celui qui avait envoyé les fleurs ne pouvait loger dans sa tête qu'une seule idée, et donc ne concevoir qu'une seule manière d'exprimer son admiration. Ou peut-être avait-il des idées plus saugrenues.

Brunetti proposa à Flavia :

« Voulez-vous que j'essaie d'intervenir ? »

Elle lui répondit, s'adressant en fait à chacun des convives :

« Non, je ne pense pas que ce soit nécessaire. Cela m'aide déjà de pouvoir en parler et d'entendre à quel point c'est bizarre.

— Juste bizarre ? demanda le comte.

— Si j'étais toute seule dans mon appartement, et s'il n'y avait personne d'autre dans l'immeuble, je dirais probablement que non », commença Flavia.

À la vue de leurs visages inquiets, elle fit un petit sourire et ajouta :

« Mais ici, avec vous, cela ne me semble que bizarre.

— Qui sont les gens qui habitent au-dessus ? s'informa Brunetti.

— Freddy d'Istria, et, comme ils firent un signe d'assentiment, elle spécifia : C'est-à-dire Federico.

— C'est cela, coupa Paola, en souriant. Nous aussi l'appelons Freddy.

— Comment le connaissez-vous ?

— Nous étions ensemble à l'école primaire. Nous avons été dans la même classe pendant quatre ans et, pendant trois ans, nous avons partagé le même pupitre.

— Moi je l'ai rencontré plus tard, au lycée, se limita à dire Brunetti.

— À l'école publique ? demanda spontanément Flavia à Paola.

— Bien sûr, confirma Paola, comme s'il n'y avait pas d'autre genre d'école possible. C'était la plus proche de la maison pour tous les deux.

— Je voulais que Paola apprenne le vénitien avec les enfants, et pas seulement avec notre personnel ici. C'est sa langue, après tout, intervint la comtesse.

— Le parlez-vous, signora ? demanda Flavia, cessant brusquement d'utiliser le titre de noblesse et se remettant de sa surprise que des aristocrates puissent aller à l'école publique.

— Non. Je trouve prétentieux d'essayer de le parler quand on n'est pas vénitien, expliqua-t-elle. Mais Paola est née ici et je voulais qu'elle grandisse avec cette langue.»

Paola s'enfonça dans le canapé et leva les yeux au ciel, comme si elle avait entendu ce refrain toute sa vie.

Brunetti observait Flavia, dont le regard passait de l'une à l'autre femme, tandis qu'elle cherchait quelque chose à dire.

«Je peux en toucher un mot à Freddy», s'interposa Brunetti.

Freddy était autant son ami que celui de Paola, après tout, et peut-être même plus. Il y avait des fois où Brunetti le pensait, car ils s'étaient rencontrés adolescents, et non pas enfants, et avaient noué leur amitié au moment où ils avaient quitté l'âge tendre pour devenir des hommes.

« Des fleurs dans un théâtre sont une chose ; pénétrer dans une propriété privée pour les y déposer en est tout à fait une autre », ajouta-t-il.

Il la vit prendre ses propos en considération. Brunetti n'était pas bien certain de la distinction légale entre les deux choses, ni ne savait trop si c'était un crime que d'entrer dans un immeuble où vous n'habitez pas et où vous n'avez pas été invité. Sûrement que des touristes le faisaient chaque jour : combien de fois des amis lui avaient-ils dit qu'ils avaient trouvé des étrangers dans leur cour, ou sur leur palier ? Et était-ce un crime que de laisser des fleurs devant la porte de quelqu'un ?

« Ce pourrait être une bonne idée, ma chère, dit le comte à Flavia. Je pense que Guido devrait lui parler, ne serait-ce que pour lui montrer que des gens prennent la chose au sérieux.

— Mais est-ce votre cas ? » demanda Flavia à Brunetti en se tournant vers lui.

Brunetti décroisa les jambes et prit le temps de réfléchir.

« Je ne vois rien qui puisse persuader un magistrat d'ouvrir un dossier. Il n'y a eu aucun acte criminel, ni aucun signe évident de menace. »

D'une voix protectrice et indignée, le comte rétorqua :

« Cela signifie-t-il qu'il doive arriver autre chose pour vous faire agir ?

— Papa, le coupa Paola, d'un ton exaspéré. Tout cela est en train de tourner au mélodrame : "Qu'il doive arriver autre chose." Tout ce qui est arrivé, c'est que Flavia a reçu des fleurs et un mot. Il ne lui a même rien été *dit*.

— C'est un comportement bizarre, répliqua le comte sèchement. Quelqu'un de normal signerait sa carte et la joindrait au bouquet. Ou ferait livrer les fleurs par un fleuriste, de la manière habituelle. Il n'y a aucune raison de garder le secret. Cela manque de correction. »

Il se tourna vers Flavia et affirma :

« À mon avis, votre inquiétude est plus que justifiée ; vous ne savez pas à qui vous avez affaire et vous ne savez pas ce qui vous attend.

— Tu dramatises la situation, insista Paola, puis s'adressant à Flavia : Je ne suis pas du tout d'accord avec mon père. L'individu en question veut juste faire savoir à la ronde à quel point il est féru de musique. C'est de la vantardise pure et simple, histoire de prouver comme il a bon goût et d'étaler sa sensibilité d'esthète. »

Elle énonça ce jugement comme si elle trouvait cela ridicule.

Le comte prit la bouteille que la domestique lui avait apportée et remplit deux verres. Il en tendit un à Brunetti et sirota son eau-de-vie.

« Bien, je suppose que nous aurons le fin mot de l'affaire.

— Que veux-tu dire, mon cher ? demanda son épouse.

— Que c'est loin d'être terminé. »

Il finit sa grappa d'un trait et posa son verre vide.

8

Une demi-heure plus tard, Brunetti et Paola sortaient du *palazzo*. Paola lui suggéra de prendre, pour changer, le pont de l'Académie, et de rentrer à pied en passant par l'autre côté du canal. Tous deux savaient que cela les ferait marcher un quart d'heure de plus, mais cela signifiait aussi raccompagner Flavia, qui logeait juste à quelques minutes de ce pont. Comme elle ignorait où ils habitaient, elle ne pourrait pas interpréter ce long détour comme le geste de protection qu'il était véritablement.

Brunetti, toujours curieux des changements qui semblaient s'être opérés chez Flavia au fil des ans, se demanda s'ils allaient parler de musique et lui laissa donc le choix des armes. Elle préféra toutefois aborder ces sujets qui tiennent à cœur aux parents. Elle leur dit qu'elle redoutait terriblement la drogue, même si aucun de ses enfants n'avait jamais montré le moindre intérêt pour ces substances. Et elle craignait – plus pour sa fille que pour son fils, avoua-t-elle – qu'ils ne tombent entre de mauvaises mains et ne se laissent entraîner dans des actions qu'ils n'auraient jamais commises d'eux-mêmes.

Lorsque Paola lui demanda ce qui lui faisait le plus peur, Flavia secoua la tête en signe d'exaspération, aussi bien vis-à-vis du monde que de ses craintes nébuleuses :

« Je ne sais pas. Je ne peux pas m'imaginer ce monde qui est le leur. J'ai toujours ce bruit de fond à l'esprit, cette tendance à me faire du souci pour eux. »

Paola se pencha plus près d'elle et la prit par le bras.

« Les gens croient qu'ils ont des bébés devant eux. Mais non : nous avons des personnes et nous les avons pendant toute leur vie et nous n'aurons de cesse de nous en faire pour eux. Jamais. »

Puis, de ce ton réfléchi que Brunetti lui connaissait bien, elle suggéra :

« Je pense que quelqu'un devrait inventer un téléphone spécial pour les parents d'adolescents.

— Qui fasse quoi ?

— Qui ne puisse pas sonner entre 1 heure et 6 heures du matin. »

Flavia éclata de rire.

« Si vous en trouvez un, merci de me le procurer. »

Comme de vieux amis, ils arrivèrent en toute convivialité devant le musée et s'arrêtèrent au pied du pont. Flavia embrassa Paola sur les deux joues et se tourna vers Brunetti.

« Je ne vous remercierai jamais assez. Je ne me rendais pas compte à quel point j'avais besoin d'une soirée comme celle-ci : avec de la conversation, de bons petits plats et un brin d'insouciance. »

Un vaporetto numéro 1 en direction du Lido fit marche arrière et heurta violemment l'embarcadère. Ce son leur était si familier que ni Brunetti ni Paola ne le perçurent vraiment, mais Flavia sursauta et se tourna vers la source du bruit. Une fois que les rares passagers du bateau se furent dispersés, elle y monta.

« Je voudrais vous remercier pour votre patience. »

Elle sourit, mais ce n'était que le pâle reflet du sourire dont Brunetti avait gardé le souvenir.

Pour la rassurer, Brunetti lui confirma :

« Je vais parler à Freddy. Il y a longtemps que je ne l'ai pas vu et ce sera une bonne raison de l'appeler, ou de le rencontrer pour un verre.

— Seulement si vous le croyez utile. »

Brunetti se pencha et l'embrassa sur les deux joues.

« C'est toujours utile de revoir de vieux amis, vous ne croyez pas ?

— Oui, approuva-t-elle, en gardant les yeux rivés sur lui. De vieux amis. »

La nuit était douce ; c'était la veille de la pleine lune. Ils s'arrêtèrent au sommet du pont et regardèrent vers le Lido et, au loin, l'Adriatique.

« Est-ce que tu la considères comme une vieille amie ? » demanda Paola.

Il n'y avait pas de vent, si bien que la lune se reflétait comme sur une plaque de verre foncé. Il s'écoula quelques minutes sans qu'un seul bateau ne passe et Brunetti ne soufflait mot, comme s'il craignait que le son de sa voix ne fasse voler en éclats la surface de l'eau et ne détruise ainsi les reflets d'argent. Les bruits de pas cessèrent sur le pont et le silence régna un long moment. Un numéro 1 apparut à Vallaresso et traversa en direction de la Salute, brisant le charme et puis le chatoiement des flots. Lorsque Brunetti se tourna vers San Vidal, il vit des gens immobilisés sur les marches en dessous de lui, tous captivés par les rayons de la lune, le silence et les façades se dressant de l'autre côté du canal. Il regarda sur sa droite et vit, le long de la rambarde, d'autres personnes tout aussi immobiles, qui tendaient leur visage vers cette bénédiction sélénique.

Il prit la main de Paola et ils descendirent le pont, rentrant chez eux par le chemin des écoliers.

« Je la ressens comme une amitié ancienne, même si je ne sais pas pourquoi », finit-il par répondre, lorsqu'ils arrivèrent sur le campo Santo Stefano. Cela faisait des années que je ne l'avais pas vue et je ne crois pas que nous étions vraiment amis à l'époque où je la connaissais. Peut-être que l'amitié vient en nous avec le souvenir des durs moments passés ensemble.

— On dirait que tu étais dans les tranchées avec elle, c'est comme cela que ton père parlait de ses amis.

— Oui, c'est vrai, approuva Brunetti. Nous n'avons guère souffert autant qu'eux, elle et moi. Mais il y a eu de la violence et une réelle souffrance, à un moment donné.

— Je me demande ce qu'elle a fait toutes ces années, dit Paola pour l'écarter de ces souvenirs. À part devenir de plus en plus célèbre. »

Ils s'approchaient du pont du campo Manin et Brunetti s'arrêta pour y regarder la vitrine d'une librairie. Lorsqu'il se remit en route et commença à gravir les marches, il avoua :

« Je n'en ai aucune idée. Je sais ce que tu sais ; peut-être encore moins que toi, parce que je ne lis pas les critiques musicales.

— Quelle chance, fit Paola, avant d'ajouter : Plutôt excessives.

— Tu parles des critiques, je présume », plaisanta Brunetti, en passant devant le lion.

Ceci fit rire Paola.

« Le nom de Flavia est partout. Et ce sont toujours de bonnes recensions. Et même plus que cela. Tu l'as entendue l'autre soir, non ? Tu l'as vue ?

— J'aimerais l'entendre dans un opéra avec une musique qui soit plus... »

Brunetti se demandait comment se dépêtrer de cette phrase.

« Respectable ? » suggéra Paola.

Cette fois, ce fut lui qui rit.

Tout en passant du coq à l'âne, et plus précisément de la musique à l'apparente prise de distance de Raffi vis-à-vis de Sara Paganuzzi, puis de nouveau à la musique, ils traversèrent le Rialto sur le côté gauche et commencèrent à longer la rive. Les restaurants étaient fermés ou en train de fermer, et les serveurs avaient l'air épuisés, à la fin de cette longue journée.

Ils parlèrent peu en marchant au bord de l'eau. Juste avant de prendre à droite sous le passage couvert, tous deux se retournèrent et regardèrent le reflet de la lune, comme s'il allait glisser sous le pont.

« Nous vivons au paradis, tu ne trouves pas ? » s'exclama Paola.

Cet appel n'aurait pas échappé au téléphone – version parentale – de Paola, car il arriva à 6 h 15 deux matins plus tard. Brunetti répondit par son nom à la troisième sonnerie.

« C'est moi, dit une voix d'homme, tandis que l'esprit de Brunetti marchait au ralenti.

— Qu'est-ce qu'il y a ? demanda-t-il en identifiant la voix d'Ettore Rizzardi, l'un des médecins légistes de la ville, qui n'était pas censé l'appeler à cette heure.

— C'est Ettore, précisa inutilement le docteur. Je suis désolé de t'appeler si tôt, Guido, mais il s'est passé quelque chose et il faut que tu le saches, à mon avis.

— Où es-tu ?

— À l'hôpital. »

Pour Brunetti, cela signifiait la morgue : sinon, où donc pouvait-il être ?

« Que s'est-il passé ? s'enquit Brunetti, pour éviter la question qu'il voulait poser : Qui est mort ?

— Je suis venu faire ce matin l'autopsie du garçon qui s'est suicidé, expliqua Rizzardi. Je voulais le faire avant de commencer ma journée.

— Pourquoi ? demanda Brunetti, même si cela ne le regardait pas.

— J'ai une nouvelle diplômée ici, qui sort tout juste de l'école de médecine, et je ne voulais pas qu'elle voie ça. Pas encore.

— Est-ce pour cela que tu m'as appelé ? s'informa Brunetti, espérant – et priant, autant que faire se peut – que Rizzardi n'ait aucun doute sur l'hypothèse du suicide.

— Non, c'est à cause d'une chose que j'ai apprise des infirmières. Tu la connais, Clara Bondi, la femme d'Araldo.

— Oui, confirma Brunetti, se demandant ce qui se passait et pourquoi il nageait en plein absurde. Qu'est-ce qu'elle a dit ?

— Il y a une fille aux urgences. Elle a un bras cassé et ils lui ont fait six points de suture à la tête.

— Qu'est-ce qui lui est arrivé ? »

Brunetti se tourna pour regarder son réveil. Il était presque 6 h 30. Aucune chance de retourner dormir.

« Elle est tombée sur les marches du pont delle Scuole. »

La masse allongée à côté de lui et ensevelie sous les couvertures bougea et émit un gémissement. Il posa une main rassurante sur la hanche de Paola et dit, d'une voix agréable et amicale :

« Pourquoi me racontes-tu cela, Ettore ?

— Ils l'ont amenée en ambulance. Des gens qui rentraient chez eux l'ont trouvée vers minuit au pied du pont et ont appelé les carabiniers. Ils sont arrivés et ont appelé les secours. Elle était inconsciente. »

C'est probablement une bonne chose si on a dû lui remettre le bras en place et lui faire six points de suture, pensa Brunetti.

« Et alors ?

— C'est Clara qui était l'infirmière de garde lorsqu'ils l'ont amenée.

— Et puis ?

— Et, lorsqu'elle s'est réveillée, elle a dit à Clara que quelqu'un l'avait poussée sur le pont. »

Brunetti envisagea différentes possibilités.

« Elle avait bu ?

— Apparemment, non. Ils l'ont vérifié à son arrivée.

— Par une analyse de sang ?

— Non, juste le ballon, mais il n'y avait rien. »

Rizzardi laissa s'écouler un instant, et poursuivit :

« Clara a dit que la fille en était sûre et certaine.

— Pourquoi est-ce que tu m'as appelé, Ettore ?

— Quand Clara l'a dit au médecin, il a dit que la fille était probablement en train d'inventer cette histoire de toutes pièces, car ça ne se fait pas ici. »

Sans laisser le temps à Brunetti de protester, il assena :

« Donc il a refusé d'appeler la police. Il ne veut pas de problèmes avec eux.

— Qu'est-ce qu'il attend de la fille ?

— Il a dit qu'elle pouvait les appeler une fois rentrée chez elle.

— C'est-à-dire quand ?

— Je n'en ai aucune idée, Guido, dit Rizzardi, soudain exaspéré. Ce n'est pas pour cela que je t'ai appelé.

— D'accord, Ettore, conclut Brunetti en retirant ses couvertures. J'arrive dès que possible. »

Comme Rizzardi semblait s'être calmé, il lui demanda : « Lui as-tu parlé ?

— Non, mais je connais Clara depuis que je travaille ici et elle a plus de bon sens que la plupart de mes collègues. Elle m'a dit qu'elle croyait la fille, et cela me suffit. »

Brunetti fit un bruit en sortant du lit.

« Est-ce le poids du monde que j'entends frémir sur tes épaules, Guido ? demanda Rizzardi d'une voix neutre.

— Le temps de prendre une douche et un café. J'arrive dans une heure.

— Elle sera là. »

9

Brunetti partit quasiment tout de suite après avoir raccroché et se rendit à l'hôpital. Il ne se fit pas de café, il en prendrait un en chemin. Il n'était pas encore 7 h 30 lorsqu'il arriva chez Ballarin, mais fut soulagé de voir qu'il y avait déjà quelqu'un à l'intérieur. Il frappa à la porte. Lorsque Antonella vint voir qui était là, il lui demanda s'il pouvait avoir un café et un croissant. Elle sortit la tête et regarda des deux côtés, puis ouvrit complètement la porte et le fit entrer. Elle referma à clef après lui.

En réponse à son regard, elle expliqua :

« Nous ne pouvons pas servir avant l'heure d'ouverture. C'est contre la loi. »

Brunetti fut tenté de prendre sa voix la plus sévère et de dire qu'il représentait la loi, mais il était trop tôt pour faire des plaisanteries – et il n'avait pas encore eu son café. Il la remercia et dit qu'il passerait payer une autre fois, ainsi la loi ne serait-elle pas enfreinte.

« Il y a sûrement d'autres lois que nous ignorons », affirma-t-elle en se glissant derrière le comptoir, mais sa voix fut couverte par le bruit du moulin à café.

Elle lui tendit un croissant encore chaud et se tourna pour prendre sa tasse. Il lui fallut du temps, et deux sachets de sucre, mais la magie finit par opérer et il quitta la *pasticceria* complètement revigoré.

Arrivé à l'hôpital, il s'aperçut qu'il ne savait absolument pas où trouver la fille blessée, ni même auprès de qui se renseigner : encore à moitié endormi au téléphone, il n'avait pas eu le réflexe de demander son nom à Ettore Rizzardi. Il renonça à aller voir son collègue à son bureau et se rendit aux urgences, où la fille avait probablement été prise en charge. Les chambres étant bondées, elle avait été envoyée en cardiologie, où son dossier l'avait suivie. Comme quatre personnes faisaient la queue derrière lui, Brunetti se dit qu'il avait suffisamment d'informations pour pouvoir la trouver. Après tout, combien de patientes pouvait-il y avoir au pavillon de cardiologie avec un bras cassé et des points de suture à la tête ?

Effectivement, elle était la seule, couchée sur un chariot, dans un couloir vide. On l'avait visiblement parquée là – c'est le mot qui vint à l'esprit de Brunetti – en attendant de lui trouver une place dans une chambre. Il s'approcha d'elle. C'était une jeune femme au teint pâle, allongée sur le dos, apparemment en train de dormir ; son bras gauche posé sur son estomac, la paume contre sa hanche, était plâtré. Elle avait la tête bandée et il nota qu'une mèche de cheveux avait été rasée pour permettre au pansement de tenir.

Il alla au poste des infirmières et y trouva quelqu'un.

« Je suis venu voir la jeune femme là-bas. Puis-je consulter son dossier ? demanda-t-il.

— Êtes-vous médecin ? s'enquit l'infirmière, en le regardant de bas en haut.

— Non, je suis policier.

— A-t-elle fait quelque chose ? l'interrogea-t-elle, en jetant un coup d'œil furtif en direction de la fille.

— Non, au contraire, me semble-t-il.

— Que voulez-vous dire ?

— Il est possible qu'elle ait été poussée en bas d'un pont, dit Brunetti, curieux de voir comment l'infirmière réagirait à cette confidence.

— Qui a pu faire une chose pareille ! » s'exclama-t-elle en regardant de nouveau la jeune femme.

Sa préoccupation avait rendu sa voix plus chaleureuse. De toute évidence, sa collègue Clara ne lui avait rien dit.

« C'est ce que je suis venu chercher, répliqua Brunetti avec un sourire.

— Ah, alors prenez-le, dit-elle en lui passant le dossier posé sur son bureau.

— Francesca Santello, lut Brunetti. Est-elle vénitienne ?

— Il semblerait que oui, du moins aux quelques mots que j'ai pu entendre. Ils lui ont donné quelque chose avant de lui remettre le bras en place et de lui faire les points de suture et, depuis, ou elle est sonnée, ou elle dort.

— Qu'a-t-elle dit ?

— Elle m'a demandé d'appeler son père, mais elle s'est endormie avant de pouvoir me dire son nom.

— Je vois », fit Brunetti et il parcourut le dossier.

Son nom et sa date de naissance ; domiciliée à Santa Croce. Une note accrochée aux radios du crâne disait qu'elle ne montrait aucun signe de fracture ou d'hémorragie interne. Le radiologue qui l'avait examinée avait écrit que la fracture de son bras était simple et qu'on pourrait enlever le plâtre cinq semaines plus tard.

« J'ai jeté un coup d'œil, déclara l'infirmière vivement, comme pour se mettre à l'abri de toute accusation de Brunetti.

— Excusez-moi, fit-il en levant les yeux du dossier.

— Dans l'annuaire. Mais des Santello, il y en a des douzaines. »

Brunetti songea à lui demander si elle avait vérifié les adresses, mais il se contenta de sourire.

« Elle est ici depuis combien de temps ? »

L'infirmière regarda sa montre.

« Ils l'ont amenée après lui avoir fait les points de suture.

— J'aimerais rester un moment pour voir si elle se réveille. »

Sans doute ses explications avaient-elles fait passer la jeune femme du statut de suspecte à celui de victime, car l'infirmière ne fit aucune objection et Brunetti retourna auprès du chariot. Lorsqu'il baissa les yeux sur la patiente, il vit qu'elle était en train de le fixer.

« Qui êtes-vous ? demanda-t-elle.

— Le commissaire Brunetti. Je suis venu vous voir car une des infirmières m'a dit que vous pensez avoir été poussée sur le pont.

— Je ne le pense pas, répliqua-t-elle. Je le sais. »

Parler exigeait trop de souffle, comme s'il lui fallait pomper les mots pour pouvoir les libérer ensuite. Elle ferma les yeux et il vit ses lèvres se serrer en signe de frustration, ou de douleur.

Il attendit.

Elle le regarda de ses yeux d'un bleu clair, presque transparent.

« Je le sais. »

Sa voix était à peine plus qu'un murmure, mais la prononciation était effilée comme un diamant.

« Voulez-vous bien me dire ce qui s'est passé ? »

Elle bougea à peine la tête, mais même cela la fit soudain haleter de souffrance. Elle resta sagement étendue et expliqua, en parlant tout doucement pour éviter un nouvel assaut de la douleur :

« J'étais en train de rentrer chez moi. Après avoir dîné avec des amis. Pendant que je montais le pont derrière la Scuola, j'ai entendu des pas derrière moi. »

Elle observa le visage du commissaire, pour voir s'il la suivait. Brunetti hocha la tête, mais ne souffla mot.

« Lorsque j'ai commencé à descendre, j'ai senti quelqu'un derrière moi. Trop près. Puis il a touché mon dos et m'a dit : *"E' mia"*, et il m'a poussée, et j'ai trébuché. J'ai dû sûrement essayer de me raccrocher à la rambarde. »

Brunetti se pencha, pour mieux l'entendre.

« Pourquoi aurait-il dit "vous êtes à moi"? » s'étonnat-elle.

Elle leva la main droite pour toucher le bandage sur sa tête.

« Peut-être que je me la suis cognée. Je me souviens d'être tombée, mais c'est tout. Puis il y a eu la police, et ils m'ont mise dans un bateau. C'est tout ce que je me rappelle. »

Elle jeta un coup d'œil circulaire dans le couloir et à la fenêtre.

« Je suis à l'hôpital, n'est-ce pas ?

— Oui.

— Pouvez-vous me dire ce qui ne va pas chez moi ?

— Mon Dieu, répondit Brunetti avec un faux sérieux, je ne suis pas sûr que cela me regarde. »

Elle mit un moment à comprendre, puis sourit et précisa, elle aussi sur le mode de la plaisanterie :

« Physiquement, j'entends.

— Vous avez le bras gauche cassé, mais votre dossier certifie que ce n'est pas une mauvaise fracture. Et vous avez des points de suture à la tête. Votre cerveau et votre crâne n'ont pas subi de graves dommages : ni hémorragie, ni fracture. »

Lui ayant strictement rapporté les faits, il se sentit obligé d'ajouter :

« Vous avez une commotion cérébrale, donc je suppose qu'ils vont vous garder un jour ou deux pour s'assurer de n'avoir rien négligé. »

Elle ferma de nouveau les yeux. Cette fois, elle les garda clos au moins cinq minutes, mais Brunetti resta debout près de son lit.

Lorsqu'elle les rouvrit, il demanda :

« Êtes-vous sûre d'avoir entendu *"E' mia"* ?

— Oui, répondit-elle sans la moindre once d'hésitation.

— Pouvez-vous me dire quelque chose sur sa voix ? Le ton, ou la prononciation ? »

C'était une bien faible piste mais, comme l'agresseur était arrivé par-derrière, il ne pouvait y avoir d'autre indice possible.

Elle leva la main droite et agita un doigt en signe de forte dénégation.

« Non. Rien. »

Puis, à la réflexion :

« Même pas le sexe.

— Ni même si elle était aiguë ou grave ?

— Non. La personne en question forçait sa voix, comme on le fait quand on chante un falsetto. »

Brunetti pensa aux puzzles, aux vieux puzzles en bois que son père s'était amusé à reconstituer les dernières années de sa vie, et il se souvint de ces moments magiques où une simple pièce, contenant peut-être la moitié d'un œil, ou un fragment de chair, faisait surgir une nouvelle couleur et conférait soudain un sens à ces pièces beiges alignées au bord de la table et demeurées, jusque-là, dénuées de signification.

« Êtes-vous cantatrice ? »

Ses yeux s'agrandirent :

« C'est ce que je veux faire, mais je ne le suis pas encore. J'ai des années de travail devant moi. »

Et, oubliant son stress sous l'effet de la passion, elle cessa de chuchoter et retrouva sa voix naturelle, en libérant toute la beauté.

« Où faites-vous vos études ? demanda Brunetti, du bout des lèvres car il craignait d'avoir atteint les limites de la confession.

— À Paris. Au conservatoire.

— Pas ici ?

— Non, comme mon école est fermée pour les vacances de printemps, je suis venue étudier ici quelques semaines avec mon père.

— Enseigne-t-il à Venise ?

— Au conservatoire, mais seulement à temps partiel. Il est aussi répétiteur en free lance au théâtre. J'y ai travaillé avec lui.

— La Fenice ? s'informa Brunetti, comme si la ville regorgeait de théâtres.

— Oui.

— Ah, je vois, fit Brunetti. Approuve-t-il les méthodes françaises ? »

Elle sourit et, comme tous les jeunes gens lorsqu'ils sourient, elle devint plus jolie.

« Mon père est toujours ravi, dit-elle en toute modestie.

— Seulement votre père ? »

Elle commença à parler, mais s'interrompit.

« Qui d'autre ? s'enquit-il.

— Signora Petrelli, chuchota-t-elle, comme si on lui avait demandé qui pourrait guérir son bras et qu'elle répondrait "La Madonna della Salute[1]".

— Comment se fait-il qu'elle vous ait entendue chanter ?

— En allant à sa salle de répétition, elle est passée devant la porte de la pièce où je travaillais avec mon père et elle... »

La jeune fille ferma les yeux. Puis son nez se mit à exhaler un doux bruit ; Brunetti comprit qu'il n'en apprendrait pas davantage ce matin-là.

---

1. Littéralement : « la Vierge de la Santé ». Nom de la basilique où Venise fête chaque année le 21 novembre la fin de la peste de 1630.

10

Brunetti revint au poste des infirmières, mais la femme à laquelle il s'était adressé n'était plus là. Il sortit son téléphone et, trouvant ridicules ses perpétuelles hésitations à parler avec Rizzardi, il composa le numéro du médecin légiste.

« Tu lui as parlé, Guido ? lui demanda-t-il sans ambages.

— Oui.

— Alors, tu peux l'aider ? »

C'était bien la préoccupation majeure de Brunetti depuis son entretien avec la jeune fille.

« Allons voir sur place s'il y a une caméra.

— Une caméra ? s'étonna Rizzardi.

— Ils en ont installé à différents endroits, expliqua Brunetti. Même s'il y a peu de chances qu'il y en ait une là-bas. »

Rizzardi marqua une pause – par politesse, ou non, d'ailleurs –, puis osa :

« Trop peu de touristes ?

— C'est un peu ça. »

Le médecin demanda, sans la moindre once d'ironie cette fois :

« Pourquoi quelqu'un aurait-il fait cela ?

— Aucune idée. »

Le fils d'un ami de Brunetti avait été agressé dans la rue par un toxicomane cinq ans auparavant, mais ce genre d'attaques fortuites – une forme de vandalisme perpétré à l'encontre des personnes – était quasiment inconnu dans la ville. Pour Rizzardi, le fait que l'agresseur ait parlé ou non à la fille ne changeait rien, donc Brunetti se limita à remercier son ami.

« J'espère que tu vas trouver qui l'a fait, mais maintenant il faut que j'y aille », s'excusa Rizzardi, et il raccrocha.

Livré à ses pensées, Brunetti fit mentalement la liste des agences qui avaient placé des caméras dans la ville. L'ACTV, il le savait, en avait mis sur les embarcadères, à la fois pour s'assurer que les vendeurs de billets ne roulaient pas leurs clients dans la farine et pour identifier les malfaiteurs. Beaucoup d'immeubles étaient protégés, ou du moins surveillés, mais qui irait se donner la peine d'en mettre une sur un pont qui n'était probablement emprunté que par les Vénitiens ?

Il se souvint d'avoir vu un reportage sur les caméras de surveillance que sa propre branche de la police avait installées, mais ne parvint plus à se rappeler où elle l'avait fait ; les carabiniers en disposaient certainement de quelques-unes aussi, et il en avait vu une dans la ruelle qui menait aux bureaux de la Guardia di Finanza, près du Rialto.

Il revint sur ses pas pour regarder de nouveau la jeune femme mais, avant même d'avoir gagné son lit, il put l'entendre respirer calmement. Il quitta la chambre et sortit par le campo SS Giovanni e Paolo.

Les échafaudages grimpaient encore des deux côtés de la *basilica*. Bien que mis en place depuis des années, Brunetti ne pouvait se remémorer la dernière fois où il avait vu des ouvriers y travailler. Sur un coup de tête, il entra dans l'église et fut bloqué dans son élan par un homme qui l'interpella, depuis sa cabine en bois située à droite de la porte. Lors de sa dernière visite, il n'y avait ni homme ni cabine.

« Êtes-vous résident ? »

Brunetti se sentit doublement outragé : par cette apostrophe, et par l'accent non vénitien du gardien. Que pouvait être un homme en costume, à 9 heures du matin, entrant dans une église ? Il baissa la tête et regarda fixement à travers la vitre la personne qui l'avait interrogé.

« Pardon, monsieur, fit l'homme avec déférence, mais je dois poser la question. »

À ces mots, Brunetti se calma. L'homme faisait son travail, et il le faisait avec courtoisie.

« Oui, je suis résident, confirma-t-il, avant d'ajouter, même si ce n'était guère nécessaire : Je suis venu allumer une bougie pour ma mère. »

L'homme fit un large sourire et se couvrit tout aussi rapidement la bouche de la main, pour cacher la dent qui manquait.

« Ah, c'est bien, dit-il.

— Voulez-vous que j'en allume une pour la vôtre ? »

Sa main tomba de la bouche et il l'ouvrit en un « o » d'étonnement.

« Oh oui, s'il vous plaît. »

Brunetti se dirigea vers le maître-autel, l'esprit élevé par la lumineuse légèreté de tout ce qui l'entourait. Le soleil, qui dardait ses rayons venus du levant, traçait des motifs colorés sur le sol ondulé. La majesté de la ville – les doges et leurs épouses, qui y reposaient depuis des siècles – se lisait de chaque côté de la nef. Il refusa de regarder le triptyque de Bellini sur la droite, encore scandalisé par la violence de la dernière restauration à laquelle le pauvre avait été soumis.

À mi-chemin de l'aile droite, il s'arrêta pour observer un fragment de vitrail : avec l'âge, Brunetti avait perdu la capacité d'absorber trop de beauté d'un seul trait et essayait donc d'en limiter la dose quand il le pouvait en s'attachant seulement à un ou deux détails. Il leva les yeux sur le quatuor de saints dotés de muscles et de lances.

Sa mère avait toujours nourri une dévotion spéciale pour le saint à cheval, tueur de dragon, placé sur la gauche, même si elle ne savait véritablement si c'était saint Georges ou saint Théodore. Brunetti n'avait jamais pensé à lui demander pourquoi elle les aimait autant mais, maintenant qu'elle n'était plus là, il en était venu à croire que c'était parce qu'elle détestait viscéralement les brutes, et existait-il de plus grande brute qu'un dragon ? Il sortit une pièce d'un euro de sa poche et la fit cliqueter dans la boîte en métal. Il se saisit des deux bougies que ce geste l'autorisait à prendre et alluma la mèche de la première, puis la seconde avec celle qui brûlait déjà. Il les ficha dans la rangée du milieu, puis recula et attendit jusqu'à ce qu'il fût sûr que les flammes aient bien pris.

« Il y en a une pour la mère du type à l'entrée », chuchota-t-il, juste pour éviter toute confusion et ne pas gratifier sa mère des deux cierges.

Il jeta un dernier regard au saint, devenu un vieil ami après toutes ces années, hocha la tête et pivota sur ses talons. En remontant l'allée, Brunetti garda les yeux baissés pour ne pas se surcharger d'émotions, mais il ne put faire l'impasse sur la somptueuse beauté du pavement.

À la porte, il se pencha pour attirer le regard de l'homme et lui déclara :

« C'est fait. »

Sur le chemin de la questure, il réfléchit à la marche à suivre : d'abord trouver la localisation des caméras, puis le nom des organes d'État qui les géraient, et enfin s'assurer que les différentes branches des forces de l'ordre veuillent bien révéler leurs activités les unes aux autres, et qu'elles acceptent de le faire dans un bon esprit de coopération, sans exiger la requête d'un magistrat.

Il se rendit immédiatement à la salle des policiers et trouva Vianello à son bureau. Il avait ouvert devant lui un énorme dossier avec des documents portant le nom de *Nardo* sur la couverture. À l'approche de Brunetti, l'inspecteur leva les yeux, se composa un air torturé et, lui tendant une main qu'il prit soin de faire trembler, murmura :

« Sauve-moi, je t'en prie, sauve-moi. »

Ayant souvent été contraint de lire le même dossier, Brunetti leva les mains comme pour se protéger d'une funeste apparition :

« C'est la marquise, encore une fois ?

— Elle-même, fit Vianello. Cette fois, elle accuse son voisin de garder des chats sauvages dans la cour.

— Des lions ? » s'amusa Brunetti.

Vianello fit claquer ses doigts sur la page qu'il était en train de lire et précisa :

« Non, les chats alentour. Ce coup-ci, elle se plaint qu'il les laisse entrer chaque nuit et qu'il leur donne à manger.

— Même s'il vit à Londres ?

— Elle raconte qu'elle a vu son majordome les nourrir.

— Qui vit aussi à Londres.

— Elle est folle, conclut Vianello. C'est la dix-septième plainte qu'elle dépose.

— Et il faut qu'on mène une enquête ? »

Vianello referma le dossier et regarda avec regret la corbeille à papier de l'autre côté de la pièce. Résistant à son impulsion, il poussa les documents sur le côté du bureau.

« Si elle n'était pas la marraine d'un ministre, tu crois qu'on perdrait notre temps pour une histoire pareille ? »

Plutôt que de répondre à sa question, Brunetti le consola :

« J'ai quelque chose de plus intéressant. »

Ils trouvèrent signorina Elettra assise à son bureau, mais loin de son ordinateur, en train de lire une revue qu'elle ne chercha aucunement à cacher. Ils n'auraient pas été plus choqués à la vue d'un tableau d'Ève sans Adam, ou d'une statue de saint Côme sans saint Damien à ses côtés.

Lorsqu'il s'aperçut que l'écran de l'ordinateur était éteint, Brunetti accusa un choc encore plus fort, qu'il ne put que tourner en dérision.

« Êtes-vous en grève, signorina ? »

Elle leva les yeux, surprise, et jeta un coup d'œil à Vianello.

« Le lui avez-vous dit ?

— Absolument pas, se défendit Vianello.

— Me dire quoi ? s'informa Brunetti, en s'adressant à tous deux.

— Alors, vous ne savez pas ? demanda-t-elle, en fermant son magazine et en ouvrant les yeux d'un air faussement innocent.

— Personne ne m'a rien dit », insista Brunetti, même si ce n'était guère vrai.

La jeune femme lui avait dit, par exemple, que quelqu'un lui avait fait dévaler les marches sur le pont. Près de lui, Vianello croisait les bras, manifestant clairement son intention de ne pas se mêler à cette affaire.

« Oh, ce n'est rien », affirma signora Elettra en reprenant sa revue.

Brunetti s'approcha du bureau. *Vogue.* Il s'en doutait. Elle capta son regard et spécifia :

« C'est l'édition française.

— Vous ne lisez pas l'italienne ? »

Elle ferma les yeux à moitié pendant un instant et papillonna des cils, pour indiquer le peu de valeur et de soin de l'édition italienne, et s'interroger sur le goût d'une personne capable de poser une question aussi ridicule.

« Que puis-je faire pour *vous* ce matin, messieurs ? demanda-t-elle, en se tournant vers Vianello, comme si elle venait juste de se rendre compte de leur arrivée.

— Vous pouvez commencer par me dire, lança Brunetti en regardant Vianello pour l'inclure dans la conversation malgré son silence, ce qui se passe. »

Il se produisit quelque chose entre elle et Vianello qui lui échappa.

« Je veux la tête du lieutenant Scarpa », assena-t-elle.

Au cours des dernières années, le sombre désaccord entre signorina Elettra, la secrétaire du vice-questeur Giuseppe Patta, et le lieutenant Scarpa, son plus proche confident et assistant, s'était accentué. Le lieutenant et elle se délectaient à se mettre des bâtons dans les roues : d'un côté Scarpa, avec le plus complet mépris pour les conséquences néfastes sur le reste du personnel de la questure, et de l'autre signorina Elettra, que cette seule perspective freinait dans ses actions. Si elle suggérait d'établir une liste, avec non seulement les noms et les condamnations des récidivistes, mais aussi la fréquence et la gravité de leurs crimes, Scarpa la contestait à coup sûr, pour tentative de stigmatisation et de discrimination des criminels amendés. Si lui proposait la promotion de tel ou tel agent, elle joignait systématiquement à cette lettre la liste de tous les blâmes dont ce dernier avait fait l'objet.

« Pour l'accrocher au mur ? plaisanta Brunetti en regardant autour de lui, comme pour chercher le meilleur endroit où exhiber la tête de Scarpa, peut-être sur le rebord de la fenêtre près de Vianello, qui gardait le silence.

— C'est une charmante idée, commissaire. Je m'étonne de ne pas l'avoir eue. Mais non, je parlais au sens figuré et tout ce que je veux, c'est qu'il parte d'ici. »

Il la connaissait assez bien pour entendre en filigrane le cliquetis du fer contre l'acier. Il ajusta sa voix en conséquence et s'informa :

« Qu'a-t-il fait ?

— Vous savez qu'il déteste Alvise ? »

Brunetti fut surpris de l'entendre proférer cette vérité avec autant de candeur. Lors de sa mutation à la questure, quelques années plus tôt, le lieutenant Scarpa avait commencé par courtiser Alvise, mais avait rapidement découvert que le policier dispensait son amabilité à tout le monde, et non pas au nouvel arrivé en particulier. Ceci fit rapidement déraper la situation et, depuis lors, le lieutenant n'avait jamais manqué une occasion de mettre le doigt sur les nombreuses faiblesses d'Alvise. Malgré sa lenteur d'esprit, le policier Alvise était connu pour son honnêteté, sa loyauté et son courage, des qualités qui n'étaient pas le fort de certains de ses collègues plus intelligents. Mais la haine comme l'amour s'imposent souvent sans même qu'on les appelle et n'en font qu'à leur tête.

« Oui, finit par répondre Brunetti.

— Il a envoyé une plainte officielle à son encontre.

— Il la lui a envoyée, à lui ? demanda Brunetti, aggravant ce vice de forme protocolaire en désignant de la tête le bureau du vice-questeur Giuseppe Patta.

— Pire : au préfet et au questeur, renchérit-elle, en nommant les deux plus hauts officiers chargés de faire respecter la loi dans la ville.

— De quoi se plaint-il ?

— Il accuse Alvise de commettre des abus de violence. »

Ne pouvant y croire, Brunetti se tourna vers Vianello, qui répéta : « Alvise, commettre des abus de violence », comme pour permettre à Brunetti de saisir l'absurdité cachée derrière cet enchaînement de mots. L'inspecteur regarda en direction de signorina Elettra, pour inviter Brunetti à tourner de nouveau son attention vers elle.

« Le lieutenant l'accuse d'avoir agressé un des manifestants la semaine dernière, lui expliqua-t-elle.

— Quand a-t-il fait cette déclaration ? » demanda instamment Brunetti.

Alvise s'était rendu à la manifestation de la Piazzale Roma, un rassemblement organisé à la hâte impliquant une centaine de chômeurs environ, qui avaient réussi à bloquer la circulation à la fois à l'entrée et à la sortie de la ville. Comme il n'y avait eu ni avertissement ni demande d'autorisation de la part des manifestants, la police avait mis du temps à arriver et, une fois sur place, ils avaient vu des chauffeurs et des manifestants en train de se hurler réciproquement des injures, ce qui rendait difficile de les distinguer les uns des autres, jusqu'à ce que les chauffeurs regagnent leurs véhicules. L'arrivée des policiers, avec leurs masques et leurs casques qui les transformaient en sinistres scarabées, plus l'averse soudaine, avaient refroidi les esprits des manifestants qui avaient commencé à se disperser. L'un d'eux, cependant, était tombé ou avait été flanqué par terre ; il s'était tapé la tête contre le bord du trottoir et avait été emmené à l'hôpital en ambulance. Un témoin avait dit, à l'époque, que l'homme avait trébuché sur un des drapeaux abandonnés par les manifestants.

Deux jours plus tard, quatre manifestants étaient arrivés à la questure pour établir une déclaration officielle, attestant que leur collègue avait été jeté à terre sous les coups de matraque du policier Alvise – ils connaissaient son nom – car ils avaient assisté à la scène. Il se trouvait qu'ils étaient tous membres du même syndicat que la victime présumée de l'agression. Le vice-questeur, contacté par téléphone, avait passé l'enquête au lieutenant Scarpa, qui avait commencé par demander une suspension de salaire du policier Alvise jusqu'à la fin de l'enquête.

Brunetti ne pouvait en croire ses oreilles : depuis quand une telle chose pouvait-elle arriver ? Et comment Alvise, au nom du Ciel, allait-il payer son loyer, maintenant ?

« Une heure après, Alvise en a été informé, continua signorina Elettra ; nous avons reçu trois appels de la presse, deux éditions nationales et *Il Gazzettino*. Aucun des journalistes n'a voulu me dire comment ils avaient eu vent de cette affaire et l'un a demandé si c'était vrai qu'Alvise avait un passé violent. »

Brunetti se tourna en entendant Vianello s'esclaffer :

« Alvise ne pourrait pas être violent, même au péril de sa vie. »

Brunetti était du même avis, mais il ne souffla mot.

« Lorsque j'ai compris comment la presse avait dû apprendre cette prétendue histoire de violence, j'ai décidé de faire grève. »

Au bout d'un moment, elle précisa :

« Mais ce n'est pas que je ne fasse pas mes rapports : je suis simplement en train de limiter la quantité de travail que j'accepte de faire.

— Je vois, fit Brunetti. Donc jusqu'à quel point s'agit-il d'une grève ?

— Comme je l'ai clarifié au vice-questeur ce matin, je ne ferai rien qui puisse aider le lieutenant : je ne fais pas circuler ses notes de service, je ne lui passe aucun appel, je ne lui parle plus – malgré tout le plaisir que cela puisse lui procurer – mais, surtout, je ne cherche ni ne lui donne plus aucune information. »

Elle sourit à la fin de cette énumération et son expression devint d'une béatitude absolue lorsqu'elle ajouta :

« J'ai déjà dit à trois personnes qui ont appelé que j'ignorais complètement qui était le lieutenant Scarpa et leur ai suggéré d'appeler le Corpo Forestale[1]. »

Brunetti se souvint que, quelques années auparavant, elle avait acquis – heureux euphémisme – le mot de passe de l'ordinateur du lieutenant, mais il pensa inconvenant de demander si ceci pouvait avoir, en l'occurrence, quelque importance, ou être d'un quelconque usage.

« Pourrais-je savoir quelle a été la réponse du vice-questeur ? préféra-t-il s'enquérir.

— Bizarrement, j'ai eu l'impression qu'il tolérait l'idée, j'ai donc dû lui spécifier que, pour chaque jour de suspension d'Alvise, je travaillerais deux heures de moins pour lui,

---

1. Eaux et Forêts.

si bien qu'à la fin de la semaine je ne ferais presque plus rien pour lui, tout comme je ne fais rien en ce moment pour le lieutenant. »

Signorina Elettra était calme, mais non moins terrible pour autant.

« Quelle a été sa réaction, si je puis vous poser la question ?

— Si je ne craignais de froisser ma modestie, je dirais qu'il était atterré, répondit-elle, pas peu fière. J'ai été forcée de lui expliquer que ce que j'étais en train de faire était bien moins fâcheux que ce qu'Alvise subissait : il a été évincé du jour au lendemain. »

Elle fit son sourire de requin que Brunetti avait appris à apprécier et ajouta :

« Ce que je suis en train de faire, dans le même temps, c'est de sevrer le vice-questeur de cette dépendance fort gênante à certaines de mes compétences qu'il a contractée au fil des ans.

— Vous lui avez dit cela aussi ? demanda Brunetti, incapable de dissimuler son étonnement.

— Bien sûr que non, dottore. Je crois qu'il vaut mieux pour nous tous qu'il ne s'en rende pas compte. »

11

Brunetti partageait entièrement la position de signorina Elettra.

« Vous n'êtes en grève que contre eux ? s'informa-t-il, souhaitant clarifier ce point avant de lui demander son aide.

— Bien sûr. Si vous avez besoin de quelque chose, je serai vraiment ravie d'abandonner cette chose, répondit-elle en fermant rapidement la revue. Je ne sais pas pourquoi je m'embête à la lire.

— C'est exactement ce que dit ma femme à propos de *Muscoli e fitness*[1] », dit Brunetti, d'un ton de pince-sans-rire.

Mais impossible de prendre signorina Elettra au piège.

« Je suis sûre qu'elle s'y intéresse parce que ces choses étaient vitales pour Henry James, répliqua-t-elle.

— L'avez-vous lu ? demanda Brunetti, ne sachant trop s'il devait s'en étonner ou s'en inquiéter.

— Seulement une traduction. Je crains que mon esprit n'ait été tellement ramolli à force de lire des rapports de police qu'il m'est difficile de me concentrer sur une prose et une finesse psychologique aussi complexes.

— Effectivement », approuva Brunetti avec douceur.

---

1. Muscles et fitness.

Puis, sentant Vianello s'impatienter face à leurs boutades, il précisa :

« Ce que je voudrais, c'est que vous voyiez si une administration ou une autre a installé des caméras du côté du pont delle Scuole.

— Est-ce celui derrière San Rocco ?

— Oui. »

Elle visualisa l'endroit en un clin d'œil et affirma :

« Je ne pense pas. C'est si loin de tout. »

Et se tournant vers Vianello :

« Qu'en pensez-vous, Lorenzo ?

— Nous pourrions essayer avec les carabiniers, proposa-t-il d'un air tout à fait satisfait. Je me souviens que l'un d'eux m'a dit, il y a des années, qu'ils étaient en train d'en mettre beaucoup et qu'ils... (il marqua une pause, pour capter leur attention) voulaient les placer aux endroits où il ne passait pas trop de monde.

— Est-ce une blague de carabiniers[1] ? demanda signorina Elettra.

— On dirait, n'est-ce pas ? confirma Vianello. Mais non, c'est vraiment ce qu'il a dit. »

Aucun d'entre eux n'avait envie de faire le moindre commentaire. Puis, après quelques secondes, il ajouta :

« Et c'est ce qu'ils ont fait. »

Vianello s'apprêtait à continuer lorsque leurs têtes, semblables à des tournesols, se tournèrent soudain toutes ensemble vers le bruit que fit la porte du bureau du vice-questeur et, victimes d'un même phototropisme, ils rougirent à la vue de ce dernier.

---

1. Signorina Elettra joue ici sur le fait que les blagues sur les carabiniers en Italie correspondent aux blagues belges en France.

«Vous, dit Patta à Brunetti en ignorant Vianello, qui était en uniforme ce jour-là, et donc indigne de son attention. Je veux vous parler.»

Au début, Patta ne sembla pas remarquer signorina Elettra, mais il lui fit ensuite un brusque signe de la tête et retourna dans son bureau.

Brunetti, d'un air aussi sévère que le vice-questeur, regarda ses collègues et suivit son supérieur.

Patta se tenait au milieu de la pièce, signe éloquent, pour Brunetti, que leurs négociations seraient brèves, indépendamment du sujet abordé.

« Que savez-vous sur cette affaire de grève ? demanda instamment Patta, en agitant nerveusement sa main vers la porte.

— Signorina Elettra était justement en train de m'en parler, monsieur le vice-questeur.

— Vous n'en saviez rien ?

— Non, dottore.

— Où étiez-vous ?» s'enquit Patta avec sa délicatesse habituelle.

Sans se soucier de la réponse, il gagna la fenêtre pour observer les édifices de l'autre côté du canal, avant de lui demander, sans se retourner :

« Sur quoi êtes-vous en train de travailler ? »

Cela sonna aux oreilles de Brunetti comme la question typique que Patta pouvait lui poser pour la forme, alors qu'il avait autre chose en tête – comme la grève, probablement.

« Quelqu'un a poussé une femme sur un pont hier soir. Elle est à l'hôpital.»

Patta se tourna vers lui.

« Je croyais que ce genre de chose ne se passait pas ici. »

Puis, au cas où Brunetti n'aurait pas été sensible au ton ou à sa lourde insistance sur le dernier mot, il précisa :

« Dans cette paisible Venise. »

Brunetti avala cette couleuvre et déclara, d'une voix qui ne pouvait être plus mielleuse :

« C'était bien vrai, dottore, mais il y a tellement de gens qui sont arrivés ces dernières années, que ce n'est plus le cas. »

Ayant concocté sa réponse de manière à enlever l'expression « du Sud » après le mot « gens » et à la remplacer par une longue pause, Brunetti jugea son assertion à la fois juste et modérée.

Comme s'il avait lu dans l'esprit de Brunetti, la voix de Patta devint fluide, et presque menaçante.

« Cela vous dérange-t-il que beaucoup d'entre nous soient ici, commissaire ? »

Brunetti fit un petit signe, mais suffisamment visible, de surprise, avant de spécifier :

« Je voulais dire les touristes, monsieur le vice-questeur, et non pas les gens qui viennent ici pour travailler…, s'amusa-t-il à répliquer et, hésitant à le dire, puis décidant de tout envoyer au diable, il finit sa phrase par : … pour le bien de la ville, comme vous. »

Il sourit et se félicita de ne pas avoir inclus le lieutenant Scarpa parmi ceux qui travaillaient pour le bien de la ville.

Il se demandait sur quel pied allait danser son supérieur et s'il n'était pas allé trop loin dans la provocation. Patta ne pouvait pas le licencier directement, mais tous deux avaient travaillé suffisamment longtemps dans le système pour savoir que le vice-questeur avait des amis assez puissants pour gâcher la vie de Brunetti, tout comme ses propres relations pouvaient causer de gros ennuis au vice-questeur.

Brunetti pouvait être muté dans un endroit horrible, et il y avait suffisamment d'endroits horribles à en avoir le vertige. Ou bien Patta pouvait choisir la voie la plus facile et faire muter les amis et les alliés de Brunetti à la questure. Plongé dans ses pensées, Brunetti se tenait debout, les mains derrière le dos, les yeux collés à la grande photo du président de la République accrochée derrière le bureau de Patta. Il commença à établir, par ordre alphabétique, la liste des lieux terribles en question et il en était à Catane lorsque Patta lui intima :

« Dites-m'en plus sur cette histoire du pont. Que s'est-il passé ?

— Hier soir, tard, quelqu'un a poussé une jeune femme sur le pont après lui avoir parlé.

— Que lui a-t-il dit ? »

Patta alla à son bureau et s'assit, en désignant à Brunetti la chaise en face de lui.

« "Elle est à moi."

— Vous y croyez ? » demanda Patta, incapable de juguler sa suspicion instinctive.

Ignorant le scepticisme sensible dans sa voix et intéressé uniquement par sa question, Brunetti répondit :

« Oui.

— Que vous a-t-elle dit d'autre ? »

Puis, sans surprendre Brunetti le moins du monde, il ajouta :

« Est-ce quelqu'un d'important ? »

Dans des circonstances ordinaires, Brunetti aurait complètement renversé la situation et lui aurait demandé, comme une question philosophique, de préciser sa pensée sur le concept d'importance. Mais ce jour-là, préférant ne pas s'attirer d'ennuis, il se contenta de répondre :

« C'est une invitée de la Fenice et j'ai l'impression que signora Petrelli a une très haute opinion de cette personne. » Les deux déclarations étaient vraies, il le savait, mais associées de cette manière elles devenaient complètement fallacieuses.

« Petrelli ? s'étonna Patta. C'est vrai ; elle est de retour. Qu'a-t-elle à voir avec cette fille ? »

Brunetti n'apprécia ni la question, ni l'insinuation qu'elle recelait.

« Pour ce qu'on m'en a dit, elle a entendu cette jeune femme chanter au théâtre et s'est arrêtée pour lui faire des compliments, répondit-il comme s'il n'avait pas entendu, ou saisi, les nuances sous la question de Patta.

— Votre victime est donc est en train de chanter ici ?

— Bien sûr, confirma Brunetti, comme si la ville tout entière faisait la queue pour lui demander un autographe. Nous avons assisté à une représentation il y a quelques soirs de cela et l'enthousiasme de signora Petrelli semble justifié. »

Brunetti en resta là : au moins un de ces points était-il incontestablement vrai.

« Dans ce cas… », commença Patta et Brunetti attendit que son supérieur sorte cette calculette mentale qu'il était seul à savoir utiliser afin de trouver le lien entre l'importance de la victime et l'importance des forces de l'ordre à déployer pour elle.

Comme Brunetti l'observait, Patta remit sa calculette dans une des poches de son esprit et suggéra :

« Pouvez-vous prendre en main cette affaire ? »

Brunetti sortit son agenda de la poche et le feuilleta.

« J'ai un rendez-vous à 14 heures (c'était un mensonge) mais après je suis libre.

— Très bien. Commencez à enquêter. Nous ne pouvons tolérer que ce genre de chose arrive.»

Le directeur de l'office du tourisme n'aurait pas pu le formuler plus clairement.

Brunetti se leva vivement, fit un signe de la tête au vice-questeur et sortit du bureau. Il trouva signorina Elettra toute seule, devant son ordinateur, en train de faire pour lui ce qu'il refusait d'apprendre à faire.

« Lorenzo ? s'enquit-il.

— Il devait voir quelqu'un.

— Du nouveau ?

— Avant de partir, il m'a dit qu'il avait appelé les carabiniers et qu'ils ont bien une caméra de l'autre côté du pont où on a trouvé la fille, orientée sur le côté droit menant à San Rocco.»

Elle recula sa chaise et indiqua l'écran :

«Voilà ce qu'ils viennent juste de m'envoyer.

— Les carabiniers vous ont vraiment envoyé ça? s'étonna Brunetti.

— Il leur a fait quelques faveurs par le passé.»

Brunetti n'avait aucune idée de la nature de ces services, et ne voulait pas non plus le savoir.

« Je ne raconterai jamais plus une seule blague sur les carabiniers.»

Mensonge.

Tout en lui lançant un regard sceptique, signorina Elettra fit pivoter sa chaise sur le côté pour lui faire de la place.

Il se mit derrière elle et se pencha pour avoir une meilleure vision de l'écran. L'image lui rappela d'abord une radiographie : grise, granuleuse et complètement dépourvue de définition. Il reconstitua – mais seulement parce qu'il savait qu'il était en train de regarder un pont – le parapet, visible au sommet de l'écran, et le mur arrière de la scuola di San Rocco, même si ce pouvait être le mur de n'importe quel bâtiment. Il y eut un mouvement en bas à droite de l'écran : une petite forme ronde, sinueuse, de couleur gris foncé. Très rapidement, on vit se dessiner des épaules, un torse, des jambes, des pieds, qui s'éloignèrent puis disparurent en ordre inverse, puisque la personne descendait l'autre côté du pont.

« C'est tout ? » demanda-t-il, sans pouvoir cacher sa déception.

Signorina Elettra haussa les épaules et fit glisser sa chaise en avant. Elle actionna quelques touches ; d'autres formes grises traversaient le pont à la hâte, comme si elles étaient en patins à roulettes. Il en regarda deux, trois, en train de passer le pont dans les deux directions, puis il perdit le compte. L'écran resta vide un bon moment, ne montrant que le parapet et le mur arrière. Signorina Elettra appuya sur une touche, mais rien ne changea.

Une forme s'écrasa soudain contre l'écran, ce qui les fit tous deux sursauter et hoqueter. Brunetti vit un frêle élément de cette forme dévaler l'escalier et s'affaisser, puis la forme entière s'écrouler en entraînant une autre de ces formes rondes, qui rebondit contre une marche et finit par s'immobiliser.

Au bout d'un moment, signorina Elettra suggéra :

« Je le repasse en accéléré encore une fois. »

Rien ne changea sur l'écran ; rien ne bougea pendant un certain temps.

Tout à coup, deux formes rondes apparurent au fond à droite ; Brunetti y reconnut des têtes et regarda les corps s'unir à ces têtes. Des hommes se précipitèrent vers la forme évanouie. L'un d'eux s'agenouilla près d'elle, tandis que l'autre bougea son bras et porta quelque chose à son oreille. Celui qui était à genoux enleva sa veste et l'étendit sur la forme par terre, puis tous deux se levèrent et restèrent sans bouger. Signorina Elettra remit la vidéo en avance rapide et les deux hommes gagnèrent le côté du pont avec les gestes saccadés typiques de cette vitesse de projection. Pour la seconde fois, l'un d'entre eux s'agenouilla rapidement près de la forme immobile. Puis les deux têtes se tournèrent brusquement et simultanément vers la gauche, et deux autres hommes vêtus de noir se précipitèrent vers eux.

Elle se pencha en avant et, grâce à une touche, les choses retrouvèrent leur vitesse normale. L'homme en noir s'agenouilla près de la forme, qui sembla bouger. Un des carabiniers posa sa main sur l'épaule de la forme et s'inclina au-dessus d'elle, en lui parlant à l'oreille. La forme cessa de bouger.

Signorina Elettra remit la bande en accéléré : un des policiers en uniforme bondit sur ses pieds en défiant la loi de la gravité ; puis l'autre fit de même. Soudain, l'écran se remplit de deux silhouettes d'hommes en blouses blanches, arrivés avec un brancard. Ils semblaient s'adresser au carabinier qui ne parlait pas aux deux autres hommes, puis ils coururent au sommet du pont et y déposèrent le brancard. Signorina Elettra ralentit le film et les hommes en blanc transportèrent la forme en haut du pont, suivis de près par un des agents. Les hommes l'étendirent sur la civière, puis la soulevèrent et disparurent avec elle en bas à gauche de l'écran.

Elle appuya sur une autre touche, et les figures sur l'écran se figèrent comme des enfants jouant à un, deux, trois soleil !

« Puis-je revoir la scène où elle tombe, s'il vous plaît ? » demanda Brunetti.

Signorina Elettra s'exécuta et, de nouveau, ils virent la jeune femme incapable d'éviter la chute. Ils virent son bras céder et sa tête s'écraser contre le nez de la marche.

« Encore une fois, s'il vous plaît », et ils reprirent depuis le début.

Cette fois, Brunetti ignora – ou s'efforça d'ignorer – la forme en train de tomber et scruta derrière elle tout signe de mouvement. Il y avait bien quelque chose.

« Pouvez-vous ralentir ? »

Elle recommença, et cette fois c'était comme si la jeune femme tombait dans l'eau, et flottait pour entrer élégamment en contact avec la surface qui allait casser son bras et lui ouvrir la tête.

Brunetti détourna les yeux de ce détail et se concentra sur le sommet du pont derrière elle. Il revit une barre noire verticale qui entrait par-derrière dans le champ de vision, puis partait en tourbillonnant, immédiatement suivie d'un élément mince, rayé et horizontal, comme aspiré par la barre verticale.

Signorina Elettra remit la scène au début et ils observèrent les mêmes silhouettes : d'abord la noire verticale, puis la rayée horizontale, surgissant toutes deux du même endroit, pour y retourner ensuite.

Elle tapota le clavier et recommença, encore et encore.

Lorsque la scène au ralenti prit fin pour la quatrième fois, laissant juste quelques centimètres de l'image horizontale prête à disparaître, elle la bloqua et se tourna vers Brunetti :

« Qu'est-ce que c'est, à votre avis ?

— Un manteau et une écharpe, répondit-il sans hésitation. Il a grimpé jusqu'au sommet du pont, a regardé ce qu'il venait d'accomplir, puis a tourné autour et est redescendu par l'autre côté. »

Il se pencha et toucha l'écran du doigt.

« C'est son écharpe qui tourbillonne sur le côté.

— Quel salaud », murmura signorina Elettra.

C'était la première fois, en toutes ces années, qu'il entendait une grossièreté dans sa bouche.

« Il aurait pu la tuer.

— Peut-être qu'il croyait l'avoir fait », répliqua Brunetti d'un ton sinistre.

12

Signorina Elettra garda le silence, les yeux rivés sur le dernier mouvement des lignes horizontales. Elle posa son menton sur la paume de sa main. « Il n'y a pas grand-chose d'autre, n'est-ce pas ? » finit-elle par admettre.

Elle se pencha plus près, appuya sur une touche et l'image sur l'écran s'agrandit soudain :

« Regardez, on peut même distinguer les franges. »

Brunetti s'approcha et vit qu'elle avait raison. Il recula d'un pas, mit ses mains dans les poches et fixa l'image sur l'écran, en essayant de reconstituer les faits.

« Elle a dévalé les marches. Donc soit il la suivait, soit il l'attendait près du pont, ce qui signifie qu'il savait quel chemin elle prendrait. Puis, après l'avoir poussée, il n'a pas pu résister à la tentation d'aller vérifier le résultat. »

Il y réfléchit de nouveau et déclara :

« Elle n'a pas bougé jusqu'à l'arrivée des hommes qui l'ont trouvée.

— Donc il a vraiment cru qu'il l'avait tuée, conclut signorina Elettra à sa place, avant de s'exclamer, la voix nouée de rage et de dégoût : Mon Dieu, c'est affreux ! »

Brunetti vit qu'elle avait fermé les yeux et décida de ne plus lui parler jusqu'à ce qu'elle retrouve son calme.

Il alla vers la fenêtre et regarda la vigne dans le jardin du *palazzo* où le seul signe de vie, la décennie précédente, avait été le renouveau annuel de cette plante envahissante. En l'espace d'un mois, la glycine serait en pleine floraison, mais pour l'instant la vigne rôdait, lourde de menaces, sur le mur, sans vouloir divulguer son secret jusqu'au jour où – hop! – les grappes mauves surgiraient d'un coup, embaumant de leurs effluves toutes les pièces de la questure.

Il entendit signorina Elettra dire derrière lui, d'un ton neutre :

« D'habitude, c'est le mari, ou le petit copain, ou l'ex, ou quelqu'un dont elle va faire son ex. »

Brunetti avait tiré la même conclusion et se dit qu'il n'avait pas le choix ; il lui fallait retourner à l'hôpital pour parler de nouveau avec la jeune femme.

« Elle s'appelle Francesca Santello, lui apprit-il.

— Quel âge a-t-elle ?

— Elle est jeune, fut tout ce que Brunetti put dire, ne parvenant plus à se souvenir de ce qui était écrit dans son dossier médical. Elle doit avoir dans les dix-huit ans. Pas beaucoup plus. Elle fait ses études à Paris.

— Voulez-vous que je vérifie s'il y a des informations sur elle ? »

Brunetti fit un signe d'assentiment.

« Elle a l'air gentille.

— Les filles gentilles n'ont pas toujours de gentils petits copains », rétorqua signorina Elettra.

Brunetti hocha la tête tout en haussant les épaules pour signifier son approbation et sa résignation face à la manière dont allait le monde.

« Il a une drôle de façon de se tenir sur le pont et de la regarder, déclara-t-elle d'un ton sérieux. Un mauvais plaisant ne ferait pas cela : il la pousserait dans l'escalier juste histoire de s'amuser et partirait en courant. Mais ce garçon a voulu voir ce qu'il avait fait. »

Elle semblait pensive.

« Je vais y jeter un coup d'œil », proposa-t-elle.

Brunetti vérifia sa montre et décida de rentrer déjeuner puis d'aller à l'hôpital à l'heure où les salles étaient, du moins théoriquement, fermées aux visiteurs.

« Où est-elle ? s'informa signorina Elettra.

— En cardiologie. »

Elle ne put cacher sa surprise.

« Comment ?

— Il n'y avait pas d'autre endroit où la mettre. »

Lorsqu'elle reprit la parole, ce fut pour demander :

« Vous croyez qu'elle y est en sécurité ?

— Autant que n'importe quel autre patient. »

Il avait envisagé de demander à Vianello de l'accompagner après le déjeuner, mais la fille était encore si peu consciente qu'elle pouvait ne pas se souvenir de lui avoir parlé : il valait mieux qu'elle voie une femme près d'elle à son réveil. Il appela Claudia Griffoni et lui demanda si elle pouvait le retrouver à la porte d'entrée de l'hôpital à 15 heures, afin que sa présence féminine ait une influence rassérénante pendant l'interrogatoire d'une jeune femme victime d'une agression.

Sur ce, il rentra chez lui, en flânant dans les rues presque vides, tant que c'était encore possible. Sur le campo Santa Marina, il remarqua que les petites tables en face de chez Didovich étaient toutes occupées et que la plupart des clients étaient assis, les yeux fermés et le visage tendu vers le soleil. À cette vue, Brunetti se souvint d'avoir entendu un touriste américain parler un jour d'« écrans solaires pour chochottes ». Il se souvint aussi de l'avoir répété à Rizzardi, qui l'avait gratifié d'un de ses rares sourires.

Comme il l'avait subodoré, il trouva sa famille alignée en rang d'oignons sur le balcon, comme les clients du café : Paola, portant des gants et une écharpe autour du cou, était assise en train de lire. Chiara portait un tee-shirt qui lui donna la chair de poule. Elle était assise, la chaise en arrière, les pieds sur la balustrade, les yeux fermés, ayant sombré, de toute évidence, dans un coma profond. Raffi, son casque sur les oreilles, était assis, les yeux clos, et secouait la tête comme s'il était en proie à une crise d'épilepsie ou à la danse de Saint-Guy.

Aucun d'entre eux ne remarqua son arrivée. Il se tint debout et les observa. Sa femme était transportée par sa vénération pour les mots, sa fille par le soleil, et son fils par quelque chose qu'il se refusait à appeler de la musique. Dans leur envol vers des états de conscience modifiés, ils ne pensaient plus du tout à lui, ni même, visiblement, à déjeuner.

Il battit en retraite à la cuisine et vit la lumière rouge signalant que le four était allumé, donc il y aurait bien quelque chose à manger lorsque les morts vivants se lève-raient et le rejoindraient. N'ayant rien de mieux à faire, Brunetti dressa la table, en faisant exprès le plus de bruit possible. Il tapa les assiettes sur la surface en bois, fit clique-ter deux des fourchettes contre elles, fit glisser les couteaux l'un contre l'autre, ce qui pour sa plus grande satisfaction produisit un son mordant. Les serviettes s'avéraient d'un silence décevant, mais les verres tintaient. Il déballa la miche de pain dans le sac en papier posé sur la planche, pensa un moment à souffler dedans et à le faire éclater, mais se dit que ce n'était pas du jeu. Il sortit la corbeille à pain en osier et coupa la moitié de la miche en tranches, de cette épaisseur qu'il était le seul à aimer, et décida de se contenter d'une de ces petites victoires de la vie.

Il prit une bouteille d'eau minérale et sortit du réfrigérateur une bouteille de pinot grigio, qu'il posa sur la table. Brunetti ne vit alors plus aucune raison d'attendre ; en outre, l'heure du déjeuner était largement passée et il avait faim.

Il retourna au balcon et les vit, pétrifiés comme les moulages des victimes de Pompéi.

« Est-ce qu'on pourrait déjeuner, maintenant ? » demanda-t-il d'un ton neutre.

Aucune réponse, ce qu'il n'aurait pu pardonner qu'à Raffi, en train de taper sur ses cuisses à un rythme spasmodique.

« Est-ce qu'on pourrait déjeuner, maintenant ? » répéta Brunetti, plus fort cette fois.

Paola leva les yeux de son livre et les dirigea vers lui mais, il en était sûr, ne le voyait pas. Son regard restait focalisé sur un lieu intérieur, un monde où les gens s'exprimaient par phrases achevées et bien pensées, et ne faisaient pas tout un fromage pour l'heure du déjeuner.

Chiara ouvrit les yeux, leva une main pour les protéger du soleil et l'aperçut.

« Oh, tu es là, dit-elle en souriant. C'est chouette ! »

L'irritation de Brunetti fit ses bagages, ouvrit la porte et, tirant l'impatience par la manche, fila en catimini.

Paola posa son livre à l'envers sur le mur du balcon et se leva.

« Quelle heure est-il ? Je ne t'ai pas entendu. »

— Je viens juste d'arriver », expliqua Brunetti.

Elle alla vers lui, encore légèrement éblouie, soit par le soleil, soit par sa lecture. Elle posa la main sur son bras et lui décocha une bise dans l'oreille gauche.

« Il y a de l'omelette aux courgettes et de la poitrine de dinde à l'étouffée, annonça-t-elle.

— Est-ce que je t'ai arrachée à quelque chose d'important ? demanda-t-il en lançant un coup d'œil au livre qu'elle avait abandonné.

— Vérité, beauté, prose élégante, pénétration psychologique lacérante, dialogues captivants, énuméra-t-elle.

— Impossible de te passer d'Agatha Christie, n'est-ce pas ? » constata Brunetti, en retournant à la cuisine.

Paola reprit son livre, le posa devant Raffi et lui enleva le casque, puis bougea ses lèvres comme si elle parlait.

Raffi mit un moment à comprendre qu'elle était en train de plaisanter, puis il lui fit la grâce de rire.

« Je meurs de faim », dit-il à sa mère en se levant, paroles qu'il disait au moins une fois par jour depuis qu'il savait parler.

Chiara et lui suivirent leur mère et s'installèrent. Paola, penchée sur le four, déclara :

« Merci d'avoir mis la table, Chiara. »

Chiara la regarda surprise ; Raffi secoua la tête et, gardant sa main droite près de sa poitrine et la couvrant de la main gauche, indiqua Brunetti, qui garda un doigt sur les lèvres, geste qui autorisa à Chiara à répliquer :

« C'est toujours toi qui fais la cuisine, maman. C'est le moins que je puisse faire. »

Cette fois, Raffi enfonça son index plusieurs fois dans la bouche et se garda de révéler la perfidie de sa sœur.

Le repas se passa tranquillement, au milieu de simples bavardages, entre personnes de bonne compagnie. Paola demanda à Raffi si Sara rentrait de Paris à Pâques et, à sa réponse positive, elle lui demanda si elle lui manquait.

Raffi leva les yeux de son dessert, un gâteau au potiron et raisins secs, posa sa fourchette sur son assiette et plaqua une main contre son cœur.

« Je ne pense qu'à ça. Je l'attends impatiemment comme un marin sur l'épave d'un bateau attend impatiemment la vue d'une voile à l'horizon, comme un homme, perdu dans le désert, attend le bruit d'un ruisseau coulant goutte à goutte, comme...

— Comme un homme affamé attend une croûte de pain. Comme un..., commença Chiara, mais Paola lui coupa la parole.

— N'est-ce pas intéressant, déclara-t-elle de son ton réservé à la spéculation, que cette attente impatiente soit si souvent exprimée en termes physiques : faim, soif, sécurité ?

— Qu'est-ce qu'on pourrait attendre impatiemment, sinon ? intervint Brunetti. La paix universelle ?

— Ce n'est pas ce que je suis en train de dire, nuança Paola. Je trouve intéressant que ce verbe soit habituellement associé à des termes physiques, plutôt qu'à des termes spirituels ou intellectuels.

— C'est plus immédiat, suggéra Chiara. On souffre de besoins physiques : le manque d'eau, de nourriture, de sommeil. On le *sent*.

— Je dirais qu'on souffre plus du manque de liberté ou de paix de l'esprit », rectifia Brunetti.

Raffi continua à manger son gâteau, comme s'il le trouvait de loin plus intéressant que ces hautes considérations.

« Mais la souffrance physique *fait mal*, insista Chiara. Personne ne meurt pour un chagrin d'amour. »

Paola porta une main sur son cœur affligé et saisit celle de Brunetti, au bout de la table.

« Guido, on a créé un monstre. »

Il est grand temps, se dit Brunetti, *de partir et de retrouver Griffoni.*

13

Claudia arriva à 15 heures. Grande, blonde, les yeux bleus : son apparence physique faisait mentir tous les préjugés des Vénitiens sur les Napolitains, alors que sa vive intelligence et sa perception des choses en confirmaient d'autres. La douceur du jour les invita à rester sur les marches de l'hôpital pendant que Brunetti lui faisait le compte rendu de l'agression et des séquences filmées depuis le pont.

« Tout ce que tu as vu de lui, c'est donc son manteau et son écharpe ? s'assura Griffoni.

— Oui. »

Brunetti s'éloigna un peu et s'arrêta ; puis il pivota pour la regarder à nouveau de face et mima l'écharpe tourbillonnant sur le côté. Une femme qui traversait le *campo* leur lança un drôle de regard avant d'entrer dans l'hôpital.

« Il était simplement là, à regarder ? »

Brunetti opina du chef.

« Puis il s'est retourné et il est descendu de l'autre côté du pont. »

Griffoni jeta un coup d'œil de biais au pont menant au *campo*, pour essayer d'imaginer la même scène à cet endroit.

« Est-ce qu'on va lui parler ? » finit-elle par demander.

Brunetti lui fit traverser une cour remplie des parfums de la terre, impatiente d'accueillir le printemps en son sein.

S'abandonnant à la mémoire des pas, il serpenta le long de l'hôpital, tout en révélant à Griffoni le peu de choses qu'il savait sur la fille : elle faisait des études de chant à Paris, mais passait ici ses vacances scolaires et s'exerçait au théâtre avec son père, un des répétiteurs.

« Elle chante bien ? s'enquit Claudia.

— Son père doit être de cet avis. »

Brunetti envisagea la possibilité d'un lien, peu probable toutefois, entre Francesca Santello et Flavia Petrelli : toutes les deux étaient cantatrices et elles avaient fait toutes les deux l'objet d'une provocation, même s'il se rendit compte que c'était un bien faible mot pour ce qui était arrivé à Francesca. Et il lança, ne serait-ce que pour tester la réaction de sa collègue à cette hypothèse :

« Flavia Petrelli l'a félicitée pour sa manière de chanter. Il se peut que quelqu'un l'ait entendue. »

Claudia s'arrêta brusquement.

« Peux-tu me répéter cela, s'il te plaît ?

— Signora Petrelli a un fan qui semble l'avoir suivie ici, expliqua Brunetti en parlant lentement pour bien se donner le temps d'esquisser les différents éléments de l'histoire. Il lui envoie des fleurs, en énormes quantités. Cela a commencé à Londres ; ça s'est reproduit à Saint-Pétersbourg, puis il lui en a envoyé aussi dans sa loge après la soirée d'ouverture ici. Lorsqu'elle est rentrée chez elle, elle en a trouvé d'autres encore, devant la porte de son appartement. Or personne ne l'avait laissé entrer. »

Claudia se frotta la joue, puis elle passa ses doigts dans les cheveux et tira sur quelques mèches.

« Et la fille ? Je ne vois pas le lien entre les deux. »

Lui non plus ; en tout cas, ce n'était pas un lien linéaire, que toute autre personne pourrait trouver plausible. Il se remit à marcher, avec Claudia à ses côtés. Ils passèrent devant le bar de l'hôpital et remarquèrent à peine les gens en pantoufles et peignoirs en train de boire, debout, leur café.

« Je dirais qu'envoyer des fleurs…, poursuivit-elle, et elle rectifia, face à son regard : d'accord, beaucoup de fleurs, ce n'est pas comme essayer de les tuer. »

Elle aurait voulu jouer la carte de l'ironie, mais ne put qu'exprimer son scepticisme.

« Ce sont deux actions excessives, insista-t-il.

— Cela signifie-t-il que l'une mène à l'autre ? » s'informa-t-elle, de cette voix qu'il avait entendue chez les procureurs des années durant.

Il s'arrêta.

« Claudia, cesse de faire le méchant flic, d'accord ? Si tu veux bien voir dans ces faits le comportement d'une personne déséquilibrée, tu comprendras ce que je veux dire. »

Elle le fixa de nouveau ; de toute évidence, il ne l'avait pas convaincue.

« Si tu essaies de trouver une relation entre deux choses qui n'en ont pas, il n'y a rien de plus facile que de proclamer que c'est un fou qui les a faites, n'est-ce pas ? Du coup, tu n'as pas besoin de raisons, puisqu'il y a le fou en question à incriminer.

— C'est exactement ce que je suis en train de dire, persista Brunetti. C'est fou d'envoyer des centaines de roses à quelqu'un pendant plusieurs mois, et dans trois pays différents, et de ne pas lui dire qui on est.

— Des centaines ? reprit-elle, manifestement surprise.

— Oui.

— Ah. »

Elle marqua une longue pause.

131

« Tu les as vues ?

— Celles sur la scène, oui. Et elle m'a dit qu'il y avait au moins dix bouquets dans sa loge le soir de l'ouverture, et plus encore devant la porte de son appartement lorsqu'elle est rentrée.

— Tu lui as parlé ?

— Les parents de Paola l'ont invitée à dîner quelques jours après sa représentation à l'Opéra et elle nous l'a raconté.

— Elle disait la vérité ? »

Hésitant à demander à Claudia pourquoi elle devrait douter de la parole de Flavia, Brunetti répondit avec douceur :

« Je pense que oui. Elle a tout l'air d'être un témoin fiable. »

Freddy lui avait confirmé cette histoire de roses à l'intérieur de leur immeuble, mais lui avait dit aussi au téléphone qu'il jugeait la réaction de Flavia excessive.

« Après tout, Guido, avait-il ajouté, c'est Venise, pas le Bronx. »

Claudia avait dû percevoir dans la voix de Brunetti sa frustration, due à ses doutes, car elle lui déclara, au moment où ils s'apprêtaient à gravir l'escalier menant au service de cardiologie :

« Guido, je te crois. Et elle aussi. J'ai juste du mal à imaginer que quelqu'un puisse être aussi…

— Fou ? » suggéra Brunetti.

Elle s'arrêta à la porte et se tourna vers lui.

« Oui. Fou. »

Il rejoignit Griffoni et poussa la porte, puis il la suivit. Lorsqu'ils passèrent devant le poste des infirmières, il vit celle qui était de service ce matin-là, debout derrière son bureau.

Levant les yeux, elle le reconnut.

« Nous lui avons trouvé une chambre. »

L'infirmière semblait sincèrement ravie de pouvoir lui annoncer cette nouvelle. On avait réhabilité, se souvint Brunetti, l'image de la jeune fille, perçue maintenant comme une victime, et donc devenue la chouchoute de tout le monde.

« Bien, répondit-il en souriant, avant de désigner la ravissante blonde à ses côtés. J'ai amené une collègue. Ce pourrait être mieux qu'il y ait une femme avec moi pendant l'entretien. »

L'infirmière fit un signe d'assentiment.

« Comment va-t-elle ? s'informa Brunetti.

— Mieux. Le docteur a changé ses antalgiques, donc elle est un peu plus consciente que ce matin.

— Pouvons-nous la voir ? demanda Griffoni avec cette déférence dont font preuve les belles femmes – si elles sont intelligentes – lorsqu'elles traitent avec des femmes moins séduisantes qu'elles.

— Bien sûr, répondit l'infirmière. Venez avec moi. »

Elle les guida le long d'un couloir et s'arrêta à la deuxième porte, l'ouvrit et entra sans frapper. Griffoni posa une main ferme sur le bras de Brunetti, pour l'empêcher de suivre l'infirmière dans la chambre.

« Attends qu'elle nous invite à entrer », lui conseilla-t-elle.

Au bout d'un moment, l'infirmière revint et dit, en s'adressant à tous les deux :

« Elle veut bien que vous entriez. »

Brunetti recula pour permettre à Griffoni de passer la première. C'était une chambre double avec vue sur les sommets de grands arbres dont les feuilles commençaient juste à verdoyer. L'autre lit était vide, même si les couvertures étaient retournées, les oreillers en position verticale et creusés par la tête de la personne qui y avait pris appui.

Griffoni s'arrêta à deux mètres du lit, laissant Brunetti s'approcher de la fille. Elle avait l'air d'aller mieux : ses cheveux étaient brossés et son teint avait repris un peu de couleur. À son expression, il était évident qu'elle se souvenait de Brunetti et qu'elle était heureuse de le revoir. Son sourire s'agrandit et il put de nouveau constater la beauté de son visage.

« Je suis ravi que vous ayez meilleure mine », dit-il en lui tendant la main.

Elle la prit avec sa main valide.

« Dieu merci, je ne suis pas pianiste. »

Elle souleva le plâtre de quelques centimètres pour montrer son autre main, enflée et bleue. Il retrouva la douceur de sa voix et son impeccable diction.

Brunetti se tourna vers Griffoni, qui le rejoignit près du lit.

« Voici ma collègue, Claudia Griffoni. »

Pensant que la vérité ferait bon ménage avec la fille alitée, il ajouta :

« J'ai pensé qu'il serait bon de me faire accompagner par une femme.

— Pour que j'aie moins peur ?

— Quelque chose de ce genre. »

La fille regarda Griffoni et capta son regard. Elle serra les lèvres et leva les sourcils, surprise par le caractère désuet de la remarque du commissaire.

« Merci. Elle n'a pas l'air bien méchante. »

Griffoni rit et Brunetti se sentit étrangement exclu de ce cercle d'affinités féminines. Pour regagner sa position d'autorité, il énonça :

« Je voudrais que vous me parliez de nouveau de la nuit dernière, du moins de ce dont vous vous souvenez. » Griffoni s'approcha d'un pas, posa son sac par terre près du mur et en sortit un bloc-notes et un stylo. La fille sourit sans bouger, comme si elle ne se sentait pas encore prête à en prendre le risque, après son coup terrible à la tête.

« J'y ai réfléchi depuis que je vous ai vu ce matin et j'ai essayé de me souvenir, mais c'est difficile vu la façon dont ça s'est passé. Je sais qu'il m'a poussée. Je ne veux pas inventer des choses qui auraient pu arriver avant, ou les transformer dans ma mémoire. »

Elle leva la main et la laissa retomber sans espoir sur son lit.

« Mais il y a une chose dont je suis sûre, c'est que j'ai vraiment entendu quelque chose en marchant, peut-être dès l'instant où je suis sortie de la pizzeria ; ou que je sentais quelque chose, mais je ne comprenais pas ce que c'était. »

Elle marqua une pause et Brunetti nota de nouveau combien ses yeux étaient clairs, contrastant étonnamment avec ses cheveux foncés. Si elle avait été plus âgée, ou plus futile, il l'aurait soupçonnée de se teindre. Mais, en l'occurrence, il se dit qu'elle avait simplement eu la chance de bénéficier de ce caprice génétique qui avait mêlé ces cheveux bruns à ces yeux bleu ciel et à ce teint si pâle.

« Vous êtes-vous retournée pour voir ce que c'était ? » demanda Griffoni.

Le visage de la fille se détendit face au ton naturel de Griffoni, qui semblait déjà prête à croire que Francesca s'était véritablement aperçue de quelque chose et qu'elle avait juste besoin de comprendre plus nettement ce qui s'était passé.

« Non, c'est Venise. Ces choses-là ne peuvent pas arriver ici. »

Brunetti hocha la tête. Et attendit.

« En montant le pont, j'ai entendu des pas derrière moi, et avant de pouvoir me retourner je l'ai entendu dire : *"E' mia"*, d'une voix vraiment sinistre, et puis j'ai senti qu'on me poussait. Ma seule préoccupation était de ne pas tomber et d'arriver, debout, en bas du pont. Mais je n'y suis pas parvenue. Puis j'ai vu cet homme agenouillé au-dessus de moi, me demandant si j'allais bien.

— Et nous voilà ici, dit Griffoni, levant son stylo de la page et indiquant la pièce par un signe de la main. Que voulez-vous dire par "une voix sinistre"? »

La jeune fille ferma les yeux ; Brunetti savait qu'elle se revoyait sur le pont.

« Il soufflait comme un bœuf, expliqua-t-elle en ouvrant les yeux. Comme s'il avait eu du mal à me suivre et à gravir les marches. Je ne sais pas. C'était comme le bruit de quelqu'un qui halète. Celui qu'on imite pour faire peur aux enfants.

— Se pourrait-il qu'il ait essayé de déguiser sa voix ? » s'enquit Brunetti.

Les yeux bleus regardèrent par la fenêtre et observèrent les arbres un long moment. Les chanteurs, lui avait-on dit, sont souvent dotés d'une mémoire extraordinaire. Ils ne peuvent pas faire autrement. Il l'imagina en train de se souvenir de la voix sur le pont :

« Oui, affirma-t-elle, c'est possible. Ce n'était pas une voix réelle. Je veux dire, la vraie voix d'une personne.

— Êtes-vous sûre d'avoir entendu correctement ? insista Brunetti. Il a dit que vous étiez à lui.

— Oui. »

Sa réponse fut instantanée et dénuée de la moindre hésitation.

Brunetti regarda Griffoni de biais, se demandant comment elle réagirait à la question suivante, mais décida de la poser quand même.

« Êtes-vous sûre qu'il parlait de vous ?

— Bien sûr que oui, répliqua-t-elle vivement. Je vous l'ai dit, ses mots étaient : *"E' mia."* Il était en train de *me* parler. »

Il entendit Griffoni prendre soudain une inspiration, mais c'est la fille qui demanda :

« Qu'y a-t-il ? »

Brunetti observa Claudia en train de se concentrer sur l'aspect grammatical et d'étudier, en même temps, le visage de Francesca, qui reflétait sa jeunesse, tout comme ce corps frêle sous les couvertures.

« Il n'a pas dit *"Sei mia"*, "tu es à moi" ? nota Griffoni, sans cacher le moins du monde sa perplexité. À quelqu'un qu'il était en train de pousser dans l'escalier ? »

La fille avait dit deux fois à Brunetti que son agresseur s'était adressé à elle de manière formelle et il s'en était étonné à chaque fois, comme sa collègue. Son jeune âge n'avait rien à voir avec la question et son agresseur aurait même pu être plus âgé. S'adresser à elle en usant de la forme de politesse dans cette situation était tout simplement absurde. Il se référait donc, en fait, à une autre femme : « *Elle* est à moi[1]. »

---

1. La forme de politesse en italien se fait par la troisième personne du singulier. On ne dit pas « vous », comme en français, mais « elle ».

14

« Je crois qu'il voulait dire que j'étais à lui, réitéra Francesca, ne comprenant toujours pas qu'elle pourrait ne pas être la cible numéro un de son agresseur. C'est cela qui est si terrible, qu'il ait purement et simplement décidé que je lui appartenais. »

Au vu de sa colère, Brunetti songea qu'elle sortirait indemne de cette histoire : cette réaction était plus saine que la peur et la circonspection.

« Vous avez dit que vous n'avez vu personne vous suivre », lui rappela Brunetti.

Elle mit un certain temps à répondre.

« Sur le pont, je l'ai *senti*. »

Brunetti la voyait s'affaiblir au fur et à mesure de la conversation, comme un enfant ayant trop joué toute la journée et prêt à s'endormir. Il se tourna vers Griffoni et suggéra :

« Cela peut suffire pour l'instant, n'est-ce pas Claudia ? »

Elle ferma son carnet et prit son sac. Elle le mit sur son épaule et s'approcha du lit.

« Merci de nous avoir parlé, signorina Santello. » Claudia se pencha et posa sa main sur le bras de la jeune fille qu'elle serra un peu puis elle recula, cédant la place à Brunetti.

«Votre père sait-il ce qui s'est passé ? pensa-t-il à demander.

— Il est parti quelques jours à Florence, répondit-elle d'une voix qui plongeait dans le sommeil. Il travaille là-bas pour le festival, il joue pour les auditions.

— Lui avez-vous dit ce qui vous est arrivé ?

— Seulement que je suis tombée et que je me suis cassé le bras. »

Elle ajouta, d'une voix ensommeillée :

« Je ne voulais pas lui faire peur. »

Elle esquissa un sourire à la pensée de son père, ou à l'idée de lui avoir épargné des soucis, puis elle glissa dans les bras de Morphée.

Ils l'observèrent un instant, puis sortirent. Brunetti demanda à l'infirmière si elle avait eu des visites ; il apprit ainsi qu'une tante était venue ce matin-là, qu'elle reviendrait le lendemain et la prendrait chez elle le jour suivant.

« Sa tante m'a dit que ses parents étaient divorcés et que sa mère vit en France, expliqua l'infirmière, qui haussa les épaules. C'est comme cela aujourd'hui, monsieur le commissaire. »

Brunetti la remercia pour son aide ; il sortit de l'hôpital avec Griffoni et ils se mirent en route pour la questure.

Pendant qu'ils traversaient le *campo*, Claudia reprit :

« "Elle est à moi." Bien sûr qu'il était en train de parler d'une autre femme. Il ne lui aurait pas dit "vous". Elle est à peine plus grande qu'un enfant, et il cherche à la tuer, pour l'amour du Ciel. Il ne s'adresserait pas à elle d'une manière aussi formelle.

— Et l'autre femme, alors ?

— Arrête ces petits jeux avec moi, Guido, rétorqua-t-elle véritablement agacée. Je crois que ce que tu as dit est possible.

140

— Seulement possible ? » demanda-t-il, faisant de son mieux pour ne pas l'irriter.

Griffoni sourit et lui donna un coup de poing sur le bras.

« D'accord, plus que possible. »

Ils tournèrent à gauche au pied du pont de l'Ospedaletto et longèrent le canal : Brunetti prit cette direction de manière complètement automatique et Griffoni le suivit comme un poisson pilote auprès d'un requin, bien contente de se laisser guider.

Ils descendirent le pont suivant et s'arrêtèrent.

« Que veux-tu faire ? lui demanda-t-elle.

— Envoyer Vianello parler aux gens du quartier pour voir s'ils ont remarqué quelqu'un restant longtemps à l'endroit où elle se trouvait. J'aimerais que quelqu'un s'occupe de la fille, mais le personnel est si restreint depuis le départ d'Alvise, je ne sais pas s'il y a moyen de le faire.

— Pourquoi ne pas le lui demander ? suggéra-t-elle.

— À qui, à Alvise ? »

Griffoni opina du chef.

« Je ne le connais pas depuis bien longtemps, mais il est loyal et capable d'exécuter des ordres simples. Et il doit sûrement avoir très envie de revenir travailler. Donc si on lui dit que c'est une mission spéciale, qu'il s'agit de veiller à ce qu'il ne lui arrive rien à l'hôpital, il sautera sur l'occasion.

— Il a été suspendu, ce qui signifie, si je comprends bien, qu'il ne peut pas travailler ni être payé, répliqua Brunetti. Je ne peux pas lui demander de courir le risque de travailler et encore moins lui demander de le faire pour rien. »

Griffoni, tout d'abord songeuse, déclara :

« Je ne pense pas que cela posera un problème, Guido.
— Mais bien sûr que c'en est un. Comment va-t-on
le payer – en faisant une collecte auprès du personnel ? »

Au moment même où il tenait ces propos, il se rendit compte à quel point cette conversation était absurde.
Allaient-ils demander à Scarpa de contribuer au salaire
d'Alvise, et informer ainsi Patta, à coup sûr, de ce qui se
tramait ?

Griffoni le regarda et commença à parler, mais elle
s'arrêta et observa l'eau du canal. N'y trouvant aucune
réponse, elle tourna son attention vers Brunetti et lui dit :

« Il est possible que signorina Elettra n'ait pas enregistré
la demande de suspension de son traitement avant d'arrêter
de travailler elle-même.

— Elle n'a pas arrêté de travailler, rétorqua Brunetti
avec emphase pour instiller un peu de bon sens dans leur
conversation, elle est en grève. »

Alice se sentait-elle ainsi, se demanda-t-il, perdue dans
une forêt de mots dont elle ne savait comment s'échapper ?

Comme Griffoni ne contesta pas ce point, il s'enfonça
dans la brèche.

« En outre, il est payé par Rome, pas par Venise. Comme
nous tous. »

Elle devait sûrement savoir au moins cela.

« L'ordre de bloquer son salaire partirait d'ici, n'est-ce
pas ? s'informa Griffoni. Du lieutenant Scarpa, contresigné
par le vice-questeur. »

Prenant son silence pour un consentement, elle ajouta :

« Il y a, toutefois, des manières de contourner cela. »

Brunetti posa sa main droite sur son visage et se frotta
les petits poils qui avaient poussé sous sa lèvre inférieure

depuis le matin. Il les gratta doucement, en se disant qu'il pourrait vraiment les entendre poindre sous ses ongles.

« Contourner », répéta-t-il.

Griffoni garda un visage étrangement immobile lorsqu'elle lui précisa :

« Si cet ordre n'était pas passé à Rome et qu'Alvise était assigné à une nouvelle catégorie d'emploi, alors il n'y aurait pas d'interruption de salaire.

— "Si"? »

Brunetti souligna la conjonction, une tournure de phrase qui avait tendance à présider dans maintes conversations entre la commissaire Griffoni et signorina Elettra. Puis il l'interrogea aussi sur son expression « nouvelle catégorie d'emploi ».

Griffoni leva un sourcil et les deux mains, comme pour suggérer dans quel flou artistique nageait ce concept.

Brunetti étudia le visage de Griffoni. Avait-il changé depuis le début de son amitié avec signorina Elettra? Ses yeux dénotaient-ils un je-ne-sais-quoi qu'ils n'avaient pas auparavant?

« Elle a fait tout cela? ne put-il s'empêcher de demander.

— Oui.

— Qu'est-ce qu'on lui a dit?

— Seulement qu'il y aura un changement d'assignation tant que cette affaire ne sera pas réglée. »

Elle regarda derrière elle.

« Il a aidé aux archives.

— Aidé comment?

— Dans la mesure de ses capacités », répondit-elle, sans un mot de plus.

Brunetti observa les édifices de l'autre côté du canal. Les volets sur les plus grands d'entre eux étaient flétris par le soleil ; certains pendaient de travers. Une des gouttières s'était décrochée et l'eau avait fait une trace le long de la façade.

« Dis-lui d'aller à l'hôpital et de veiller sur elle, plusieurs fois par jour, d'accord ? Habillé en civil. Ça lui plaira. » Avec quelle facilité ces deux femmes parvenaient-elles à entraîner les gens dans le sillon de leur complicité ! « Et quand elle rentrera chez elle ? demanda Griffoni. Qu'est-ce qui se passera à ce moment-là ?

— Si elle reste en ville, il peut encore la surveiller. » Ce n'était pas grand-chose ; Alvise n'était pas grand-chose non plus. Mais c'était déjà quelque chose.

Il continua à descendre le quai en direction de la questure.

Elle le suivait.

« J'aimerais l'entendre chanter, dit-elle à la grande surprise de Brunetti.

— Pourquoi ?

— Elle a une belle voix. Et ça fait drôle de la voir sortir de ce petit bout de femme. »

En entrant à la questure, Claudia demanda :

« Est-ce que tu veux que je fasse autre chose après avoir parlé à Alvise ? »

Comme elle n'était pas vénitienne, Brunetti hésita à lui demander d'aller au théâtre, car les gens auraient pu avoir quelque réticence à parler avec une étrangère. Il nuança sa pensée : une non-Vénitienne. Mais il avait commencé à subodorer que son charme et sa beauté pouvaient largement surmonter ce handicap initial.

Sans faire de commentaire sur l'ampleur de cette requête, elle hocha la tête et le quitta au sommet de l'escalier pour gagner son propre bureau. Brunetti entra dans

144

celui de signorina Elettra, où elle se tenait assise, bien droite, avec un livre au lieu de sa revue.

«Vous vous servez de la grève pour rattraper vos lectures?» plaisanta-t-il.

Elle ne lui prêta aucune attention, soit parce qu'elle l'intégrait à sa grève, soit parce qu'elle était captivée par cet ouvrage.

Brunetti s'approcha et, lisant à l'envers, reconstitua le nom sur la reliure.

« Sciascia? s'étonna-t-il. Vous n'en savez pas encore assez sur les crimes et la police, en travaillant ici?»

Sa question suffit à la distraire du volume.

« J'essaye de limiter le contact direct.

— Avec le crime?»

Elle regarda en direction de la porte du bureau du vice-questeur.

« Avec la police, spécifia-t-elle, puis, en écho à la fausse agitation des mains de Brunetti, elle précisa: Mais seulement avec certains gradés.

— J'espère ne pas en faire partie.»

Elle prit le ruban rouge pendant de la reliure et le glissa entre les pages avant de fermer son livre.

«Absolument pas. En quoi puis-je vous être utile, monsieur le commissaire?»

Il ne vit aucune raison de lui dire qu'il était au courant pour le salaire d'Alvise, ou sa nouvelle catégorie d'emploi: tant qu'il ne savait rien, il n'avait rien à faire.

« La fille que nous avons vue, commença-t-il en désignant de la main l'ordinateur, m'a dit qu'elle a été félicitée pour sa manière de chanter par quelqu'un qui n'est pas moins que Flavia Petrelli.»

Il lui laissa l'occasion de l'interroger à ce propos, mais elle se contenta de poser son livre à côté de l'ordinateur et continua à le regarder attentivement.

« Et signora Petrelli a un fan dont le comportement est, disons, excessif. Jusqu'à présent, il s'est contenté de lui envoyer des fleurs, par centaines, à la fois dans sa loge et chez elle. »

Après une longue pause, signorina Elettra demanda :

« "Jusqu'à présent"? »

Brunetti haussa les épaules pour exprimer son malaise.

« Je n'ai aucune raison concrète de croire que ce fait soit lié à l'incident advenu sur le pont. Ce ne sont que des suppositions. »

Elle prit cette remarque en considération, le visage impassible.

« Avez-vous une idée de qui peut être ce fan?

— Aucune. »

Il prit alors conscience qu'il ne s'était jamais véritablement préoccupé de son identité.

« Ce doit être quelqu'un de suffisamment aisé pour voyager dans les pays où elle chante et pour pouvoir acheter autant de fleurs. Et qui est assez futé et riche pour faire livrer les fleurs exactement où il veut. »

Il essaya d'imaginer ce que cet homme pouvait savoir d'autre et être capable de faire.

« Visiblement, il connaît assez bien la ville pour pouvoir suivre la fille sans être vu, ni perdre sa trace.

— Et sans qu'elle s'en aperçoive. Est-il vénitien, à votre avis?

— C'est possible.

— Voulez-vous que je fasse une recherche au sujet des fleurs? proposa-t-elle avec l'enthousiasme d'un chasseur lâché à travers bois.

— Ce sont des roses jaunes. Il y en avait tellement que ce devait être une commande spéciale. Le fleuriste a dû probablement se les faire envoyer du continent. » Elle se pencha pour allumer l'ordinateur. « Il vous a manqué ? osa demander Brunetti en indiquant du menton l'appareil.

— Pas plus que les enfants de mes amis ne leur manquent quand ils partent à l'université », répliqua-t-elle en attendant que l'écran s'éclaire.

Brunetti fut frappé de constater comme il la connaissait mal, au fond, après toutes ces années. Elle avait des amis qui avaient des enfants en âge d'aller à l'université, mais elle-même n'était sûrement pas assez âgée pour avoir un enfant au seuil des études. Il ne savait même pas quel âge elle avait. S'il l'avait voulu, il aurait pu facilement jeter un coup d'œil à son dossier, apprendre sa date de naissance et accéder à tout son parcours professionnel. Mais il ne l'avait jamais fait, tout comme il ne lirait jamais la correspondance d'un ami – ou tout au moins ne l'aurait pas fait à l'époque où les gens écrivaient encore des lettres. Paola, dont la mère était une fervente lectrice, avait hérité le sens de l'éthique et de l'honneur des héros raffinés des romans du XIXe siècle. Alors que lui, étonnamment, avait reçu à peu près les mêmes principes d'une femme qui n'était pas allée au-delà du brevet et d'un rêveur perpétuellement au chômage, dont la santé physique et morale avait été ruinée par ses années de prisonnier de guerre.

« Excusez-moi, dit-il, n'ayant pas bien écouté ses dernières remarques.

— J'ai dit que j'allais m'autoriser à l'utiliser de manière sélective, réitéra-t-elle en désignant l'écran de l'ordinateur. Je m'en sers comme je l'ai toujours fait, simplement il y a maintenant deux personnes pour lesquelles je ne le fais plus. »

Il fut impressionné par le caractère raisonnable qu'elle conférait à ses propos.

« Puisque je figure parmi ceux pour lesquels vous continuez à travailler, déclara Brunetti d'un ton faussement sérieux pour montrer combien il espérait en faire partie, j'aimerais que vous cherchiez tous les renseignements possibles sur la fille agressée sur le pont. Francesca Santello : ses parents sont divorcés ; sa mère vit en France ; elle vit avec son père quand elle est ici, quelque part à Santa Croce. Elle étudie le chant au conservatoire de Paris. »

Il parlait lentement car il s'était aperçu qu'elle prenait des notes.

« J'ai demandé à Claudia de vérifier tout ce qui aurait pu se passer d'étrange au théâtre. Même si elle n'est pas vénitienne. »

Signorina Elettra opina du chef, comme elle l'aurait fait à l'évocation de limites dues à un handicap physique.

« Connaissez-vous quelqu'un qui y travaille ? La seule personne que je connaisse a pris sa retraite il y a environ cinq ans et s'est installée depuis à Mantoue. »

La réponse de signorina Elettra ne se fit point attendre.

« Il y a quelqu'un avec qui j'allais à l'école et qui travaille dans le bar à l'angle, juste en face du théâtre. Je peux lui demander s'il les a entendus parler de quelque chose de bizarre. La plupart des gens de l'équipe de scène et du personnel vont y prendre leur café, donc il est possible qu'il ait entendu courir des bruits. »

Elle le nota et regarda Brunetti.

« Autre chose ?

— J'aimerais que vous voyiez ce qu'il existe comme informations sur les fans. »

Elle leva son crayon pour attirer son attention. « Il serait plus exact de parler de harceleurs.

— De qui?

— De signora Petrelli.

— Et la fille? demanda-t-il, même s'il pensait connaître la réponse.

— Elle lui entravait le chemin.

— "Entravait le chemin"? reprit Brunetti, content de voir qu'elle le confortait dans son opinion.

— Puis-je jeter un coup d'œil à l'ancien mari de signora Petrelli?

— Oui. Et voyez un peu du côté de la presse à sensation, n'ont-ils pas des éditions en ligne?

— Aucune idée, répondit-elle d'un ton mielleux. Je ne lis ce genre de magazines que chez le coiffeur.

— Si c'est le cas, pourriez-vous feuilleter ceux des dernières années et voir quel était l'entourage de signora Petrelli?

— Seriez-vous en train de penser la même chose que moi?

— Probablement, confirma Brunetti. Vérifiez les magazines », ajouta-t-il, tout en se disant que, s'il le demandait directement à Flavia, il ferait gagner énormément de temps à signorina Elettra, mais l'empêcherait, par là même, de continuer son mouvement de grève.

15

Arrivé à son bureau, il alluma l'ordinateur et, se disant qu'il était un homme et pas une mauviette, et qu'il était donc sûrement capable de faire les recherches de base, il consulta les statistiques des crimes perpétrés par des *stalkers* : encore un terme, comme *serial killer*, que l'anglais avait introduit dans sa langue. *Bien*, se dit-il, *ils nous ont aussi donné* privacy*, donc ne jetons pas le bébé avec l'eau du bain.*

Il commença à lire les documents et les statistiques internes de la questure, puis s'ouvrit au monde plus ample des dossiers du ministère de l'Intérieur. Il les lut avec un intérêt croissant et une détresse de plus en plus profonde, et après une heure il conclut à voix haute :

« Assez parlé de ces *Latin lovers* ! »

D'après la police, il y avait environ deux meurtres de femmes par semaine, et généralement l'assassin était une ex-connaissance. Il y avait d'innombrables autres cas de morts accidentelles et d'agressions de vicieux divers et variés ; et quand était-ce devenu à la mode de jeter de l'acide sur le visage des femmes ?

Il se souvenait d'avoir assisté, quelques années auparavant, à un séminaire à Rimini, où un médecin légiste en costume cravate que l'on aurait pu aisément confondre avec le pharmacien Homais avait parlé du grand nombre d'assassinats qui passaient inaperçus chaque année : les chutes étaient très fréquentes, mais aussi les overdoses de médicaments, pris par des femmes qui avaient également bu de l'alcool. Il y avait aussi les exemples de femmes qui se cognaient la tête et se noyaient dans la baignoire. Il avait effectué une fois une autopsie sur une femme dont l'époux l'avait trouvée en train d'y flotter en rentrant du travail, alors qu'il l'avait quittée endormie dans son lit le matin même. C'était un homme très riche, mais aussi très négligent, car il avait oublié leurs caméras de surveillance, qui l'avaient filmé en train de suivre sa femme à la salle de bains, nu et avec une grande feuille de papier bulles à la main, dont le médecin légiste avait trouvé des traces sous les ongles de la victime. « Les gens jeunes et en bonne santé ne tombent pas dans les baignoires. Je vous prie de ne pas l'oublier, mesdames et messieurs », avait-il déclaré avant de passer au cas suivant.

« Et les jeunes femmes ne tombent pas sur les ponts », compléta Brunetti, même s'il était le seul à l'entendre.

Il examina les statistiques des dernières années et vit que les agressions à l'encontre des femmes étaient proportionnelles à l'effondrement de l'économie : un chiffre montait alors que l'autre descendait. Un grand nombre d'hommes, face à leur ruine financière, avaient opté pour le suicide, mais un plus grand nombre encore avaient tourné leur rage ou leur désespoir – ou catalysé toute autre émotion – contre les femmes les plus proches d'eux, en les tuant ou en les mutilant avec une fréquence qui effraya Brunetti.

C'étaient, songea-t-il, des femmes qu'ils connaissaient et qu'ils disaient aimer ou avoir aimées, et fort souvent des femmes avec qui ils avaient eu des enfants. Rien à voir avec une diva distante et inatteignable, chantant sur scène pour des milliers de gens, et non pas pour vous seul.

Il ferma le programme et fixa le versant verdoyant de la colline sur l'écran de veille qui était déjà installé dans l'ordinateur le jour où il était venu partager son bureau, et sa vie. Des collines vertes, l'une ondoyant à gauche et l'autre s'élevant derrière elle, sur la droite, comme si le photographe leur avait expliqué comment poser. Il ouvrit Google et tapa le nom de la cantatrice dans la fenêtre qui s'était affichée, lança la recherche et, en quelques secondes, il vit Flavia Petrelli en train de lui sourire, comme pour le remercier d'essayer de l'aider. Elle était là, dans son costume, belle et radieuse. Il regarda les habits et essaya d'imaginer les rôles où elle les avait endossés. Il devina la comtesse, dans les *Nozze*, à droite, et Tosca, dont il venait de voir la même production. Le chapeau de cow-boy et le pistolet l'identifièrent comme étant Minnie, même si Brunetti n'avait jamais vu *La Fanciulla*. Sur la photo suivante, elle portait une robe au décolleté plongeant et une crinoline, et ses cheveux – ou sa perruque – étaient remontés sur la tête. Il ne prit pas soin de lire la légende.

Il passa sur Wikipédia où on lui rappelait qu'elle était née dans le Haut-Adige il y avait plus de quarante ans et qu'elle y avait commencé sa formation musicale. Il sauta le résumé de sa carrière et commença à lire le court paragraphe intitulé : *Vie personnelle*. Y figuraient son mari, qualifié avec justesse d'espagnol, et ses deux enfants, dont on ne donnait pas les noms. Son mariage, lut-il, avait fini par un divorce. Il y avait les mentions habituelles de « talent précoce », « débuts étonnants » et « maîtrise technique », tout comme la liste des rôles qu'elle avait chantés, mais rien d'autre.

Revenant à Google, il ouvrit un autre article consistant essentiellement en photos, mais il se lassa bientôt des perruques et des robes de bal. Il avait son numéro de portable en mémoire et l'appela.

« Oui, répondit-elle à la quatrième sonnerie.

— Flavia, commença-t-il, c'est Guido. Je voudrais vous parler ; ce soir, si c'est possible. »

Après une très longue pause, elle lui demanda :

« Combien de temps cela prendra-t-il et de quoi voulez-vous parler ?

— De la fille à laquelle vous avez parlé et je ne sais vraiment pas combien de temps cela prendra.

— Une fille ? Quelle fille ?

— Francesca Santello, précisa-t-il, mais le nom ne lui provoqua aucune réaction. Vous lui avez parlé au théâtre, il y a quelques jours.

— La contralto ?

— Je pense que oui.

— Que devient-elle ?

— Puis-je venir vous voir ?

— Guido, je suis au théâtre. Je dois chanter ce soir. Si ce que vous avez à me dire risque de me perturber, je ne veux pas l'entendre, pas si près de la représentation. En outre, je ne peux rien vous dire à son sujet. Nous nous sommes rencontrées au théâtre, je l'ai félicitée et c'est tout. »

Il entendit un bruit à l'autre bout de la ligne, peut-être d'une porte qui se ferme. Il entendit ensuite une voix de femme – pas celle de Flavia. Puis le silence.

« Puis-je venir vous voir après le spectacle ? s'enquit-il.

— Est-il arrivé quelque chose à cette fille ?

— Oui. Mais elle va bien.

— Alors pourquoi m'appelez-vous ?

— Parce que je veux que vous me disiez tout ce dont vous vous souvenez de cette rencontre avec elle.

— Je pourrais le faire maintenant, suggéra-t-elle, d'un ton cette fois moins amical.

— Non, je préfère le faire de vive voix.

— Ainsi pourrez-vous déceler ma culpabilité sur mon visage ? demanda-t-elle, en guise de plaisanterie ou peut-être pas.

— Non, pas du tout. Je veux simplement que nous ne soyons pas bousculés : je veux que vous ayez le temps de vous rappeler ce qui s'est passé et ce que vous avez dit. »

Il y eut une autre longue pause, où il put entendre de nouveau une voix de femme, puis quelques bruits qui auraient pu être des objets déplacés, ou posés à proximité.

« D'accord, fit-elle brusquement, de cette voix dont on use avec les vendeurs importuns. Vous savez à quelle heure nous finissons. Je vous attendrai.

— Je vous remercie », répondit Brunetti, mais elle avait raccroché avant même qu'il n'ait eu le temps de prononcer le dernier mot.

Il aurait dû vérifier s'il y avait une représentation avant d'appeler, mais cette situation le tracassait, comme tout accès d'inexplicable violence. Si son interprétation des événements était juste, tout portait à croire que l'agressivité développée contre Francesca pouvait s'amplifier et inclure Flavia dans son cercle.

Il expliqua au dîner qu'il devait aller parler à Flavia Petrelli ce soir-là, après la représentation. Aucun des deux enfants ne semblait s'intéresser à la question, mais Paola écoutait attentivement ses spéculations. Son compte rendu une fois terminé, elle déclara :

« Les gens font des fixations sur d'autres gens. »

Elle pencha la tête et regarda au loin, comme elle le faisait à chaque fois qu'une nouvelle idée lui traversait l'esprit. « Je pense que c'est la raison pour laquelle Pétrarque m'a toujours mise tellement mal à l'aise.

— Quoi ! s'exclama Brunetti, manifestement surpris.

— Cette histoire avec Laure », dit-elle.

Brunetti soupesa ces mots dans la bouche de la lectrice la plus sérieuse qu'il ait jamais connue et définissant la passion de l'homme qui avait appris à son pays à écrire la poésie. *Cette histoire avec Laure ?*

« Je me suis toujours demandé s'il ne s'est pas provoqué tout seul cette souffrance amoureuse ; je le soupçonne de s'être mis dans cet état, car il continuait à inspirer sa poésie.

— Une belle poésie, tint-il à préciser.

— Bien sûr, de la belle poésie, mais on finit franchement par se fatiguer de tout cet amour non partagé. »

Sur quoi, elle empila les assiettes, les enfants ayant depuis longtemps furtivement regagné leurs chambres pour se livrer à leurs passe-temps, en laissant tout le travail à leur mère.

« Et qu'en est-il de Laure ? Elle aurait pu être une peste, un monstre, ou, si tu veux, une *stalker*, c'est pourquoi j'ai pensé à lui en l'occurrence. »

Elle ouvrit le robinet d'eau chaude et mit la vaisselle dans l'évier :

« Tu imagines, s'ils vivaient aujourd'hui, nous aurions une Laure enchaînée à la cave, mère de ses deux rejetons illégitimes. »

Incapable de répondre pertinemment à sa question, Brunetti ne trouva rien de mieux à répliquer que :

« Tu ne m'avais jamais dit que tu pensais cela de Pétrarque.

— Je suis simplement lassée de toutes ces histoires. Les gens le citent, mais combien le lisent encore vraiment ? Et combien de fois un poète peut-il se permettre de rimailler de la sorte :

Aura che quelle chiome bionde et crespe
Cercondi et movi, et se' mossa da loro
Soavemente, e spargi quel dolce oro,
Et poi 'l raccogli, e 'n bei nodi il rincrespe[1]...

Paola pinça les lèvres et dit en guise d'excuse :
« Je connaissais ce poème entier par cœur, mais c'est tout ce dont je me souvienne. »

Elle sortit les couverts en argent de l'eau savonneuse, les rinça à l'eau chaude et les rangea dans l'égouttoir au-dessus de l'évier :

« Bientôt, on t'appellera en te disant que je me suis perdue dans la rue et que je ne retrouve plus le chemin pour rentrer à la maison. »

Brunetti regarda sa montre, embrassa sa femme sans rien dire et partit pour le théâtre.

S'étant rapidement éclipsé de cette discussion sur la poésie italienne, il arriva à la Fenice quinze minutes avant la fin de la représentation. Il exhiba sa carte officielle à

---

1. *Il Canzoniere*, CCXXVIII.

l'entrée des artistes et dit qu'il trouverait le chemin jusqu'à l'arrière-scène. Le gardien lui accorda un piètre intérêt et lui spécifia que l'ascenseur se trouvait à sa gauche.

Lorsqu'il en sortit, il vit un homme d'à peu près son âge, habillé comme lui en costume cravate, et il lui demanda comment se rendre à la scène. Cet homme, une liasse de papiers à la main, lui fit signe que c'était droit devant lui et ajouta qu'il l'entendrait, puis il partit et le laissa là, sans même s'être préoccupé de lui demander qui il était.

Brunetti suivit ses instructions et descendit un couloir faiblement éclairé jusqu'à une porte insonorisée qui ne parvenait pas toutefois à étouffer le vacarme de l'orchestre. Il ouvrit la porte au moment où l'un des vaillants policiers de Rome plantait un coup de couteau dans la poitrine du pauvre Mario, et il fut submergé par la musique et les voix. Sans compter les instruments, la confusion, le bruit général. Après une pause pour habituer ses yeux à la lumière plus vive, Brunetti avança de quelques pas et s'arrêta derrière trois machinistes, qui regardaient l'opéra les bras croisés, tandis que deux autres étaient aux prises avec leurs portables. Et là, sur la scène, il y avait Flavia qui, vêtue d'une robe rouge avec une longue traîne et la tête couronnée par un diadème orné de joyaux, se tenait de nouveau sur les remparts du château Saint-Ange, annonçant sa propre mort. Puis elle sauta derechef, la musique diminua peu à peu, le rideau se ferma lentement, et un des machinistes lorgna l'écran du téléphone de son collègue.

Le public, comme le soir où Brunetti était là, fut pris de délire, s'adonna à la frénésie que le suicide de Tosca et les derniers accords étaient censés provoquer et que garantissait une cantatrice qui savait chanter et jouer. Brunetti se déplaça de quelques mètres, de manière à voir toute la zone derrière le rideau, où les chanteurs s'attardaient en groupes, papotaient entre eux et riaient. Il s'écoula quelques minutes. Un homme brandissant une pancarte rassembla les trois principaux chanteurs et les poussa au milieu de la scène, puis il se tourna et fit signe à tous les autres, disposés sur les côtés. Le rideau se referma et les trois chanteurs, tous revenus miraculeusement à la vie, apparurent, pour recevoir des tonnerres d'applaudissements. Au bout d'un moment, Flavia glissa sur le côté et fit sortir le chef d'orchestre – qu'elle avait qualifié, chez les Falier, de « médiocrité qui tambourine » –, puis elle resta en arrière et se joignit aux applaudissements. Tous se donnèrent de nouveau la main, et le rideau se referma sur eux.

Brunetti se tenait à l'écart et observa, pendant plusieurs minutes, les différents interprètes sortant du rideau pour aller chercher leur dû. Il vit la manière dont Flavia affichait son sourire, qui surgissait avec ravissement à chacune de ses apparitions au public, puis se dissolvait dès l'instant où elle repartait vers les coulisses.

Comme la pluie d'applaudissements continuait, l'employé de service tapa dans les mains brusquement et tira sur le bord d'un des rideaux pour ménager une ouverture pour les principaux interprètes. Il frappa de nouveau dans les mains, plus fort cette fois, et tous les quatre tournèrent leur regard vers lui. Tosca était en train de boire un verre d'eau, qu'elle passa à l'habilleuse ; le chef d'orchestre avait disparu de la circulation ; Scarpia lustrait ses chaussures en les frottant contre le bas de son pantalon ; Cavaradossi enfonça son portable dans la poche de son pourpoint taché de sang. On avait expliqué un jour à Brunetti qu'on faisait gicler de l'encre rouge de l'intérieur du vêtement, de manière à ce que le sang jaillisse juste au moment où les personnages étaient tués ou recevaient leur coup de couteau. Il se demanda distraitement, tandis que le public continuait à se déchaîner, si ça partait au lavage et si le théâtre avait des machines à laver. Les chanteurs transpiraient beaucoup en chantant, avec les éclairages, la tension nerveuse, sans compter le pur et simple effort physique que cela représentait. Ils devaient sans doute avoir aussi des machines pour nettoyer à sec. C'est cela le show-biz.

L'homme à la pancarte hocha la tête et Scarpia gagna le milieu de la scène. Forts applaudissements. Il revint au moment où ils avaient atteint l'apothéose et Mario fit alors sa sortie. Le public applaudit encore plus fort, encore plus longtemps. L'employé retourna derrière le rideau, sortit son portable et reprit sa conversation. Tosca arriva lentement de derrière le rideau et resta complètement immobile. Le délire.

De l'angle où il se tenait, Brunetti vit son bras droit se lever, comme pour saluer tout cet enthousiasme, tout cet amour. Puis elle le laissa tomber, tandis qu'elle se baissait elle-même en une longue révérence, et les acclamations reprirent alors de plus belle. Il l'observa en train de reculer sans le moindre faux pas vers l'ouverture du rideau et s'y faufiler, pour céder la place au chef d'orchestre, qui revint sur la scène, enveloppé d'une nuée d'applaudissements. Il recula rapidement et passa devant les chanteurs sans même se donner la peine de leur adresser la parole.

Comme la ferveur du public ne fléchissait pas le moins du monde, tous les quatre se prirent par la main, entrèrent à la queue leu leu sur la scène et firent ensemble la révérence. La refirent, puis s'éloignèrent des clameurs qui s'affaiblissaient et se retirèrent derrière le rideau. L'homme qui réglait le cérémonial écarta rapidement les bras, comme l'employé d'un aéroport guidant un avion au sol. Les applaudissements diminuèrent progressivement, jusqu'à cesser complètement.

Derrière Brunetti, l'équipe technique démontait le château Saint-Ange : elle descendit sur des chariots les blocs massifs des remparts en pierre qui entouraient la tour et les fit sortir de la scène. Les fenêtres se détachèrent aussi facilement que les pièces d'un puzzle, furent déposées aussi sur différents chariots et partirent rejoindre les morceaux composant les remparts.

Lorsque Brunetti se désintéressa de ces opérations, il jeta un coup d'œil circulaire et vit qu'il était le seul resté sur la scène, à part le chef de l'équipe technique et les travailleurs. Il s'approcha et demanda à l'homme donnant les ordres s'il pouvait lui dire où se trouvait la loge de signora Flavia Petrelli.

L'homme lui lança un regard perçant :
« Qui êtes-vous ?
— Je suis un ami, précisa Brunetti.
— Comment êtes-vous arrivé jusqu'ici ? »

Brunetti prit son portefeuille et en sortit sa carte officielle. L'homme la prit et l'étudia soigneusement, le regarda pour vérifier la photo et la lui rendit.

« Pourriez-vous m'y emmener ?
— Suivez-moi », dit-il.

Il lui fit faire le chemin inverse, puis ils descendirent un long couloir : ils tournèrent à droite, à gauche, prirent l'ascenseur et montèrent deux étages. Puis ils longèrent un couloir à gauche et sur la troisième porte, toujours à gauche, il vit le nom de Flavia. L'homme le laissa là. Brunetti frappa et une voix sourde et féminine cria quelque chose qui était tout sauf accueillant. Quelques minutes plus tard, la porte s'ouvrit et une femme sortit de la pièce, portant la robe rouge sur un cintre. Elle s'arrêta à la vue du commissaire et s'informa :

« Êtes-vous Guido ? »

Brunetti opina du chef et elle tint la porte ouverte, puis la poussa pour la fermer derrière lui.

Flavia, pieds nus et vêtue d'un peignoir blanc, était assise en face de son miroir, en train de se passer les deux mains dans ses cheveux courts. Sa perruque était posée sur un socle à sa gauche. Elle enleva les mains de ses cheveux et secoua la tête vigoureusement : des gouttes tombèrent de tous les côtés. Saisissant une serviette, elle se frotta la tête un long moment puis, fatiguée de ce geste, elle lança la serviette sur une table et se tourna vers Brunetti.

« Il est de nouveau rentré ici, dit-elle d'une voix tremblante.

— Racontez-moi, lui dit Brunetti en prenant une chaise à la gauche de Flavia, de manière à ne pas la dominer pendant leur conversation.

— Voilà ce que j'ai trouvé après la représentation, expliqua-t-elle avec un nœud à la gorge, en désignant une boule de papier d'emballage bleu froissé. Un morceau de ruban doré gisait par terre.

— Qu'est-ce que c'est ?

— Regardez, répondit-elle en se saisissant du papier.

— Ne le touchez pas », ordonna-t-il plus fort qu'il n'aurait dû.

Sa main se figea et elle lui lança un regard plein de colère, où il décela la réaction spontanée d'une personne volontaire que l'on bloque dans son élan.

« Les empreintes, expliqua-t-il calmement, puis il ajouta, en espérant qu'elle regarde les films policiers à la télé : Pour l'ADN. »

La colère lisible sur ses traits fit place au chagrin :

« Je suis désolée, j'aurais dû y penser.

162

— Qu'est-ce que c'est ? demanda-t-il de nouveau.

— Il faut que vous voyiez ça. »

Elle prit sur sa table un peigne à long manche, le retourna afin de pousser avec son bout pointu le papier qu'elle souleva sur un côté. Un éclair se dessina sous les lumières du miroir ; elle saisit un objet avec cette extrémité du peigne et le libéra de l'emballage.

« Oh mon Dieu ! s'exclama Brunetti. Est-ce un vrai ? »

Posé près du papier froissé se trouvait un collier. Certaines de ses mailles en or s'amincissaient pour sertir des pierres de la taille des losanges de Fisherman's Friend, ces pastilles pour la gorge qui étaient dans ce cas d'un vert profond et non pas du brun foncé de la poussière.

« Sont-elles vraies ?

— Aucune idée. Tout ce que je sais, c'est que quelqu'un a laissé le paquet ici et je l'ai ouvert quand je suis revenue après les rappels.

— Pourquoi l'avez-vous ouvert ? s'enquit Brunetti, résistant à son impulsion d'ajouter : avec tout ce qui se passe en ce moment.

— Marina, mon habilleuse, m'a dit il y a quelques jours qu'elle avait trouvé quelque chose qui pourrait me plaire à la brocante de San Maurizio et qu'elle me l'apporterait ce soir. »

Regardant le collier, Brunetti constata :

« Ce n'est guère le genre de chose qu'on voit en vente à la brocante de San Maurizio, n'est-ce pas ? Lui avez-vous posé des questions à ce sujet ?

— Non. Lorsqu'elle est venue chercher mon costume, elle m'a dit qu'elle avait dû s'occuper de ses petits-enfants la veille et qu'elle avait complètement oublié.

— L'a-t-elle vu ? demanda-t-il, les yeux hypnotisés par ce vert.

— Non. J'ai mis une serviette dessus. Je pensais que c'était à vous que je devais le montrer.

— Merci », dit Brunetti.

Ses yeux retournèrent à cette couleur et il compta les losanges : il y en avait au moins une douzaine.

« Comment vous sentez-vous après cet épisode ? » lui demanda-t-il, en indiquant du menton le collier.

Elle ferma les yeux et serra les dents, puis les ouvrit juste pour murmurer :

« Terrifiée. »

16

« Ne pouvez-vous pas fermer la porte à clef ? » lui demanda-t-il avec douceur, pour montrer qu'il comprenait sa réaction. Elle haussa les épaules pour écarter cette idée.

« Je suppose que oui, mais il y a toujours des gens qui ont besoin d'entrer : si j'oublie un éventail ou un châle, Marina doit venir les chercher et la maquilleuse laisse ses affaires ici. »

Ces arguments étaient peu convaincants pour Brunetti, mais il ne souffla mot. Elle capta son regard dans le miroir et expliqua :

« La véritable raison, c'est que je ne saurais où mettre la clef pendant que je suis sur scène. Mes costumes pour cette production n'ont pas de poches et je ne vais sûrement pas la glisser dans mon corsage.

— Je me suis toujours posé des questions à ce sujet, avoua Brunetti, qui le regretta aussitôt.

— À quel sujet ? s'enquit-elle, se passant les mains dans les cheveux, de toute évidence satisfaite de les sentir enfin secs.

— J'ai lu, ou on m'a raconté, des histoires à propos de sopranos du temps jadis, qui ne chantaient pas tant qu'on ne leur avait pas donné leurs monnaies sonnantes et trébuchantes et qui mettaient leur escarcelle en soie remplie de ducats, de dollars, ou de Dieu sait quoi, dans leur corsage justement.

— L'époque où l'on payait comptant est bien loin derrière nous, répliqua-t-elle avec un réel regret. Aujourd'hui, on n'a affaire qu'à des agents, des virements bancaires et autres pièces comptables. »

Elle s'observa dans le miroir.

« Comme ce serait agréable d'être payé en espèces », affirma-t-elle avec un accent de nostalgie au souvenir de ce bon vieux temps.

Elle s'écarta du miroir pour regarder Brunetti droit dans les yeux.

« Parlez-moi de cette fille.

— Quelqu'un l'a poussée en bas d'un pont hier soir, en lui disant : "Elle est à moi."

— Oh, la pauvre. Qu'est-ce qui lui est arrivé ?

— Elle s'est cassé le bras et s'est tapé la tête assez fort pour avoir eu besoin de points de suture. »

Ses traits se figèrent.

« Pourquoi me racontez-vous cela ?

— À cause de son âge et à cause de la langue. »

Elle secoua la tête.

« Je ne comprends pas.

— Son agresseur n'a pas dit "Tu es à moi", comme on le dirait habituellement à une personne jeune ou, à mon avis, à quelqu'un qu'on est en train de pousser en bas d'un pont. »

Il espérait qu'elle sourie à ces mots, mais elle ne le fit pas, donc il poursuivit :

« Il a dit : "Elle est à moi." »

Il attendit de nouveau, mais Flavia gardait le silence.

« Soit il employait la forme de politesse, soit il parlait de quelqu'un d'autre. »

Il la vit saisir la situation.

« Et je serais cette autre femme ? » demanda-t-elle, d'un ton laissant entendre qu'elle ne pouvait pas – ou ne voulait pas – le croire.

Brunetti s'abstint de répondre et préféra continuer à l'interroger :

« Pouvez-vous vous souvenir de ce que vous avez dit à Francesca, et qui il y avait lorsque vous l'avez dit ? »

Elle regarda ses mains, les joignit sur ses genoux, comme si elle cherchait à reconstituer la scène.

« J'étais avec mon répétiteur, Riccardo Tuffo. C'est avec lui que je travaille toujours, ici. J'ai entendu quelqu'un chanter dans une des salles de répétition et je voulais savoir qui, tellement c'était beau. Alors Riccardo a frappé à la porte, il l'a ouverte et un autre pianiste en est sorti, et c'est là que j'ai reconnu la fille. Elle m'avait attendue à l'entrée des artistes après le spectacle de la veille. Le soir même où vous êtes venu. Elle voulait me remercier pour ma représentation. »

Flavia cessa d'observer ses mains et leva les yeux.

« Elle a une voix remarquable : un véritable contralto, profond et vrai.

— Que lui avez-vous dit ?

— Les choses habituelles : qu'elle était excellente et qu'elle avait une grande carrière devant elle.

— Y avait-il quelqu'un d'autre qui pourrait avoir entendu ce que vous avez dit ? »

Elle y réfléchit un instant.

« Non, nous étions juste nous quatre : moi, la fille, Riccardo et l'autre répétiteur, qui est son père. C'est tout.

— Et personne d'autre ne pourrait vous avoir entendue ? » insista Brunetti.

Lorsque l'on demande, à la plupart des gens, de vérifier le souvenir qu'ils ont gardé d'une conversation ou d'un accident, ils répondent immédiatement, comme si ce genre d'exercice revenait à insulter leur mémoire et leur propre personne. Mais Flavia se remit à étudier ses mains, puis elle pivota sur sa chaise pour regarder le collier.

« Après que Riccardo et moi sommes sortis et descendus dans notre salle de répétition, des gens sont venus à notre rencontre depuis l'autre bout du couloir. J'étais encore en train de féliciter la fille et il est possible qu'ils m'aient entendue.

— En avez-vous reconnu certains ?

— Non. Cela fait des années que je n'ai plus chanté ici et il y a beaucoup de visages nouveaux. »

Elle prit le peigne et remit le collier dans son papier, en l'ôtant de sa vue.

« Je n'ai pas vraiment fait attention », conclut-elle.

Puis elle lui demanda, avec un mouvement fortuit vers le collier, comme si c'étaient quelques pages d'une partition que quelqu'un aurait laissées dans la pièce :

« Que voulez-vous en faire ?

— La procédure habituelle, répondit Brunetti : l'emmener à la questure pour prendre les empreintes digitales.

— Vous le faites vraiment ?

— Oui. Je dois dire qu'il appartient à qui ?

— Pourquoi s'en soucier ?

— Parce qu'une fois qu'ils auront fini leurs tests, il retournera à son propriétaire.

— Vraiment ? s'enquit-elle, incapable de dissimuler son émerveillement. Il vaut une fortune.

— Je le vois bien. Ou je crois le voir. »

Il jeta un coup d'œil au bijou, mais il ne pouvait plus en distinguer que le papier bleu d'emballage.

« Pourquoi devrait-il me faire un tel cadeau ? demandat-elle d'un air perplexe.

— Pour vous impressionner, répliqua Brunetti. Pour vous donner une preuve incontestable de sa considération et de son attirance pour vous.

— Mais c'est fou, constata-t-elle, cette fois davantage en proie à la colère qu'à la confusion. "Attirance" ? »

C'était comme si elle entendait ce mot pour la première fois.

« Qu'est-ce que cela peut bien signifier ?

— Juste ce que je dis, Flavia, que cette personne éprouve pour vous une forme d'attirance. Et le but du cadeau est d'éveiller votre intérêt pour la personne qui vous traite avec ce type de... munificence. Je sais que c'est fou. Mais nous n'avons pas affaire ici à quelqu'un de rationnel. »

— Est-ce le genre de chose que les policiers sont censés dire ? » demanda-t-elle d'un ton faussement désintéressé.

Brunetti rit et répondit, avec une précision digne d'un robot :

« Jamais. Il ne se passe pas une minute au travail sans que nous ne gardions l'esprit ouvert et respectueux envers qui que ce soit. Ce n'est qu'en famille et entre amis que nous pouvons dire ce que nous pensons. »

Elle le regarda et, en souriant, posa une main sur son bras.

« Merci, Guido. »

Brunetti pensa que le moment était venu de tout lui dire.

« Il y a un élément que nous n'avons pas pris en considération, dans tout ceci.

— Je crois qu'avoir considéré qu'il est fou et qu'il sait où j'habite peut suffire, non ? explosa-t-elle. Je ne pense pas pouvoir supporter d'autres surprises.

— Ce n'est pas forcément une surprise, mentit Brunetti.

— De quoi parlez-vous ? demanda-t-elle, en retirant soudainement sa main du bras du commissaire.

— Nous sommes partis de l'hypothèse que cette personne est un homme. Tout le monde dit "il" et "lui" lorsque nous parlons de ce qui s'est passé, mais nous ne pouvons absolument pas en être certains.

— Bien sûr que c'est un homme, rétorqua-t-elle, la gorge nouée. Une femme n'irait pas pousser une autre femme sur un pont.

— Flavia », commença-t-il, craignant d'avoir atteint le moment où elle risquait de lui échapper et essayant de trouver la manière de le lui dire sans l'offenser.

Mais pourquoi gaspiller du temps avec des suggestions et d'autres questions ; pourquoi ne pas dire juste la vérité et clore définitivement la question ?

« La dernière fois que vous êtes venue ici… En fait, les deux dernières fois, vous viviez avec une femme. »

Elle fit un bond en arrière, comme pour esquiver un coup, mais ne dit rien.

« Une très belle femme, je dois le reconnaître, dit Brunetti en souriant, mais elle ne répondit pas à son sourire. Les gens, dans votre milieu, ne prêtent pas très attention à ce genre de choses, mais les autres, oui. Les gens obsessionnels, encore plus.

— Et les lesbiennes se vengeraient ainsi du fait que je sois sortie du cercle ? demanda-t-elle, sans cacher sa colère le moins du monde. Ou c'est une seule femme, qui veut que je cristallise mon amour sur *elle* ?

— Aucune idée, répondit Brunetti calmement. Mais votre passé n'est pas secret, donc – que cela vous plaise ou non – nous devons envisager la possibilité que la personne qui est en train de vous traquer (il avait enfin prononcé le mot) soit une femme. »

Comme elle se taisait, il continua :

« Le fait que les femmes soient moins violentes que les hommes pourrait être positif, mais cette femme a déjà agi avec violence, et si c'est parce que vous avez parlé à Francesca, la raison était infime.

— Y a-t-il quelqu'un à l'hôpital avec cette jeune fille ? s'enquit-elle, au grand étonnement de Brunetti.

— Un policier vient veiller sur elle de temps à autre.

— Qu'est-ce que cela signifie ?

— Que je ne peux pas faire plus, dit-il sans donner de plus amples explications, avant d'ajouter, même s'il n'en était pas certain : Elle rentrera bientôt chez elle, et elle sera sous la protection de sa famille. »

Flavia gardait le silence, sans cesser de bouger sur sa chaise.

« Donc, finit-elle par reprendre, si c'est une femme, êtes-vous en train de me dire qu'elle s'en prendra à toute femme à qui j'adresserai la parole ?

— Je ne suis en train de rien *dire*, Flavia. Je suis simplement en train de vous demander de prendre cette possibilité en considération. »

Elle replongea dans le silence ; Brunetti attendait qu'elle fasse le premier pas.

« Une de mes amies, commença-t-elle, une mezzo-soprano, m'a dit qu'elle avait eu une fois une fan qui l'avait menacée avec un couteau. »

Brunetti attendait toujours.

« La femme lui envoyait des mots, toujours intelligents et pleins d'éloges, après ses représentations. Pas souvent, une fois par an, peut-être deux, et cela pendant huit ou neuf ans. Puis elle lui a écrit un jour pour l'inviter à prendre un verre après le spectacle à Londres. Mon amie m'a dit que cette femme lui avait semblé si cohérente et si brillante qu'elle avait accepté. »

La voix de Flavia s'amenuisait et Brunetti se demanda s'il entendrait la fin de cette histoire. Mais elle se ressaisit :

« Donc elles se sont rencontrées dans un bar après un des spectacles et dès qu'elles se sont assises, m'a dit mon amie, elle a compris que cette femme était folle. »

Elle capta le regard intrigué de Brunetti et précisa :

« Vous savez, comme quand on *sait* simplement que quelqu'un est fou.

— Que s'est-il passé ?

— La femme continuait à dire à mon amie qu'elle était la seule femme au monde pour elle, qu'elles étaient faites pour être ensemble et, quand mon amie s'est levée pour s'en aller, la femme a sorti un couteau et lui a dit qu'elle la tuerait si elle ne partait pas avec elle.

— Qu'a-t-elle fait ?

— Elle lui a souri et a eu la présence d'esprit de lui dire qu'elles pourraient prendre un taxi et aller à son hôtel.

— Et puis ?

— Une fois dehors, mon amie a hélé un taxi et, lorsqu'il s'est arrêté, elle l'a poussée, elle est montée dans la voiture, a claqué la portière et a dit au chauffeur de partir. Où il voulait.

— Est-ce qu'elle est allée à la police ?

— Non.

— Que s'est-il passé ensuite ?

— Rien. Elle n'a plus jamais entendu parler d'elle. Mais il lui a fallu des mois pour s'en remettre. » Puis, après un long moment : « Je ne sais pas si on peut véritablement se remettre d'une chose pareille.

— Oui, approuva Brunetti. Est-ce que vos fans se sont déjà comportés de cette manière auparavant ? » Flavia secoua la tête, presque avec violence. « Les miens ? Non. Absolument pas. »

Elle détourna ses yeux et fixa le miroir, mais Brunetti, qui pouvait voir son reflet, se rendit compte qu'elle était en train de regarder quelque chose d'invisible à tous deux. Il nota le moment où elle s'aperçut de son regard et se tourna rapidement vers lui :

« La plupart sont des femmes.

— Qui ?

— Les fans qui jouent avec mes nerfs, avec nos nerfs à tous.

— De quelle manière ? »

Elle secoua la tête, comme s'il était trop difficile de trouver les mots justes. Elle saisit des objets sur la table et en fit tourner un peu quelques-uns, prit sa brosse à cheveux et en caressa les soies du bout des doigts. Il régnait un tel silence dans la pièce que Brunetti pensa qu'il aurait pu les entendre reprendre leur position de départ.

« Ces femmes sont en état de manque, finit par dire Flavia, sans être sûre de la pertinence de l'expression. Elles cherchent à le masquer, mais elles n'y parviennent pas.

— En manque de quoi ?

— Je ne sais pas. De quelque chose. De nous, affirma-t-elle. Peut-être qu'elles veulent de l'amour. Mais je ne veux pas avoir cette idée en tête. »

Elle reposa sa brosse sur la table, puis hocha la tête à maintes reprises, comme pour se persuader de ses propos.

Juste au moment où Brunetti s'apprêtait à parler, Flavia déclara férocement :

« Les fans sont des fans, ce ne sont pas des amis.

— Jamais ?

— Jamais, réitéra-t-elle avec une conviction alliée à la colère. Et maintenant, voilà cette histoire.

— Oui.

— Que puis-je faire ?

— Vous ne restez plus très longtemps, n'est-ce pas ?

— Moins d'une semaine, et après j'ai un peu de temps libre avec mes enfants. »

Ces échanges semblaient l'avoir un peu calmée. Brunetti en profita pour lui poser d'autres questions, qui pourraient l'aider à mener l'enquête :

« Vous avez dit que cela a commencé à Londres.

— Oui. Et à Saint-Pétersbourg il y avait des montagnes de fleurs, mais c'est normal là-bas : beaucoup de gens en apportent.

— Étaient-ce des roses jaunes ? demanda-t-il, se souvenant de sa vision après la représentation et de sa description au dîner.

— À Saint-Pétersbourg, il n'y en avait que quelques-unes. À Londres, oui, beaucoup.

— Autre chose ?

— Des objets, qui disparaissaient de mes loges. Jamais de l'argent, toujours des objets.

— Quel genre d'objets ?

— Un manteau, une paire de gants et, à Paris, mon carnet d'adresses. »

Brunetti prit ces détails en considération. « Est-ce que certains de vos amis ont dit avoir reçu des coups de fil bizarres ?

— Bizarres dans quel sens ?

— Quelqu'un qui aurait demandé si vous étiez là ? Peut-être en prétextant que c'était un de vos amis et que vous ne répondiez plus au téléphone depuis longtemps ? »

Il vit alors un souvenir lui revenir brusquement en mémoire.

« Oui. Une amie à Paris m'a dit qu'elle avait reçu un appel d'une personne disant qu'elle n'arrivait pas à me contacter et lui demandant si elle savait où j'étais.

— Que s'est-il passé ?

— Comme il y avait quelque chose dans sa voix qui ne lui plaisait pas, elle a répondu qu'elle n'avait plus de mes nouvelles non plus depuis un mois.

— Était-ce un homme ou une femme ? »

Flavia pinça les lèvres et répondit, consciente qu'elle allait le conforter dans son idée :

« Une femme. »

Brunetti résista alors à la tentation de lui répliquer : « Je vous l'avais bien dit. »

17

Flavia se pencha, posa les coudes sur sa table de toilette et enfouit sa tête dans ses mains. Brunetti l'entendit murmurer quelque chose, mais ne put distinguer les mots. Il attendait. Il la vit secouer la tête plusieurs fois, puis elle se redressa et le regarda.

« Je ne peux pas croire qu'il m'arrive une chose pareille. »

Elle ferma les yeux et mordit sa lèvre inférieure, les rouvrit et lui dit, d'un ton qui avait perdu toute sa fermeté :

« Ce n'est qu'un mélodrame à deux sous, n'est-ce pas ? Bien sûr que je me rends bien compte de ce qu'il m'arrive, voilà pourquoi c'est si horrible. »

Brunetti, même s'il aurait aimé lui offrir du réconfort, se refusa à lui mentir. La brève conversation entre Flavia et Francesca, qui se résumait à un simple compliment sur le talent de la jeune fille, était sans doute la raison de l'attaque sur le pont. « Elle est à moi. » Un compliment formulé avec courtoisie avait-il pu mener à une telle déclaration de possession absolue ? Mettait-il désormais en danger toute personne pour qui Flavia montrait de l'intérêt ?

De ce point de vue, Brunetti avait eu de la chance au cours de sa carrière : indépendamment du nombre de mauvaises, voire très mauvaises personnes, qu'il avait été forcé de croiser au cours de ses années de travail, il avait rarement eu affaire à des fous. Le comportement des criminels avait un sens : ils voulaient de l'argent, le pouvoir, ou bien se venger, ou encore la femme d'un autre, et ils le voulaient pour des raisons qui échappaient au sens commun. En outre, il y avait généralement un lien entre ces personnes et leurs victimes : de rivalité, de collaboration, d'inimitié, de parenté, voire les liens du mariage. Il s'agissait de trouver la personne qui tirait parti – et pas seulement au plan financier – de la mort ou des blessures de la victime, de se focaliser sur cet aspect, ou de remonter le long de cette connexion qui, très souvent, menait en sens inverse à l'individu responsable. Il y avait toujours un fil à dévider : le secret était de le trouver.

Ici, cependant, le mobile pouvait être une simple conversation fortuite, quelques éloges, quelques mots d'encouragement, que toute personne généreuse pourrait dispenser à une jeune femme en début de carrière. Mais, visiblement, cela avait suffi à provoquer une colère qui avait débouché sur la violence exercée à l'encontre de la victime.

« Que dois-je faire ? »

Brunetti mit fin à ses spéculations et reporta son attention sur elle.

« Je ne peux pas vivre ainsi, prisonnière de cette petite pièce et de mon appartement. Je ne veux pas avoir peur de toute personne qui s'approche de moi.

— Et si je disais que vous n'êtes pas en danger, en fait ? suggéra Brunetti.

— Mes amis le sont, toute personne à qui j'adresse la parole. N'est-ce pas la même chose ? »

Seul le plus pur des chrétiens aurait de telles paroles, songea Brunetti, mais il s'abstint de le dire. Au fil des ans, il avait observé différentes réactions face au danger physique.

Tant qu'il n'est que pure abstraction, nous y répondons de manière héroïque, avec le courage d'un lion ; face au danger physique réel, nous devenons des agneaux peureux.

« Flavia, je ne pense pas que cette personne veuille vous faire du mal ; il ou elle veut vous aimer. Obtenir votre respect, ou votre amour.

— C'est dégoûtant, cracha-t-elle. Il vaut mieux recevoir des coups. C'est plus propre.

— Arrêtez, Flavia, voulez-vous ? » répliqua-t-il si vivement qu'il en fut le premier surpris.

Sa bouche et ses yeux s'ouvrirent brusquement et restèrent ainsi quelques secondes.

« Quoi ? rétorqua-t-elle, et il craignit qu'elle ne l'enjoigne de s'en aller.

— Ce n'est pas mieux d'être blessé. Pensez à cette fille, avec son bras cassé et ses points de suture à la tête, et imaginez en plus sa peur. C'est sûrement pire. Alors cessez, voulez-vous ? »

Il était allé trop loin. Il le savait, mais il s'en moquait. Ou elle en finissait avec cette histoire pathétique, cessait de jouer la comédie et se comportait en adulte, ou… Il ne savait pas encore ce qu'il allait faire, à ce stade de sa réflexion : que se passerait-il si elle persistait dans ses envolées lyriques et ses grands mouvements de manches ? Mais, dans son souvenir, Flavia était une femme raisonnable, avec les pieds sur terre.

Elle prit son peigne et se servit du bout pointu pour pousser le papier d'emballage bleu et exhiber de nouveau le collier. Elle le regarda fixement, puis se poussa sur le côté pour permettre à Brunetti d'avoir une meilleure vue du bijou.

« Il faut être fou pour donner cela à quelqu'un qu'on ne connaît pas et qu'on n'a jamais rencontré. Pensez-vous qu'il…, commença-t-elle, avant d'hésiter. Ou qu'elle… croit vraiment qu'un tel cadeau va éveiller mon intérêt pour sa personne et effacer ce qu'il ou elle a fait à cette pauvre fille ?

— Nous n'avons pas la même vision de la réalité que cette personne, Flavia. Les règles que vous suivez pour me parler, ou pour parler avec votre habilleuse ou vos collègues, ne s'appliquent pas à son cas.

— Lesquelles s'appliquent donc alors ? »

Brunetti leva les mains en un geste universel d'ignorance.

« Aucune idée. Ce sont celles de cette personne. »

Elle se pencha pour regarder sa montre sur la table de toilette.

« Il est presque minuit. Mon Dieu, j'espère qu'on ne nous a pas enfermés ici.

— N'ont-ils pas de gardien ?

— Si, depuis l'incendie, et il est vraiment tenu de faire la ronde du bâtiment ou, tout au moins, c'est ce qu'on m'a dit.

— Nous y allons ? suggéra Brunetti. Je vous raccompagne chez vous. »

Elle le regarda, confuse.

« Je croyais que c'était plus pratique pour vous de passer par Rialto ? »

Brunetti répondit, le plus nonchalamment du monde, comme s'il en était convaincu :

« Cela ne fait que cinq minutes de plus, si je prends le pont de l'Académie. Venez. Vous êtes restée suffisamment longtemps entre ces quatre murs, aujourd'hui. »

Elle regarda de nouveau sa montre.

« C'est déjà demain. »

Il sourit et répéta.

« Venez. Habillez-vous et nous partons. »

Elle alla dans la salle de bains et il entendit les bruits féminins familiers : l'eau qui éclabousse dans l'évier, une chaussure qu'on laisse tomber, quelques cliquetis, puis la porte s'ouvrit et elle parut, avec une jupe marron et un pull, des chaussures à petits talons et un léger maquillage. Brunetti rendit grâce au fait de vivre dans un pays où une femme qui venait juste de dire qu'elle craignait pour sa vie se mettait de l'eye-liner et du rouge à lèvres pour marcher dix minutes dans une ville déserte après minuit.

Il leur fallut un certain temps pour savoir quoi faire de ce collier ; elle finit par envelopper le paquet dans une serviette blanche, qu'elle mit dans un sac en plastique, qu'elle introduisit ensuite dans un sac à bandoulière en toile vert foncé : c'était un sac de la librairie Daunt's de Londres, il le reconnut. Flavia le lui passa et il le posa sur son épaule.

Elle le guida le long du couloir vers l'ascenseur. Pendant qu'ils l'attendaient, son téléphone bourdonna dans la poche de sa veste : ni l'un ni l'autre ne purent dissimuler leur choc. Elle saisit le portable. Le nom qui s'y afficha adoucit son expression. Elle regarda Brunetti et annonça : « Freddy », du ton le plus naturel : heureux, calme, curieux.

Les portes de l'ascenseur s'ouvrirent et ils y entrèrent.

« Je sais. Je sais. Je suis désolée de ne pas avoir appelé mais, à la sortie, il y avait plein de fans et j'ai signé des programmes et des CD pendant une éternité (long silence). Je sais, j'ai dit que je le ferais, mais il y en avait tellement et cela me faisait tellement plaisir de les voir que cette histoire m'est complètement sortie de la tête. Je suis désolée, Freddy, vraiment (Freddy parla un moment). Je pars à l'instant. »

L'ascenseur s'arrêta. Les portes s'ouvrirent. Elle gagna le couloir et tourna, attendant que Brunetti en sorte. Elle posa sa main sur son bras pour l'arrêter.

« Tu n'as aucune raison de t'inquiéter, Freddy. Je ne pourrais être en compagnie plus sûre. Guido Brunetti – il m'a dit que vous alliez à la même école – est revenu après et je lui ai parlé (un plus long silence encore). Oui, je lui ai tout raconté l'autre soir, donc il est venu après la représentation. Il part avec moi. »

Elle regarda Brunetti, qui opina du chef.

« Non, Freddy, ne t'en fais pas. Il me raccompagne à la maison. »

Elle baissa la tête et se tourna un peu sur le côté.

« Non, vraiment, Freddy, ce n'est pas la peine. »

Puis elle éclata de rire, mais d'un rire ni faux, ni forcé.

« Oh, tu es un gros bêta. Tu l'as toujours été. D'accord, au sommet du pont. Mais, si tu viens en pyjama, je verrai bien que tu étais déjà couché. »

Elle ferma son téléphone et le remit dans sa poche. *Où l'avait-elle gardé*, se demanda-t-il, *pendant sa représentation ?*

« Il s'inquiétait, dit-elle en guise d'explication. Mais vous avez tout entendu. Il a dit qu'il était encore debout et qu'il nous rencontrerait sur le pont, comme cela vous n'avez pas besoin de me raccompagner jusqu'à la maison. Il a toujours été anxieux, Freddy », ajouta-t-elle et elle se dirigea vers la sortie.

Ils trouvèrent le gardien assis dans la cabine du *portiere*, en train de boire dans le capuchon en métal de sa Thermos, avec un sandwich à moitié mangé devant lui.

« Bonsoir, signora, dit-il. Il y avait beaucoup de gens qui vous attendaient, ce soir. »

Il leva sa tasse vide pour porter un toast à l'endroit désormais vide, sur le côté de sa cabine.

« Ils sont tous rentrés chez eux. »

Se tournant vers Brunetti, elle dit, clairement étonnée : « Cela ne m'était jamais arrivé, je les ai complètement oubliés. »

Le gardien examina Brunetti de plus près et, lorsque ce dernier croisa son regard, il but une gorgée.

Flavia haussa les épaules.

« Trop tard, c'est fait », murmura-t-elle ; elle souhaita une bonne nuit au gardien et ouvrit la porte donnant sur la *calle*.

Une fois dehors, elle prit à droite, en direction du campo San Fantin. Il allait lui dire qu'ils auraient dû tourner à gauche, mais il songea que la *calle* qu'ils auraient empruntée était étroite et sombre. Elle tourna au niveau de l'hôtel et Brunetti n'était pas mécontent de se laisser guider. Il n'y avait personne dans la rue à l'extérieur du théâtre, mais cela ne voulait pas dire grand-chose : elle devait traverser le pont de l'Académie pour rentrer chez elle. Freddy l'y retrouverait, mais c'était aussi l'endroit où n'importe qui d'autre pouvait l'attendre.

On avait changé l'éclairage de la ville une dizaine d'années plus tôt et Brunetti déplorait que la nuit fût devenue si lumineuse : certains de ses amis se plaignaient de pouvoir lire au lit avec la lumière provenant des fenêtres. Mais ici, près du passage couvert qui menait à l'étroite *calle* donnant sur le campo Sant'Angelo, Brunetti fut soulagé que ce soit éclairé.

Lorsqu'ils débouchèrent sur la place, elle lui demanda :

« Est-ce que vous le faites souvent ?

— Quoi donc ? De raccompagner les dames chez elles ?

— Non. D'être encore dehors après minuit, sans avoir besoin d'appeler chez vous.

— Ah, fit-il. Paola est bien contente d'être assise toute seule, à lire.

— Plutôt que de vous avoir à la maison ? s'étonna-t-elle.

— Non, elle préférerait que je sois avec elle, et elle ne se couche pas tant que je ne suis pas rentré. Mais, si elle est en train de lire, cela ne change pas grand-chose pour elle : elle est tellement absorbée qu'elle ignore toute personne qui l'entoure.

— Pourquoi ? »

C'était une question qu'on lui avait souvent posée. Pour des lecteurs sérieux comme lui et Paola, lire était une activité, et non pas un passe-temps, donc la présence d'une autre personne n'y ajoutait rien. Les enfants distrayaient Brunetti ; il enviait la capacité de Paola à disparaître dans son texte, en les laissant tous derrière elle. Comme il savait que, pour beaucoup de gens, c'était un comportement étrange, presque inhumain, il spécifia :

« Elle a été élevée de cette façon, à lire toute seule, donc c'est son habitude.

— C'est là qu'elle a grandi ? Dans le *palazzo* ?

— Oui. Elle y a vécu jusqu'à sa dernière année d'université – c'est l'année où je l'ai rencontrée – puis elle est partie finir ses études.

— Elle n'est pas restée ici ?

— Non. »

Il se demandait ce que ses propres enfants décideraient de faire, et dans pas bien longtemps.

« Où est-elle allée ?

— À Oxford.

— En Angleterre ? s'enquit Flavia, en s'arrêtant pour le regarder de face.

— Pas dans le Mississippi, précisa Brunetti, comme il avait eu maintes fois l'occasion de le faire.

— Pardon ? demanda-t-elle, clairement confuse.

— Il y a une université d'Oxford, dans le Mississippi, expliqua Brunetti.

— Oh, je vois, fit Flavia, qui se remit en route. Vous l'avez rencontrée et elle est partie. Combien de temps ?

— Seulement un an et demi.

— "Seulement" ?

— Le cours devait durer trois ans, mais elle l'a fini en deux fois moins de temps.

— Comment ?

— Je suppose qu'elle lisait très vite », répondit Brunetti en souriant.

Flavia s'arrêta près du kiosque, qui était fermé à cette heure, juste à l'entrée du campo Santo Stefano. Il y avait peu de gens et tous allaient et venaient, remarqua-t-il : il n'y avait visiblement personne en train d'attendre pour voir qui arrivait de La Fenice. En un geste fort peu théâtral, elle leva son menton vers la statue trônant au milieu de la place et vers tout ce qui l'entourait.

« Tout cela est-il normal, pour vous tous ? demanda-t-elle.

— Je suppose que oui. Nous l'avons vu enfants, sur le chemin de l'école, en allant voir les copains, en rentrant du cinéma. Rien de plus vrai, pour nous.

— Vous croyez que c'est pour cela que vous êtes ce que vous êtes ?

— Qui ? Les Vénitiens ?

— Oui.

— Et comment sommes-nous ? demanda-t-il, s'attendant à ce qu'elle parle de leur réserve légendaire, de leur arrogance, de leur cupidité.

— Tristes, fit-elle.

— Tristes ? »

Sa voix ne put masquer sa surprise, ni sa désapprobation.

« Oui. Vous aviez tout cela, mais maintenant ce n'est plus que de l'ordre du souvenir.

— Que voulez-vous dire ? »

Elle se remit à marcher.

« Cela fait presque un mois que je suis ici et tout ce que j'entends dans les bars, où les gens bavardent et disent ce qu'ils ont vraiment sur le cœur, parce qu'ils sont entre Vénitiens, est terrible : la foule, la corruption, les paquebots de croisière, le nivellement par le bas généralisé. »

Ils venaient d'arriver au palais Franchetti et elle en indiqua les fenêtres : de la pierre aussi finement travaillée que de la dentelle, où la lumière filtrait depuis l'autre rive du canal. Le jardin et l'édifice étaient clos par des grilles.

« J'imagine l'énorme famille qui habitait ici autrefois, dit-elle en le longeant jusqu'au petit *campo* au pied du pont, puis en regardant les palais alignés de l'autre côté du *rio* : Sans compter les familles qui vivaient ici aussi. »

Lorsqu'il fut clair qu'elle n'avait plus rien à ajouter, Brunetti s'approcha du pont et commença à gravir les marches, espérant tempérer ainsi l'agacement que ses mots lui avaient suscité.

Il l'entendit arriver derrière lui. Elle le rattrapa et marcha à sa droite, près du parapet. Il passa le sac en toile sur l'autre épaule et entendit le bruit du froissement du papier à l'intérieur.

« N'avez-vous rien à dire ?

— Tout ce que je pourrai dire ne changera rien à l'affaire. Hambourg n'est plus Hambourg, les Parisiens se plaignent des transformations de leur ville, mais tous les gens, y compris leurs chiens, pensent que c'est leur droit de déplorer les changements ici. Je ne veux pas m'en mêler. »

« Flavia ! » appela un homme au-dessus d'eux.

Brunetti se mit spontanément devant elle et la bloqua dans son ascension, si bien qu'elle s'écrasa contre son dos. Tandis que tous deux dansaient d'un pied sur l'autre pour retrouver leur équilibre, Brunetti leva les yeux pour voir d'où provenait cette voix.

Et il vit Freddy, marquis d'Istria, qui commençait à descendre les marches dans leur direction : en jean bleu clair, et avec sa chemise blanche et sa veste bleu foncé, il faisait plus jeune que son âge. Comme toujours, Freddy dégageait une impression de bonne santé et de calme. Brunetti remarqua que les boutons de sa veste tiraient un peu, mais personne n'aurait pu l'accuser d'embonpoint : il était simplement « robuste », un autre signe tangible qu'il était en pleine forme.

Brunetti s'arrêta sur la gauche ; Flavia enleva sa main du parapet et gagna le sommet du pont. Freddy se pencha pour l'embrasser sur les deux joues, puis se tourna vers Brunetti et, feignant de ne pas avoir vu son mouvement instinctif de défense, il le serra chaleureusement contre lui.

« Comme je suis heureux de te revoir, Guido : c'est rare de voir deux de ses amis préférés en même temps. »

D'un bras, il indiqua l'église Santa Maria della Salute, et posa l'autre d'un geste protecteur sur les épaules de Flavia.

« Et dans un si bel endroit. »

Puis, après coup, il ajouta d'un ton sérieux :

« Ceci dit, j'aurais préféré que ce soit dans d'autres circonstances. »

Avec l'agilité d'une anguille, Flavia se libéra de cette étreinte et se tourna vers Brunetti.

« Merci de m'avoir raccompagnée jusqu'ici, Guido. Maintenant, Freddy va assurer la seconde moitié. Bientôt on me fera faire le tour de la ville en patins à roulettes, avec des gens se relayant à chaque pont, je suppose. »

C'était censé être dit le cœur léger, mais Brunetti y perçut un autre ton, bien plus grave.

Freddy demanda comment s'était passée la représentation, et Flavia fit quelques remarques critiques sur le chef d'orchestre, tous deux s'efforçant de mener une conversation normale. Brunetti veillait à tourner la tête vers eux de temps à autre, alors qu'ils descendaient tous trois, côte à côte, mais il concentrait son attention sur les gens traversant le pont, aussi bien ceux qui descendaient avec eux que ceux qui montaient vers eux. À cette heure de la nuit, il n'y avait pas grand monde et c'étaient surtout des couples, ou des groupes. Un homme avec un Jack Russell venait dans leur direction ; le chien n'était pas tenu en laisse et, après avoir couru jusqu'en haut, il fit immédiatement demi-tour et détala vers son maître. Une grande femme, avec une écharpe qui lui emmitouflait bien le cou, les frôla en parlant dans son portable, puis descendit les marches plus rapidement qu'eux, sans leur prêter la moindre attention. Brunetti remarqua qu'elle marchait en canard et s'assurait de la stabilité d'un pied après l'autre, sage précaution sur ces marches humides.

Lorsqu'ils parvinrent au sommet du pont, Brunetti s'arrêta. Il se dit qu'il valait mieux les laisser partir ; eux prendraient à gauche et lui continuerait sur la droite, et il se garda de demander à Freddy s'ils pouvaient se parler le lendemain. Flavia était bien assez bouleversée ; il ne voulait pas lui donner l'impression qu'ils se verraient pour discuter à son sujet. Il fit la bise à Flavia, serra la main de Freddy et leur souhaita une bonne nuit, puis il se mit à descendre la dernière volée de marches et prit le chemin de la maison. Juste au moment où il arrivait sur le *campo* devant le musée, il se tourna et s'aperçut qu'ils avaient disparu. Il revint sur ses pas, au coin de la petite place, et les vit alors tourner à gauche dans la *calle* qui les menait au pont donnant sur San Vio. Brunetti, tout en se sentant complètement ridicule, se hâta vers le lieu où ils avaient tourné, puis s'arrêta et les observa jusqu'à ce qu'ils aient atteint le pont. Il se mit en route après eux, gêné en constatant qu'ils étaient les trois seules âmes dans la rue et se demandant à quoi il jouait.

Au pont de San Vio, un instinct animal l'incita à regarder à droite et il aperçut une silhouette, à vrai dire une demi-silhouette, debout à l'endroit où une *calle* s'ouvrait sur le quai. Il vit un manteau, peut-être un imperméable, et peut-être une écharpe. Il vacilla et retomba lourdement sur son pied gauche. Le sac commençait à glisser de son épaule et il se tourna pour le bloquer d'une main. Lorsqu'il regarda de nouveau, la silhouette avait disparu ; il ne restait que le son de ses pas qui s'amenuisait. Il courut vers l'entrée de la *calle* mais, le temps d'arriver, elle était vide sur toute sa longueur et, même s'il pouvait encore entendre des bruits de pas, il lui était impossible de déceler leur provenance. Il courut jusqu'au premier croisement : personne à droite, ni à gauche. Et, au loin, juste ces pas de plus en plus faibles. Il s'arrêta et retint son souffle ; il ne pouvait toujours pas comprendre vers où ils allaient, si c'était en direction de la Salute ou de l'Académie. Le son finit par disparaître totalement. Brunetti fit demi-tour et rentra chez lui.

18

Paola avait abandonné tout espoir que Brunetti revienne à une heure décente. Voyant que personne n'était resté debout à l'attendre, le commissaire alla à la cuisine chercher quelque chose à manger et à boire, mais se rendit compte rapidement qu'il n'avait qu'une envie : se mettre au lit, près de sa femme. Il lui fallait cependant trouver tout d'abord un endroit pour le sac en tissu vert. Il y réfléchit un instant et se souvint que, logiquement, il ne le garderait pas plus de huit heures. Il le posa au-dessus de leur vaisselier et alla à la salle de bains.

Sa femme salua son arrivée par un grognement, qu'il préféra interpréter comme un signe d'affection, et il fut bientôt submergé d'images de foulards et de bruits de pas disparaissant au loin, et de montagnes de roses jaunes s'accumulant jusqu'à en suffoquer.

Le lendemain matin, il fit à Paola un bref compte rendu de sa rencontre la veille au soir avec Flavia, mais c'était surtout le collier en émeraudes qui l'intéressait et elle demanda à le voir. Elle n'avait pas adhéré à sa triviale comparaison des pierres avec des losanges de Fisherman's Friend qui devaient avoir, à son avis, la taille d'« œufs de pluvier » : expression qui avait paru maintes fois au gré de ses lectures, mais dont elle ignorait complètement la dimension réelle.

« Nous ne pouvons pas le toucher tant qu'ils n'ont pas pris les empreintes, d'accord ? » la prévint-il.

Après un seul café, il ne se sentait pas d'affronter une discussion sur la grandeur d'un œuf de pluvier. En fait, il se demandait à quoi pouvait bien ressembler cet oiseau et ne pouvait donc évaluer avec justesse la taille de ses œufs.

Il quitta l'appartement avec le sac et le garda prudemment sur son épaule lorsqu'il fit sa pause café-croissant. À la questure, il se rendit immédiatement chez Bocchese. L'air suffisant que le technicien en chef arborait en permanence poussait souvent Brunetti à des actes de bravade inutiles : cette fois, il entra dans son labo le sac à la main et, sans rien dire, le pencha et fit glisser le paquet sur son bureau. Coup de chance, le papier d'emballage se prit dans un des angles du sac, si bien que le collier se matérialisa sur la table, trônant au milieu du papier bleu roi.

« Pour moi ? demanda Bocchese, levant les yeux sur Brunetti et affichant un sourire de contentement idiot. Comment savais-tu que c'était mon anniversaire aujourd'hui, Guido ? Eh bien, peu importe : merci de t'en être souvenu et je pense que je le mettrai avec ma robe rouge. »

Il écarta les doigts de sa main droite et les enroula autour du collier, comme pour s'en saisir, mais Brunetti refusa de jouer le jeu et recula pour le laisser toucher comme bon lui plaisait.

Bocchese accepta cette partielle victoire et retira sa main. Il ouvrit le tiroir de son bureau et le fouilla jusqu'à trouver sa loupe de bijoutier. Il la coinça sur son œil et se pencha sur le bijou, veillant à ne pas entrer en contact avec l'objet, ou le papier sur lequel il était posé.

Il étudia les pierres un moment, puis passa de l'autre côté de son bureau, forçant Brunetti à se pousser, afin de les regarder d'un autre angle. Il les observa une par une, en chantonnant un air que Brunetti lui connaissait dans les moments de grande satisfaction. Bocchese posa la loupe sur son bureau et revint à sa chaise.

« Jésus Marie. Tu as vraiment bon goût en matière de pierres, Guido. Vu la monture, elles sont probablement vraies et, si elles le sont, elles valent... une sacrée somme.

— Probablement ? » s'étonna Brunetti.

Bocchese fit la moue, lèvres en avant, pour prendre la question de Brunetti en considération.

« C'est quasiment impossible à dire avec celles qui viennent d'Amérique du Sud aujourd'hui. »

Il secoua la tête en signe de désapprobation, face à ces contrefaçons qu'il ne pouvait détecter.

« Mais si la monture est aussi ancienne que je le pense, continua le technicien, d'au moins trente ans, et n'a pas été trop trafiquée, alors elles n'ont pas de prix.

— Je me suis toujours demandé ce que signifie cette expression, surtout quand elle est utilisée pour des choses que les gens achètent et vendent, nota Brunetti.

— C'est vrai, n'est-ce pas ! s'exclama Bocchese avec délectation. Je me demande aussi pourquoi on continue à l'employer.

— Jusqu'à quel prix pourraient-elles s'élever ? »

Bocchese se recula sur son siège et croisa les bras, en observant les émeraudes.

« D'habitude, je les montre à un de mes amis qui est joaillier – il s'y connaît vraiment en pierres précieuses – et je lui demande combien elles valent d'après lui.

— Qui est-ce ?

— Vallotto.

— Mais c'est un voleur, rétorqua Brunetti sans chercher à dissimuler son choc.

— Non, Guido, il est bien pire qu'un voleur. C'est un tricheur et un escroc, mais qui est très convaincant, ce qui fait qu'après avoir traité avec lui, tu ne peux pas lui reprocher de t'avoir volé parce que tu as signé un papier disant que tu es d'accord avec ses prix et, à partir de là, il n'y a plus moyen de l'arrêter.

— Il achète autant qu'il vend, n'est-ce pas ? s'informa Brunetti, en songeant à la boutique de cet homme mielleux, située non loin de Rialto.

— Oui, et je suppose qu'il ne s'estime pas satisfait tant qu'il n'a pas réussi à vendre cinq fois plus cher qu'il n'a acheté.

— Mais tu as confiance en lui ? »

Bocchese regarda une petite plaque en bronze Renaissance qu'il gardait sur son bureau comme presse-papiers, ou comme porte-bonheur. Il la poussa du bout de son index de quelques centimètres sur la gauche.

« Je lui ai fait une faveur, une fois, et, bien que nous ne soyons pas amis, il continue à m'aider ; disons qu'il me donne toujours des estimations sérieuses.

— Même s'il sait que tu travailles pour la police ?

— Qui pourrait le payer pour le faire, tu veux dire ?

— Non, pas ça. Qui pourrait venir l'arrêter un jour. »

Bocchese remit la plaque à sa place.

« Ç'a été, à ses yeux, un grand service.

— Qu'est-ce que tu as fait ? » lui demanda Brunetti, sentant que le technicien, habituellement avare de confidences, souhaitait qu'il lui pose cette question.

Bocchese regarda de nouveau la plaque, comme si les deux figures humaines qui y étaient gravées témoignaient aussi de l'intérêt pour cette histoire.

« Nous allions à l'école ensemble. Il y a quarante ans, ou plus. Sa famille était franchement pauvre ; son père buvait et a été arrêté plusieurs fois. Sa mère se débrouillait avec ce qu'elle arrivait à gagner. Mais les enfants allaient à l'école propres et travaillaient dur. » Brunetti avait entendu cette histoire un nombre incalculable de fois : telle avait été la jeunesse de ses amis et camarades.

« Quoi qu'il en soit, poursuivit Bocchese, comme si les hommes sur la plaque lui faisaient signe d'accélérer, un jour où j'étais dans une épicerie en train de faire des courses pour ma mère, j'ai vu sa mère, dans une des allées, qui regardait autour d'elle comme si les flammes de l'Enfer étaient à ses trousses. Elle m'a vu, mais elle n'a pas répondu à mon bonjour. Puis, tout à coup, le propriétaire est arrivé, en criant : "Je vous ai vue, j'ai vu que vous avez pris du riz", et c'est alors que je me suis aperçu qu'elle avait la main sous son manteau. J'ai eu l'impression qu'elle allait s'évanouir, la pauvre, puis il s'est approché d'elle, en continuant à hurler : "Au voleur, au voleur, au voleur ! Qu'on appelle la police !" Et j'ai pensé à Leonardo et aux autres petits, et à ce qu'il adviendrait d'eux si on arrêtait leur mère aussi.

— Alors qu'est-ce que tu as fait ?

— Pendant qu'il se précipitait dans sa direction, je lui suis passé devant et je suis allé vers lui ; j'ai attrapé une boîte de pâtes et je me suis arrangé pour la cogner contre d'autres boîtes, si bien qu'il a regardé pour voir ce qui se passait. Quand il m'a vu, il a voulu m'attraper, mais je me suis mis à courir autour de lui et je suis sorti du magasin, ce qui fait qu'il l'a complètement oubliée et qu'il m'a suivi. Puis j'ai ralenti pour qu'il ait l'impression de pouvoir me saisir et, une fois qu'on a été à deux rues du magasin, j'ai pris mes jambes à mon cou et je l'ai semé. »

Bocchese faisait défiler ces souvenirs sans sourire.

« Quand il est revenu au magasin, elle était partie. Je ne sais pas s'il l'a reconnue ; moi, il ne me connaissait pas, ça c'est sûr.

— Comment Vallotto l'a-t-il su ?

— Je suppose que sa mère le lui a raconté, dit Bocchese sans y porter grand intérêt. Il ne m'en a parlé que des années plus tard, un jour où je l'ai rencontré dans la rue ; il avait entendu dire que j'allais me marier et m'a dit d'aller le voir pour les alliances. Il doit avoir remarqué mon expression parce qu'il m'a dit : "Je n'ai pas oublié ce que tu as fait pour ma mère. Je ne te roulerai jamais dans la farine et je t'aiderai si je peux." »

Il regarda Brunetti et ajouta :

« Et c'est ce qu'il a fait.

— De quelle manière ?

— Tu te rappelles, il y a six ans, nous avons trouvé un bracelet en diamant et quelques bagues chez un suspect, qui disait qu'ils appartenaient à sa mère ? »

Brunetti opina du chef, même s'il n'avait qu'un vague souvenir de cette affaire.

Bocchese continua :

« Je les ai amenés chez Leonardo et lui ai dit que c'était pour la police, et lui ai demandé s'il voulait bien nous aider quand même.

— Et alors ?

— Il m'a dit le nom de la famille à laquelle ils avaient été volés. »

Bocchese marqua une pause, mais Brunetti ne trouva rien à dire.

« Qu'est-ce que tu veux que j'en fasse ? finit par demander Bocchese en désignant le collier.

— Vérifie les empreintes dessus, ainsi que sur le papier d'emballage, et, si tu m'envoies quelques photos, je verrai avec signorina Elettra quelles infos elle pourra en tirer.

— Et après, qu'est-ce que j'en fais ?

— Tu as un coffre-fort, non ?

— Oui », confirma Bocchese, et il glissa le papier et le collier dans le sac en tissu.

L'étape suivante consistait à voir signorina Elettra et à lui demander si elle faisait encore grève et, si oui, comment le vice-questeur Patta et le lieutenant Scarpa s'en sortaient. Il voulait aussi savoir si elle avait obtenu des renseignements sur la personne qui avait envoyé les roses jaunes au théâtre et à l'appartement de Flavia, ainsi que sur le bijou. Lorsqu'il l'aperçut à son bureau, Brunetti décida de ne pas la déranger avec l'histoire des fleurs, car son expression lui laissait clairement entendre qu'elle avait fait chou blanc.

« Rien, dit-elle. Mon ami au bar près du théâtre est en vacances. J'ai essayé les quelques fleuristes qui sont restés en ville, mais aucun d'entre eux n'a eu une vente de cette ampleur. J'ai enquêté à Mestre et à Padoue, mais après j'ai renoncé. »

Avait-il déjà entendu cette expression dans sa bouche ?

Sans lui laisser le temps de se livrer au moindre commentaire, elle précisa :

« J'ai trouvé un certain nombre d'articles, en italien et en anglais, sur les fans et les harceleurs, mais je crains qu'ils n'apportent rien de plus à notre propre bon sens. Pour ce qui est de l'opéra, ce sont pour la plupart des femmes. »

Elle le regarda en souriant :

« Il s'agit de femmes pour la musique rock aussi, mais d'hommes pour le jazz. »

Cette observation lui rappela un ami qui tenait autrefois un magasin de CD, à l'époque où les gens en achetaient encore : « Les clients les plus bizarres, lui avait-il révélé, sont les gens passionnés de musique d'orgue : la plupart font leurs achats le soir. Je pense que c'est le seul moment où ces gens-là sortent de chez eux. »

« Quant à signora Petrelli, continua-t-elle, j'ai passé la matinée à faire des recherches sur elle dans la presse à sensation : au début, ils adoraient son histoire d'amour avec cette Américaine, mais ils s'en sont lassés et elle est sortie des couvertures des magazines, puis des quatrièmes de couverture. La dernière fois qu'on l'a mentionnée – jamais personne ne s'était intéressé à son talent lyrique –, c'était parce que son mari l'avait citée à comparaître au tribunal pour essayer de réduire sa prestation compensatoire.

— Et puis ?

— Elle devait avoir le meilleur avocat d'Espagne pour régler leur divorce. Elle bénéficiait du soutien du public, à l'époque, et le juge qui procéda à la révision de son cas lui dit en substance d'arrêter de gaspiller le temps de la cour et de payer ce qu'il devait à sa femme, sinon il irait en prison.

— Est-ce que ce dernier mot a opéré son effet habituel et l'a fait réfléchir ?

— Exactement.

— Le croyez-vous impliqué dans cette affaire ? »

Elle accorda à cette question l'importance voulue et répondit :

« J'en doute. Non pas qu'il n'en ait pas envie, mais parce qu'il est assez intelligent pour savoir qu'il serait le suspect numéro un si quoi que ce soit lui arrivait. En outre, il est en Argentine.

— Est-ce que la presse, après le divorce, lui a encore prêté beaucoup d'attention ? s'informa Brunetti.

— Seulement la presse spécialisée dans la musique. On lui a décerné plusieurs distinctions et elle a figuré sur les couvertures de certaines revues. Mais sa vie privée ne semble plus susciter d'intérêt pour personne.

— Est-ce à cause de son âge ?

— Probablement, concéda signorina Elettra. Et la vie des pop stars est de loin plus captivante. »

Il fit un signe d'assentiment, ayant entendu ses propres enfants, surpris maintes de leurs conversations, et vu les magazines qu'ils laissaient traîner à la maison.

« Nous étions pareils, à mon époque, nota-t-il.

— À la mienne aussi », répliqua-t-elle en haussant les épaules.

Il fut tenté d'ajouter « Comme à celle de Néron », mais il songea qu'il valait mieux lui épargner cette réflexion.

« Et l'Américaine ? finit-il par demander.

— Rien à son sujet pendant des années, à part les articles et les livres qu'elle a écrits sur l'art chinois.

— Aucune mention sur son lieu d'origine ?

— Toutes les références que j'ai trouvées la situent en Chine, même si certaines d'entre elles disaient qu'elle venait d'arriver pour donner une conférence, sans préciser d'où elle venait. »

Il fronça les sourcils. C'était l'impasse. Si l'on en croyait Flavia, il ne pouvait en être autrement.

« Dommage », dit-il à haute voix.

Signorina Elettra leva les yeux, non sans surprise.

19

« Qu'en est-il d'Alvise ? » demanda-t-il.

L'effet de surprise s'évanouit.

« Il a été suspendu de ses fonctions. »

Brunetti la coupa :

« Depuis quand cela peut-il se produire ?

— Pardon ?

— Je n'ai jamais entendu dire qu'un policier pouvait être suspendu de ses fonctions si facilement, sans une enquête ou une audience. Nous avons tous continué à nous comporter comme si Scarpa avait l'autorité de le faire. Mais l'a-t-il vraiment ? »

Elle était assise, bouche bée, et le regardait comme s'il s'était mis soudain à lui parler en hongrois.

« C'est une procédure permettant de bloquer la paye des policiers, sans véritablement porter d'accusations contre eux, expliqua-t-elle au commissaire censé être, plus que quiconque, au courant des règlements du ministère de l'Intérieur.

— Qui vous l'a dit ? »

De nouveau, elle le fixa, tel un cardinal confronté à la vision du péché.

« Je pense que c'est une pratique courante…, commença-t-elle, puis elle eut une révélation : C'est le lieutenant Scarpa qui me l'a dit. »

Ce n'était plus un cardinal, mais un inquisiteur venant juste de mettre le doigt sur une possibilité claire et nette d'hérésie.

« Je vois », fit Brunetti froidement.

Puis, gardant une voix prudemment neutre, il poursuivit : « Avez-vous songé à jeter un coup d'œil aux règlements du ministère ? »

Elle se tourna vers son ordinateur, en murmurant : « Je ne peux pas le croire. »

Brunetti résista à la tentation de se mettre derrière elle pendant ses recherches, certain qu'il ne pourrait l'aider le moins du monde, et tout aussi certain qu'il ne comprendrait pas ce qu'elle était en train de faire. Il gagna le rebord de la fenêtre et y prit appui, en croisant les bras. Les ongles de signorina Elettra cliquetaient sur le clavier. Il observa les lacets de ses chaussures et, à la vue de leur degré d'usure, conclut qu'il devrait les remplacer. Le lieutenant Scarpa devrait être remplacé, aussi, et non pas pour son degré d'usure. L'horloge tournait.

« Ce n'est pas possible, déclara-t-elle, les yeux toujours rivés sur l'écran ; il n'existe aucun règlement. Même si vous êtes accusé d'un crime, vous continuez à toucher votre salaire et vous continuez à être considéré comme un membre de la force publique. »

Elle leva les yeux, les mâchoires crispées.

« Il ne peut pas le faire. Ils ne peuvent pas bloquer son salaire. »

Brunetti se souvint qu'il n'était pas censé savoir qu'elle avait maintenu Alvise dans le registre du personnel. Il tourna de nouveau son attention sur ses lacets et prit les conséquences en considération. Signorina Elettra avait bien tiré profit du système, pendant des années, en violant ouvertement la loi, surtout celle sur la vie privée. Elle avait fait des descentes dans les banques, était entrée par effraction dans les dossiers des ministères, s'était même faufilée dans ceux du Vatican. Certaines fois, elle était allée trop loin et avait fait tinter mille sonnettes d'alarme parmi les gens qui savaient ce qu'elle faisait, souvent les mêmes d'ailleurs pour le compte desquels elle opérait. Mais elle avait toujours réussi à en sortir librement, sans laisser de traces.

La discrétion semblait une denrée de luxe en un tel moment. Mais le bateau coulait, lançant la discrétion par-dessus bord.

« Avec quel nom avez-vous signé la demande de restitution de salaire d'Alvise ? »

Son visage resta impassible. Elle porta les trois premiers doigts de sa main gauche à ses lèvres et les frotta.

« Ce n'est pas bien, avoua-t-elle.

— Qu'avez-vous fait ?

— J'ai fait une demande d'autorisation de paiement d'heures supplémentaires pour Alvise. Je n'ai pas voulu créer de soupçons en contrevenant à l'ordre de bloquer son salaire, donc j'ai simplement déplacé son nom dans une catégorie différente et je l'ai fait payer pour ses tournées supplémentaires. Cinq en une semaine. »

Elle marqua une pause, puis ajouta :

« Je croyais vraiment que Scarpa avait le pouvoir de le suspendre. Je ne sais pas ce qui a pu me le faire croire.

— Qui a autorisé ces paiements pour les tournées supplémentaires ? s'enquit Brunetti, indifférent, comme il l'était souvent avec ses enfants, aux explications ou aux excuses.

— C'est pourquoi ce n'est pas bien, répéta-t-elle. *Vous* les avez autorisés.

— Ah, fit Brunetti, faisant traîner le son pour laisser le temps à son esprit d'en envisager les répercussions. Les gens à Rome ont les dossiers d'un homme qui a travaillé quatre-vingts heures cette semaine ?

— Oui, confirma-t-elle, en évitant son regard.

— Et si ces chiffres attirent leur attention, que vont-ils penser qu'il se passe chez nous ?

— Ils penseront que celui qui a autorisé un policier à faire autant d'heures supplémentaires partagera l'argent avec lui », répondit-elle sans hésitation.

Brunetti, s'il travaillait à Rome, tirerait sans doute la même conclusion. Même s'il travaillait n'importe où, d'ailleurs.

« Donc, Scarpa fait d'une pierre deux coups. Ils ont Alvise pour une fausse déclaration et ils m'ont moi pour la ratifier, mais qui se préoccupe de savoir s'il m'a donné ou non de l'argent ? Sinon pour quelle autre raison lui aurais-je donné mon autorisation ? »

Si elle l'avait imaginé, elle se serait mise probablement à inventer d'autres grands titres : « La corruption ne sévit pas seulement dans le Sud », « Double salaire après avoir blessé un travailleur ».

Signorina Elettra commença à compter sur ses doigts.

« Qu'y a-t-il ? demanda Brunetti.

— Je vérifie combien de jours il reste avant la paye.

— Sept, spécifia Brunetti, lui évitant le calcul. Pourquoi ? »
Elle le regarda, mais ne sembla pas le voir.

« J'essaie de voir comment régler cette affaire, finit-elle par dire.

— Je pourrais faire une dépression nerveuse, et dans ce cas j'échapperais à toute punition », suggéra Brunetti.

C'était comme s'il n'avait rien dit. Elle le regarda fixement à mi-distance, puis alluma son ordinateur et tapa une courte séquence de mots, en considéra l'issue, puis en tapa quelques autres. Ses yeux se contractèrent lorsqu'elle lut le deuxième résultat, puis le troisième, et les ferma au suivant, tellement elle se concentrait.

Se disant que ses jours à la questure pourraient très bien être comptés, Brunetti décida de passer ses derniers moments aussi agréablement que possible, et il y avait peu de choses qui lui donnaient autant de plaisir que de regarder signorina Elettra entrer en transe, signe qu'elle franchissait la première ligne de l'illégalité. *Regarde-la*, se dit-il. *Aujourd'hui, elle est déguisée en capitaine d'industrie, avec une veste en laine noire boutonnée, serrée au-dessus d'un tee-shirt blanc, avec un pantalon à fines rayures anthracite et une sobre cravate : si les dieux avaient fait de Patta une femme, elle s'habillerait ainsi.*

Il s'écoula un certain temps, mais Brunetti continuait à regarder signorina Elettra travailler : que ce soient les complots ou la corruption, ils obstruaient, défiaient, ou pervertissaient le cours de la justice – ou de la loi, dans tous les cas. Brunetti n'avait aucune idée de ce qu'elle était en train de fabriquer, mais il s'installa pour suivre des yeux ses succès ou ses échecs, comme le faisaient à Milan les gens dans les halls des plus grandes banques, fascinés par les écrans affichant les valeurs des titres cotés en Bourse. Il suffit d'étudier leurs visages, en état de ravissement complet à la vue de leur dieu sur le terminal, pour deviner leur destin, avec ces valeurs qui montent ou qui descendent, entraînant tous leurs espoirs dans leur sillage.

Brunetti flottait ; il avait totalement perdu la notion du temps. Son seul contact avec la réalité était l'expression de signorina Elettra. Il la vit abattue, méfiante, totalement sidérée, pleine de crainte puis d'espoir, inquiète puis terrifiée et, soudain, absolument certaine qu'elle avait trouvé la voie, la vérité et la lumière.

Elle détourna les yeux de l'écran et les ouvrit bien grands à sa vue.

« Y a-t-il longtemps que vous êtes là ? »

Il regarda sa montre.

« Une demi-heure, dit-il, puis il bougea la tête en direction de l'ordinateur. Vous avez trouvé quelque chose ?

— Ah oui. Il y a une manière détournée de traiter les heures supplémentaires.

— Détournée ?

— C'est une manière spéciale d'entrer et de changer les mentions.

— Qu'est-ce que vous changez ?

— Tout. Le but, la durée, une prestation en uniforme, ou pas.

— Pouvez-vous changer le nom du gradé qui a donné l'autorisation ?

— C'est ce que je viens de faire, déclara-t-elle, en passant une paume débordante de fierté le long de sa cravate, à l'instar de Patta.

— C'est-à-dire ?

— Le lieutenant Scarpa a demandé que le policier Alvise assure la liaison – j'ai toujours rêvé d'employer cette expression – avec le personnel de l'hôpital pour veiller sur la victime d'une agression. Comme il veut expressément que ce soit le policier Alvise qui accomplisse cette mission, il a donné l'autorisation pour des heures supplémentaires illimitées.

— Vous avez toute honte bue, n'est-ce pas ? affirma Brunetti avec un large sourire.

206

— Et encore moins de pitié », répliqua-t-elle, lui souriant en retour.

Pensant qu'il était plus discret de célébrer leur victoire en silence, Brunetti sortit son téléphone de la poche et le brandit, d'un air qu'il voulait désinvolte.

« Bocchese m'a envoyé quelques photos du collier. Je voudrais que vous les voyiez pour faire des recherches.

— A-t-il été volé ?

— Je ne sais pas, affirma Brunetti en tapotant sur le devant du téléphone, le temps que les photos apparaissent. Je vais vous les envoyer. »

Il tapa sur une icône, essaya de se souvenir de ce que Chiara lui avait appris à faire et appliqua le processus qu'elle lui avait montré. Avec un doux *wouuuch*, la première photo se glissa sur l'écran de son téléphone – ou c'est ainsi du moins qu'il visualisa l'opération – et traversa les deux mètres de distance pour atteindre l'ordinateur de signorina Elettra. Les autres suivirent. Il leva les yeux, dissimulant sa satisfaction, tandis que signorina Elettra regardait la première photo, déjà présente sur son écran.

« Doux Jésus, murmura-t-elle. Je n'ai jamais rien vu de tel. »

Brunetti lut le message que Bocchese avait joint, affirmant que la monture avait au moins quarante ans d'âge et que tout portait à croire qu'il s'agissait donc de vraies pierres.

« Où se l'est-il procuré ? demanda-t-elle.

— C'est signora Petrelli qui me l'a donné. Quelqu'un l'a laissé dans sa loge. »

Elle s'approcha de l'écran.

« L'a laissé ?

— C'est ce qu'elle m'a dit.

— Vous voulez savoir d'où il vient ?

— Oui. Si vous pouvez.

— S'il a été volé, ce pourrait être possible : Interpol a un dossier avec les plus grandes pièces volées. »

Elle leva une main vers les pierres, mais s'empêcha de toucher l'écran, craignant peut-être de laisser des traces de doigts sur quelque chose d'aussi beau.

— Avez-vous la possibilité de voir avec des joailliers ? »

Elle opina du chef, sans cesser de le regarder.

« Toute personne ayant vendu un tel bijou s'en souviendrait, j'en suis sûre. »

Elle détourna son attention de la photo et affirma :

« J'ai ici une liste de bijoutiers qui auraient pu vendre quelque chose d'aussi précieux. Je leur enverrai la photo et leur demanderai s'ils l'ont acheté ou vendu. Avant quelle date ? »

Elle regarda Brunetti d'un air interrogateur.

« Je ne crois pas que ce soit nécessaire de le préciser. »

Brunetti, qui n'avait pas particulièrement d'affinités avec les pierres, n'aurait pas oublié une telle vente, même ancienne ; donc un joaillier, bien plus au fait de leur valeur et plus sensible à leur beauté, encore moins.

« Dans notre pays, ou à l'échelle internationale ?

— Partout, je pense. »

Elle fit un signe d'assentiment.

« Autre chose ?

— Pouvez-vous m'expliquer ce qu'il se passera avec le lieutenant ? demanda-t-il avec douceur et en souriant.

— Ah, dit-elle en guise de réponse. Il est forcément bien protégé à Rome, donc il ne peut rien lui arriver.

— Protégé par qui ? s'informa Brunetti avec la même douceur, non sans oublier qu'elle voulait la tête du lieutenant.

208

— Je me refuse à spéculer, commissaire, puis elle ajouta, en se tournant vers un bruit provenant de derrière lui : Peut-être pourriez-vous le demander au vice-questeur, dottore. »

Avec la gracieuse condescendance envers ses inférieurs qui caractérisait chacun de ses échanges, le vice-questeur Patta daigna prêter son attention à ses subordonnés. Il se tourna vers signorina Elettra et lui demanda, de son air le plus doux :

« Si vous êtes en train de lui parler, cela signifie-t-il que vous êtes en train de me parler ?

— Bien sûr que je suis en train de vous parler, dottore, confirma-t-elle aimablement. Comment pourrait-il en être autrement ? »

Avec cette voix, elle aurait pu vendre n'importe quel produit : du miel comme de la lessive.

« De quoi parlez-vous ? » s'enquit Patta, du ton qu'il lui réservait à elle, et non pas à Brunetti : le miel pour elle, la lessive pour lui.

Signorina Elettra fit un signe en direction de Brunetti : il le capta et énonça, du ton le plus neutre :

« Je disais à signorina Elettra comme j'étais content que le policier Alvise veille sur cette fille à l'hôpital. »

Tel un phare éclairant un nouveau bateau, Patta tourna sa tête luisante vers Brunetti :

« Une fille ? Alvise ?

— C'est très sage de la part du lieutenant d'y avoir pensé.

— Habituellement vous ne tarissez pas d'autant d'éloges envers le lieutenant, n'est-ce pas commissaire ? »

Bien que le vice-questeur cherchât à masquer son petit air satisfait, sa voix en laissa percevoir quelques accents.

Brunetti, qui préférait l'autosatisfaction aux soupçons, prit un air contrit, secoua légèrement la tête et répondit :

« Je dois admettre que c'est vrai, dottore. Mais il y a des fois où il faut reconnaître le mérite, indépendamment de la personne qui a pris la décision. »

Il songea qu'il pouvait être sage de pincer les lèvres et de faire un léger signe d'affirmation, mais il pensa que ce pourrait être trop et il s'abstint de le faire.

Patta regarda de nouveau signorina Elettra, mais elle était occupée à renouer sa cravate ; Brunetti était surpris de voir que ce geste masculin pût s'imprégner d'autant de grâce et de délicatesse. C'était une cravate gris foncé à rayures rouges presque invisibles, à vrai dire, et la personne qui la nouait portait une veste en laine noire et un pantalon finement rayé : pourquoi le mouvement du tissu, lorsqu'elle le fit glisser dans le nœud, lui rappela-t-il la manière dont Paola enlevait ses bas, lorsqu'ils existaient encore ?

« Êtes-vous ici pour me voir ? »

La question de Patta ramena l'esprit de Brunetti à la réalité.

« Non, dottore. Je suis venu demander à signorina Elettra d'essayer de retracer une pièce d'orfèvrerie pour moi.

— Volée ?

— Pas que je sache, monsieur.

— De valeur ?

— Aux yeux de son propriétaire, j'imagine que oui », répondit Brunetti. Puis, avant que cette réponse ne fasse jaillir des éclairs dans les yeux de Patta, il précisa, en ayant en tête l'estime que le vice-questeur accordait au lieutenant :

« Je suppose que la plupart des gens attribuent une plus grande valeur à ce qu'ils possèdent, ou à ce qu'ils aiment, que ne le font certaines personnes. »

Signorina Elettra intervint :

« Je doute que ce soit d'une grande valeur, commissaire, mais je vais voir ce que je peux trouver à ce sujet. »

Elle parvint à imprégner sa voix à la fois de cet ennui et de ce subtil agacement que peuvent engendrer des questions aussi triviales.

Qu'elle puisse parler à Brunetti sur ce ton n'était pas pour déplaire au vice-questeur. Brunetti s'autorisa donc à lancer un regard de surprise dans sa direction, avant de conclure :

« Si nous en avons fini, dottore, je retourne à mon bureau. »

Patta hocha la tête et se dirigea vers la porte. Dans son dos, signorina Elettra resserra sa cravate et fit un clin d'œil à Brunetti.

20

Une fois assis à son bureau, Brunetti se demanda ce qu'il devait faire. Il n'avait guère envie de se féliciter de sa futile victoire sur Patta car il avait cessé les dernières années de tirer plaisir de ses provocations à l'encontre de son supérieur, même s'il n'avait pu s'empêcher de le faire. Certains de ses collègues, employés dans d'autres villes et provinces, lui parlaient constamment des hommes et des femmes pour lesquels ils travaillaient et lui laissaient entendre – sans jamais oser le dire ouvertement – que certains d'entre eux avaient fait allégeance à une institution autre que l'État, ce dont on ne pouvait accuser le vice-questeur.

Patta, lui, s'était voué, comme Brunetti l'avait découvert avec le temps, à sa famille. Sans réserve, sans réflexion ni restrictions : Brunetti l'appréciait sur ce point. Patta était vain et paresseux, égoïste et parfois idiot, mais ce n'étaient pas des défauts véritablement nocifs. Il y avait une bonne dose de fanfaronnade chez lui, mais il était sans malice : ce qui n'était pas le cas du lieutenant Scarpa.

Les motivations de Patta étaient aussi aisées à lire qu'à comprendre : il aspirait à prendre du galon et à gagner l'approbation de ses supérieurs. Comme la plupart des gens, reconnut Brunetti ; si lui-même n'avait pu compter sur l'aisance et la puissance rassurantes de la famille de sa femme, sans doute ne serait-il guère aussi désinvolte envers son travail et la hiérarchie. Mais pourquoi Patta cultivait-il cette loyauté à l'égard de Scarpa, qui n'était ni censé impressionner ses supérieurs, ni faire avancer sa carrière ? Brunetti, ni personne d'autre, ne les avait jamais vus ensemble en dehors de la questure. Ils étaient tous deux de Palerme : s'agissait-il donc de liens de parenté ? De vieilles dettes de clientélisme à solder ?

Brunetti se recula sur sa chaise, croisa les bras et regarda le *campo*. La seule fenêtre ronde, percée au sommet de la façade de l'église San Lorenzo, le fixait en retour comme l'œil d'un cyclope à face plate. Pour autant qu'il se souvînt, Scarpa était tout simplement apparu, un jour, des années auparavant. Brunetti ne se rappelait pas que le vice-questeur ait annoncé son arrivée et il n'avait pas eu non plus l'impression que les deux hommes se connaissaient déjà, même s'il lui était difficile de reconstituer ces premiers mois où le lieutenant n'était qu'une grande et mince présence, plus notable pour la perfection de son uniforme que pour tout propos ou toute initiative à son actif.

Il lui revint en mémoire le premier symptôme qu'il avait observé, le jour où il tomba par hasard sur les deux hommes en train de se parler, à l'extérieur du bureau de signorina Elettra, avec des sonorités profondément nasales, dans une langue qui lui évoquait l'arabe, le grec et − vaguement − l'italien. Il entendit − ou crut entendre − « tr » transformé en « ch » et des verbes déplacés à la fin de la phrase. Il ne comprenait rien.

Cet épisode s'était passé au début de la deuxième enquête au casino, donc cela devait remonter à environ huit ans et c'est à partir de ce moment-là que Patta était devenu le paladin de Scarpa. Mais pourquoi donc ? Même si Brunetti regardait fixement le cyclope, ce dernier refusait de lui répondre. Ulysse avait caché ses hommes, puis s'était caché lui-même sous le ventre des moutons pour échapper au géant : Brunetti ne pouvait imaginer un stratagème aussi efficace pour lui.

On frappa trois petits coups à sa porte ; Griffoni se permit d'entrer, car elle faisait partie maintenant du cercle de personnes qui prenaient la liberté de ne pas attendre la réponse. Elle s'était fait couper les cheveux bien court, peut-être en prévision d'un été très chaud, ce qui enrichit la questure d'une autre femme coiffée à la garçonne, avec une couronne de boucles dorées et une robe noire qui lui tombait juste en dessous des genoux. Au moins, elle ne portait pas de cravate.

Brunetti lui indiqua la plus confortable des deux chaises devant lui.

« Ça se présente bien, se limita-t-il à dire, puis il demanda : Des nouvelles du côté du théâtre ?

— Pendant que je parlais au gardien, trois hommes sont arrivés, ont pointé et sont partis.

— Et puis ?

— Cela m'a rappelé chez moi, dit-elle d'une voix empreinte de nostalgie.

— Naples ? Comment cela ?

— J'avais un oncle qui était chauffeur de taxi, mais il avait un ami au bureau du Teatro San Carlo, raconta-t-elle, comme si ces détails pouvaient aider à comprendre.

— Et ?

215

— Et, dans l'organigramme, il figurait comme assistant de scène, mais tout ce qu'il avait à faire, c'était de passer deux fois par jour au théâtre et de pointer à l'arrivée et au départ. »

Face à la surprise de Brunetti, elle spécifia :

« Je sais, je sais. Mais il y a eu un audit et ils ont introduit les fiches de pointage pour être sûrs que tous les gens figurant au sein du personnel le faisaient au moins le matin et le soir. »

Brunetti, intrigué, s'informa :

« Il ne travaillait pas là-bas ?

— Dieu merci, non. Il avait cinq enfants, donc il passait douze heures par jour dans son taxi, sept jours sur sept. »

Elle sourit et Brunetti se rendit compte ainsi que cette situation ne lui déplaisait pas.

« Et, en pointant le matin et le soir, il faisait partie du registre du personnel ? »

Comme elle hocha la tête, il demanda :

« Et personne n'a remarqué le manège ?

— Eh bien, répondit-elle en hésitant, ce n'est pas comme s'il était le seul. Il n'a jamais eu de licence pour son taxi, donc le seul emploi qu'il avait – officiellement, j'entends – c'était le théâtre.

— Et combien d'années a-t-il… travaillé au théâtre ? »

Elle hésita, regarda ses doigts et compta les années :

« Vingt-sept. Et il a été chauffeur de taxi pendant trente-six ans.

— Ah ! soupira Brunetti. Il devait très bien connaître la ville. »

Ce fut tout ce que le commissaire songea à lui dire.

« Dans tous les sens. »

Griffoni se redressa sur sa chaise, comme pour renoncer à poursuivre ce badinage.

« Le gardien m'a dit qu'il y a toutes sortes de gens qui viennent le soir d'une représentation, pas seulement la distribution et les musiciens : les parents des chanteurs, les amis, les doublures. Il a dit qu'il y a des fois où le hall est si bondé que n'importe qui pourrait entrer et sortir en passant inaperçu. »

Brunetti se souvint de la foule présente le soir où il avait attendu Flavia avec Paola.

« Il m'a dit que le pire moment, c'est l'heure qui précède la représentation, où tout le monde entre, surtout avec un opéra comme *Tosca* où il y a un chœur et un second chœur d'enfants, donc c'est la folie quand ils commencent à arriver. »

Sans lui laisser le temps d'intervenir, elle expliqua :

« C'est la même chose après, quand les gens se mettent à l'extérieur de sa cabine, pour attendre les chanteurs.

— Du nouveau pour les fleurs ?

— Le gardien se souvient juste qu'elles ont été apportées par deux hommes. Son habilleuse et la préposée aux perruques n'ont rien remarqué jusqu'à la fin de la représentation, où elles ont vu les roses dans sa loge. J'ai parlé à quelques membres de l'équipe de scène, mais personne n'a rien noté de suspect.

— Mais quelqu'un a bien réussi à entrer dans sa loge avec les fleurs.

— Et avec les vases, renchérit-elle ; tout du moins, si ce que m'a dit l'habilleuse est vrai.

— Et quelqu'un a même réussi à en apporter d'autres encore dans une des galeries latérales et à les lui lancer, dit-il en se remémorant ce qu'il avait vu de ses propres yeux. Comment cela a-t-il pu se produire ?

— Peut-être qu'un portier les a fait entrer. Qui sait ? Si ces fous ont des amis, il se peut qu'ils aient eu de l'aide. »

Voyant que cette discussion avait de grandes chances de rester stérile, Brunetti décida de changer de sujet.

« Et Alvise ?

— Il s'est présenté à la fille à l'hôpital et lui a dit qu'il était là pour veiller sur elle et éviter qu'on la dérange. »

Griffoni n'avait guère besoin de rappeler à Brunetti qu'Alvise et les secrets cela faisait deux.

« Combien de temps passera-t-il là-bas ? s'informa Brunetti.

— Il m'a dit qu'il ira pendant les heures de visite : de 10 heures à 13 heures, puis de 14 heures à 19 heures.

— Et le reste du temps ? »

Griffoni ne put que hausser les épaules. Alvise restait, après tout, Alvise.

« Il ne lui est pas venu à l'esprit que quelque chose puisse lui arriver en dehors des heures de visite.

— Effectivement, approuva Brunetti. Cela n'est pas possible, n'est-ce pas ?

— Tu crois qu'elle est *en sécurité* ? ne put s'empêcher de demander Griffoni.

— C'est le pari de tout un chacun, mais je suis sûr qu'elle se sent en sécurité, ce qui l'aide probablement. Et il n'y a personne à qui nous puissions le demander en ce moment, hormis Alvise. »

Il s'installa entre eux cet agréable silence naissant de l'amitié qui, avec les années, peut se nouer entre collègues. Le bruit d'un bateau, provenant de la droite, envahit la pièce.

« Ce pourrait être une femme », finit par déclarer Brunetti et il expliqua l'histoire du vol du carnet d'adresses et du coup de fil d'une inconnue à une amie de Flavia à Paris.

Griffoni lui lança un regard fort surpris, puis se tourna pour consulter à son tour le cyclope. Elle croisa les jambes et laissa pendre au bout de son doigt de pied une de ses chaussures, avec un talon démesurément haut. Elle la fit balancer de bas en haut, sans se rendre compte, apparemment, de son geste. D'abord, la cravate de signorina Elettra et, maintenant, cette chaussure. Brunetti se demanda ce que Pétrarque aurait fait si Laure avait porté ces chaussures ou cette cravate noire. Aurait-il écrit un sonnet en leur honneur ? Ou se serait-il détourné, horrifié par ces mises inconvenantes ?

Il essayait de composer le troisième vers d'un sonnet à la chaussure, lorsque Griffoni approuva :

« Je suppose que oui. »

Brunetti fut alors bien content de cesser de chercher une rime à « chaussure », car il craignait que, malgré tout, « déchirure » ne suffît pas à exprimer la profondeur de ses sentiments, même si cette idée de blessure allait bien avec un sonnet.

« Flavia Petrelli a dit que ce sont les fans féminines qui la perturbent le plus, parce qu'elles attendent quelque chose de sa part.

— Tu crois que c'est à cause de ses relations sentimentales passées ? s'enquit Griffoni, comme si elle l'interrogeait juste sur une couleur de cheveux.

— Je ne sais pas. Je n'ai aucune idée du tour d'esprit des femmes. »

Elle leva les sourcils.

« Cela dépend probablement de la femme, répliqua-t-elle ; si ce fan est une femme, elle n'est guère représentative de l'espèce.

— Probablement que non, temporisa Brunetti.

— Je voulais juste dire que nous ne sommes pas enclines à la violence, alors que celle-ci semble l'être. »

Elle regarda par la fenêtre, comme si elle poursuivait sa réflexion :

« Mais ce n'est pas son fort, n'est-ce pas ?

— Qu'est-ce que tu veux dire ?

— Même à supposer qu'elle ait poussé la fille, elle n'est pas allée jusqu'au bout. Elle a jeté un coup d'œil et elle est partie.

— Qu'est-ce que tu veux dire ? » répéta Brunetti.

Elle se tourna vers lui pour lui répondre :

« Que cela signifie qu'elle ne voulait pas la tuer, mais seulement lui faire mal, ou la menacer. Ou peut-être qu'elle avait une arrière-pensée. Dieu seul sait ce qu'elle est en train de concocter. »

Brunetti trouvait intéressant le changement de pronoms qu'ils avaient opéré tous deux si naturellement pour désigner l'agresseur. Il n'y avait aucune preuve, outre la voix de la personne qui avait téléphoné à l'amie parisienne de Flavia et qui aurait pu être tout aussi naturellement une véritable amie, appelant juste pour savoir où elle était.

Il se demanda si Claudia et lui n'étaient pas en train de se conformer à la mentalité caractéristique des siècles précédents : tout comportement bizarre était utérin, pure hystérie, et dû au manque d'une présence masculine.

« Je crois que je vais aller déjeuner », suggéra-t-il en se levant.

Claudia regarda sa montre ; elle se leva à son tour et ils sortirent ensemble. Brunetti s'étonna qu'elle parvienne à marcher aussi facilement sur des talons si hauts qu'ils lui auraient fait dévaler l'escalier tout entier, s'il n'avait décidé de rester sur le côté et de descendre une marche à la fois. Qu'elles étaient douées, ces femmes !

21

Brunetti resta distrait pendant tout le temps du déjeuner ; il ne pouvait se résoudre à l'idée d'une femme violente. Il en avait connu, en avait même arrêté quelques-unes, mais il n'en avait jamais rencontré, comme cette fois, dans sa vie personnelle. La famille bavardait autour de lui fort joyeusement et indifférente à son silence, car absorbée tout d'abord par des lentilles accompagnées de saucisses chaudes et de raisins secs, puis par une roulade de veau remplie d'une saucisse sucré-salé. Même si les lentilles étaient un de ses plats préférés, Brunetti se contenta de dire à Paola qu'elles étaient délicieuses, puis il se remit à réfléchir à ce qui demeurait, pour lui, un oxymore : une femme violente.

Il mangea sa crème caramel et, pour une fois, n'en redemanda pas. Paola proposa d'apporter le café au salon ou – s'il faisait assez chaud pour lui – de le boire sur le balcon.

Il ne faisait pas assez chaud, donc Brunetti s'installa sur son canapé et songea à explorer les textes littéraires. Lorsque Paola le rejoignit quelques minutes plus tard, avec deux tasses de café sur un plateau en bois, il lui demanda :

« Tu connais des cas de femmes violentes dans la littérature ?

— Violentes ? Jusqu'au point de tuer, ou juste violentes ?

— De préférence la première catégorie », répondit-il en prenant son café.

Paola mit du sucre dans le sien, s'approcha de la fenêtre et regarda le clocher. Elle remua sa cuillère quelques fois, jusqu'à ce que le bruit commençât à taper sur les nerfs de Brunetti. Il s'apprêtait à lui demander d'arrêter, lorsqu'elle se tourna vers lui en lui disant :

« La première qui me soit venue à l'esprit, c'est Tess d'Urberville, mais Dieu sait qu'elle avait de quoi l'être. »

Elle porta la tasse à ses lèvres, puis la reposa sur la soucoupe, sans y avoir goûté.

« Il y a aussi Mrs Rochester, mais elle est folle ; je suppose que l'œuvre de Balzac en est pleine, mais il y a si longtemps que je ne l'ai plus lu que je ne m'en souviens pas. Je suis sûre que les Russes et probablement les Allemands en ont aussi, mais je ne me rappelle aucun exemple. »

Elle finit par siroter son café et demanda :

« Et Dante ? Tu le connais mieux que moi. »

Brunetti regarda sa tasse, espérant que la surprise, rapidement métamorphosée en plaisir, qu'il avait ressentie suite à son compliment soit passée inaperçue. Lui, être un meilleur lecteur qu'elle ? Il recula sur sa chaise et croisa les jambes.

« Non, répondit-il d'un ton neutre, je ne vois aucun cas particulier. Francesca a été brutalement chassée pour cause d'adultère, et Thaïs est punie pour sa flagornerie. Méduse et les Harpies ne comptent probablement pas. »

Comme c'était intéressant – il l'avait oublié, ou ne l'avait jamais pris en considération – de voir avec quelle facilité les femmes étaient réhabilitées chez Dante. D'accord, c'était un autre de ces types amoureux d'une femme qu'il connaissait à peine, mais Brunetti se dit qu'il valait mieux ne pas le signaler à Paola, sinon elle risquait d'ébranler un autre pilier de la culture italienne :

« Il a au moins le mérite de les défendre : pourquoi sinon punirait-il les proxénètes et les séducteurs ? »

Elle revint poser sa tasse sur le plateau.

« Tu peux réfléchir à d'autres noms ? poursuivit-il.

— Il y en a beaucoup de franchement antipathiques, qui font des méchancetés aux gens : elles pullulent chez Dickens. »

Elle leva une main en l'air, geste qui lui rappela l'*Annonciation* qu'ils avaient vue aux Offices.

« Ah, fit-elle comme l'aurait probablement murmuré la Vierge. Il y a la servante française dans *Bleak House.* »

Elle se tenait debout, attendant l'illumination, tandis qu'il la regardait en train de passer en revue l'intégrale de Dickens, s'arrêter à *Bleak House*, puis parcourir la scène. Il vit la mémoire lui rendre grâces ; elle se tourna alors et proclama :

« Hortense. »

Brunetti passa tout le temps du retour à la questure à essayer de comprendre comment cela fonctionnait. Ce n'était pas un tour de magie et Paola ne faisait jamais étalage de sa capacité à se souvenir de ses lectures. Il avait connu des hommes qui pouvaient donner un compte rendu de tous les matches de football, match après match, qu'ils avaient vus dans leur vie, donc peut-être que c'était une habileté plus courante qu'il ne le croyait. Lui, de son côté, se souvenait des propos intelligents que les gens tenaient, et des visages.

Il était à deux minutes de la questure et le canal était déjà en vue, lorsque son téléphone sonna. Il reconnut le numéro de Vianello.

« Qu'est-ce qu'il y a, Lorenzo ? »

— Où es-tu ? demanda instamment l'inspecteur.

— Presque à l'entrée. Pourquoi ?

— Je t'y retrouve. Monte dans le bateau. »

Sans lui laisser le temps de lui poser la moindre question, Vianello avait raccroché. Brunetti tourna au coin et entendit le bateau avant de le voir, devant l'édifice, avec Foa au volant.

Vianello, en uniforme, sortit comme une fusée et bondit dans la vedette, sans regarder dans la direction de Brunetti. Sur quoi Brunetti courut les vingt derniers mètres et sauta à bord sans réfléchir.

« Démarre ! » ordonna Vianello, en donnant une tape dans le dos à Foa.

Le bateau, qui avait déjà largué les amarres, s'éloigna du quai en glissant. Foa mit en route la sirène ; ils prirent de la vitesse et se dirigèrent vers le Bacino. Vianello saisit Brunetti par le bras et le fit descendre dans la cabine, puis il ferma les portes coulissantes derrière eux, dans une vaine tentative de ne plus subir le bruit de la sirène.

« Qu'est-ce qu'il y a ?

— Un homme a reçu un coup de couteau dans le parking de Piazzale Roma », lui apprit Vianello en s'asseyant en face de lui, penché en avant, et les mains agrippées sur le bord des sièges en velours.

Tandis qu'ils s'engageaient dans l'ample bassin, Brunetti demanda :

« Pourquoi n'allons-nous pas à l'hôpital ?

— Quand ils ont appelé, il n'y avait pas d'ambulance pour aller le chercher, donc ils l'ont amené à l'hôpital de Mestre.

— Comment est-ce possible ?

— La Sanitrans y avait déjà une ambulance, qui venait de ramener un patient de Padoue, donc ils sont passés le chercher au parking.

— Qui est-ce ?

— Je pense que c'est un de tes amis. »

Brunetti plaqua sa main froide sur son cœur.

« Quel ami ?

— Federico d'Istria.

— Freddy ? »

Il se souvint de la dernière fois où il l'avait vu ; c'était sur le pont, avec Flavia. Brunetti garda son calme. Freddy avait reçu des coups de couteau ; Freddy, qui avait connu Paola quand ils avaient six ans et avait décidé de l'appeler Poppie, un nom qu'elle avait ensuite détesté et qui pouvait encore la rendre folle de rage.

« Est-ce grave ? s'enquit-il d'une voix qu'il s'efforçait de garder neutre.

— Je ne sais pas.

— Quand cela est-il arrivé ?

— Nous avons reçu l'appel il y a environ un quart d'heure, mais il était déjà en route pour l'hôpital.

— Qui a appelé ?

— Les gens du parking. Ils ont dit qu'un homme avait été attaqué au couteau et laissé près de sa voiture. Il a réussi à ramper jusqu'à l'allée ; quelqu'un l'a vu et les a appelés, puis ils ont appelé l'hôpital, et ensuite, nous. »

Brunetti avait du mal à conférer un sens à tous ces mots.

« Il est encore en route ? »

Vianello regarda sa montre.

« Non, cela fait trop longtemps. Une demi-heure : il devrait être arrivé à cette heure-ci. »

Brunetti s'apprêtait à se saisir de son téléphone, mais il étendit sa paume sur la cuisse.

« Y aura-t-il une voiture ? demanda-t-il, en pensant à Piazzale Roma et au trajet jusqu'à l'hôpital.

— Elle est déjà là, lui assura Vianello.

— Ils ne t'ont rien dit ? »

Brunetti ne pouvait s'empêcher d'interroger son collègue.

Vianello secoua la tête.

« Rien. J'ai appelé l'hôpital et leur ai demandé d'appeler les gens de l'ambulance, mais ils ont refusé. Ils ont dit qu'on verrait en arrivant.

— Est-ce qu'ils ont prévenu sa femme ?

— Je ne sais pas. »

Brunetti sortit son portable et fit défiler les numéros jusqu'à celui de Silvana. À la septième sonnerie, une voix de femme impersonnelle lui donna la possibilité de laisser un message. Il ne pouvait se résoudre à le faire, ni à envoyer un SMS.

« Comment sais-tu que c'est un ami à moi ? s'étonna Brunetti.

— Tu as parlé de lui l'an passé, lorsque tu es allé à ta réunion de classe du lycée, tu as dit qu'il y était.

— Pourquoi t'es-tu souvenu d'un tel détail ? demanda Brunetti, sincèrement intrigué.

— La mère de Nadia était la cuisinière de ses parents – il y a des lustres de cela – et elle disait, je me souviens, que c'était un charmant petit garçon. »

Brunetti croisa les doigts et se pencha en les coinçant entre ses jambes. Il répliqua, la tête baissée :

« Je ne le connaissais pas quand il était enfant. Mais c'est un homme très charmant. »

Le seul son qui leur parvint les quelques minutes suivantes fut celui de la sirène, puis le moteur ralentit ; ils étaient arrivés Piazzale Roma. Oubliant de remercier Foa, Brunetti sauta du bateau et gravit les marches jusqu'à la chaussée. La voiture bleue avec son gyrophare était là ; il y monta avec Vianello et enjoignit le chauffeur de mettre la sirène.

Il fallait douze minutes. Brunetti le savait car il avait chronométré le parcours. Il fit accélérer le mouvement pour doubler un bus qui roulait lentement, et une bicyclette qui n'avait pas le droit d'être sur la route. Le chauffeur gardait le silence et se concentrait sur la circulation. Ils prirent une nouvelle sortie et, en l'espace de quelques secondes, Brunetti fut complètement perdu. Il regardait par la fenêtre, mais tout ce qu'il voyait était laid, donc il posa de nouveau les yeux sur la nuque du conducteur. À un moment donné, la voiture s'arrêta et le chauffeur se tourna vers lui.

« Nous y sommes, commissaire. »

Brunetti le remercia et entra dans l'hôpital, qui n'avait que quelques années mais avait déjà l'air un peu détérioré. Vianello les guida au cœur du bâtiment. La seconde fois où quelqu'un en blouse blanche leur demanda qui ils étaient, Vianello sortit sa carte officielle et la brandit devant eux, en l'agitant comme si c'était un talisman capable de repousser le diable. Brunetti espérait que ce fût le cas.

L'inspecteur ouvrit les portes des urgences et, toujours en tenant sa pièce d'identification, il arrêta la première personne qu'il vit, une grande femme avec un stéthoscope autour du cou.

« Où est l'homme qui vient juste d'être hospitalisé ?

— Lequel ? » s'informa-t-elle.

Elle était très grande, dépassait tout le monde et semblait stressée et impatiente.

« Celui qui a reçu des coups de couteau, précisa Vianello.

— Il est en chirurgie.

— Est-ce grave ? » s'enquit Brunetti.

Elle se tourna pour le regarder, ignorant lequel des deux était de service, et Brunetti sortit aussi sa carte officielle :

« Commissaire Brunetti. Venise. »

Elle lui lança un regard neutre et il en vint à se demander si les gens qui ont une grande expérience de la souffrance humaine n'emplissent pas leurs yeux de froideur à seule fin de se protéger. Elle indiqua une rangée de chaises orange en plastique, déjà occupées pour la plupart. « Vous pouvez attendre ici. » Voyant leur hésitation, elle ajouta : « Ou vous pouvez partir et vous installer ailleurs, si vous préférez.

— Cela ira bien ici, dit Brunetti, qui essaya de sourire, avant d'ajouter en guise de concession : Nous vous saurions gré de toute information que vous pourriez nous donner. »

Elle pivota sur ses talons et sortit. Brunetti et Vianello allèrent s'asseoir côte à côte, sur les deux dernières chaises libres. À leur droite, un jeune homme avec du sang sur le visage tenait sa main enflée de l'autre ; à leur gauche était assise une jeune femme, les yeux fermés et la bouche crispée de douleur.

Au bout d'un moment, Brunetti se rendit compte que le jeune homme près de lui sentait cette odeur âcre et acide typique du mélange de peur et d'alcool, une odeur que le commissaire avait sentie plus souvent qu'il ne l'aurait souhaité. De l'autre côté provenaient de temps à autre les faibles gémissements de la femme.

Ils restèrent assis quinze minutes, sans bouger ni parler ; Brunetti s'habituait peu à peu à la fois à l'odeur et au bruit. La porte s'ouvrit et la femme au stéthoscope leur fit un signe.

Ils se levèrent et la suivirent.

Elle les guida le long d'un couloir et ouvrit la porte d'une pièce de petite taille, en désordre. Elle se dirigea vers le bureau, enleva son stéthoscope et le jeta dessus, où il atterrit contre une pile de papiers et à côté d'un livre posé à l'envers. Elle ne prit pas de siège, ni ne leur proposa de s'asseoir.

« Le patient est encore en chirurgie et il y restera probablement un certain temps, commença-t-elle. Il a reçu quatre coups de couteau. Dans le dos. »

Vianello sortit son carnet et commença à écrire. Comme Freddy avait fait bonne chère pendant bien des années, il avait pris du ventre et de la poitrine, ce qu'il parvenait fort bien à cacher grâce à ses vestes sur mesure. *Oh, s'il vous plaît, faites que cet embonpoint l'ait aidé*, pensait Brunetti, qui se promit de ne plus jamais le taquiner sur ce détail.

« C'est la seule information que j'aie. Si vous voulez une bonne raison d'être optimistes, je peux vous dire que le chirurgien a dit à un de ses internes qu'il pouvait s'en aller, car il s'en tirerait très bien avec son seul collègue. »

Brunetti résista à l'envie de demander pourquoi les chirurgiens mettaient tout ce temps et préféra dire :

« Merci de nous avoir parlé, dottoressa. »

Elle sourit, mais cela changea à peine l'expression de son visage.

Brunetti remarqua soudain que l'odeur du jeune homme l'avait suivi dans la pièce. Il tendit la main au médecin, sans être du tout sûr qu'elle la saisirait. Mais elle la lui serra, ainsi qu'à Vianello, puis elle s'éclipsa rapidement.

Dès que la porte se referma derrière elle, Brunetti sortit son téléphone et composa de nouveau le numéro de Silvana, mais n'obtint toujours pas de réponse. Puis il appela le bureau de signorina Elettra.

Lorsqu'elle lui répondit, il lui expliqua :

« Je suis à l'hôpital de Mestre. Mon ami Freddy d'Istria a reçu des coups de couteau dans le parking de Piazzale Roma et on l'a amené ici. Appelez les employés et dites-leur de fermer l'étage, puis de voir s'ils ont des caméras en circuit fermé et si sa voiture – ça s'est passé près de sa voiture – est visible sur l'une d'elles. Et procurez-vous les bandes vidéo. Arrangez-vous pour qu'un magistrat exige les films de la journée tout entière. Puis appelez Bocchese et dites-lui d'envoyer une équipe sur place. »

Il marqua une pause pour vérifier qu'il n'oubliait rien et regarda sur le côté Vianello, qui secoua la tête.

« C'est l'homme qui possède l'appartement où habite Flavia Petrelli, lui spécifia Brunetti.

— Mon Dieu, l'entendit-il murmurer. Est-ce qu'il faut mettre en place une protection ? »

Brunetti songea à cette proposition, en prenant en considération la distance depuis Venise.

« Je ne crois pas que nous en ayons besoin ici, pas à Mestre. »

Freddy avait été suivi et ceci prouvait certainement le caractère prémédité de l'attaque, mais donner quatre coups de couteau à un homme sans aller au bout d'un tel acte signifiait qu'il n'y avait pas intention de tuer. Comme pour l'agression sur le pont, une impulsion irrésistible et un accès de rage momentané avaient pris le dessus chez la personne, mais, même si les deux victimes avaient été laissées sans aide, l'agresseur n'avait pas suffisamment l'instinct assassin pour les achever tant qu'il en était encore temps.

Lorsque Brunetti sortit de sa rêverie, la ligne avait été coupée. Il vit Vianello en train de le regarder, son carnet ouvert dans la main.

« Et maintenant, Guido ?

— Tu restes ici. Parle-lui dès que le docteur t'y autorisera. Demande-lui ce qu'il se rappelle. »

Vianello fit un signe d'assentiment.

« Et toi ?

— Je vais aller parler à signora Petrelli et trouver qui a fait cela », déclara Brunetti.

Il pivota sur ses talons pour gagner la sortie et retourna en ville.

22

En quittant l'hôpital, Brunetti songea que le mobile était d'ordre purement et simplement charnel. Flavia avait fait un détour pour parler à la fille et lui avait témoigné de l'intérêt. En outre, elle habitait dans le *palazzo* de Freddy, et leur liaison avait défrayé la chronique. Brunetti lui-même avait vu Freddy la prendre par les épaules la veille au soir.

Cette fan, comme n'importe quel fan d'ailleurs – fût-il un homme ou une femme –, ne pouvait qu'être au courant pour Freddy et toute personne parvenue à entrer dans le théâtre pouvait l'avoir entendue chanter les éloges de la jeune contralto.

Pour ce qui était du harcèlement, Brunetti savait au moins que les gens le pratiquaient habituellement à l'encontre de leurs ex-partenaires, indépendamment de la nature de leur lien : partenariat en affaires, mariage, liaison sentimentale, rapport patron-employé, même si les relations amoureuses se présentaient comme le catalyseur le plus courant. La vie continuait, et les choses changeaient, en mettant sur la touche certaines personnes, ou en les remplaçant. La plupart trouvaient ces situations normales et continuaient leur vie. Mais d'autres refusaient le changement, refusaient l'idée d'un avenir différent de l'existence qu'ils avaient connue, ou loin de l'être aimé.

Un certain nombre d'entre elles partaient du principe que quelqu'un devait payer pour ce qui était arrivé. Quelquefois c'était l'ex-partenaire qui devait payer, et quelquefois le nouveau, ou le nouvel objet d'amour. Dans ce cas particulier, prit conscience Brunetti, il errait en pleine folie et ne pouvait donc que se livrer à des spéculations. Quel degré de raison accorder à une personne qui s'imagine pouvoir recouvrer son ancien amour en tuant la personne désormais aimée? Est-il possible de conquérir l'amour de quelqu'un sous la menace? Si Paola tombait amoureuse de l'agent chargé de relever le compteur de gaz, à quoi lui servirait-il de tuer cet homme?

Brunetti se reprocha d'ironiser sur ce sujet, habitude qu'il partageait avec sa femme, ainsi qu'avec ses enfants, du reste. Il espérait ne pas leur avoir légué un cadeau empoisonné.

Il sortit par la porte principale et jeta un coup d'œil circulaire pour voir où se trouvait la voiture de la police. Elle était à vingt mètres de lui, garée sur une ligne jaune. Le chauffeur était dehors en train de fumer, appuyé à la portière. Brunetti se dirigea vers lui, mais une vague soudaine de fatigue s'empara de lui et il craignit de ne pas arriver au véhicule sans s'asseoir et se reposer. Il s'immobilisa un instant et cette sensation s'amenuisa peu à peu, même si elle l'incita à vérifier s'il avait mangé trop ou trop peu, voire bu trop de café, ou pas assez.

Lorsqu'il se sentit solide sur ses jambes, il sortit son téléphone et composa le numéro que Flavia lui avait donné. Elle répondit à la troisième sonnerie, d'une voix chevrotante :

« Silvana me l'a dit. Elle est partie pour l'hôpital. Elle m'a dit que vous y étiez déjà.

— Il n'y a pas encore de nouvelles : il est toujours au service de chirurgie. Où était Silvana ? demanda-t-il en montant dans la voiture.

— Ici en bas, avec moi. Elle avait laissé son portable à la maison. Quand elle est remontée chez elle, elle a trouvé un message lui disant d'appeler l'hôpital de Mestre et c'est comme cela qu'elle l'a appris. Elle m'a appelée depuis un taxi. Et plus rien depuis. »

Il pensa qu'elle avait terminé, mais elle ajouta, d'une voix brisée :

« Oh mon Dieu. Pauvre Freddy. Pourquoi ne veulent-ils rien vous dire ? Vous êtes un policier, après tout.

— Je dois vous parler, répliqua Brunetti, ignorant sa question. Je peux être chez vous dans une demi-heure. »

C'était une évaluation optimiste, il le savait bien, mais, s'il pouvait compter sur un bateau à Piazzale Roma, ce pouvait être possible.

« Mais je ne sais pas…, commença-t-elle à dire, avant que Brunetti ne la coupe.

— Je suis déjà en route. Ne sortez pas de chez vous. »

Il l'entendit murmurer quelque chose, mais ne put le comprendre.

« Flavia, reprit-il, j'arrive.

— D'accord », approuva-t-elle et elle raccrocha.

Il appela immédiatement la questure et demanda qu'un bateau vienne le chercher Piazzale Roma dix minutes plus tard. Le chauffeur, devant lui, brandit un poing en l'air et accéléra.

Le bateau était là, comme il l'espérait. Brunetti dit au pilote où il voulait aller et descendit dans la cabine, où il rappela signorina Elettra.

« J'ai trouvé un magistrat qui a signé un mandat pour les bandes vidéo et Bocchese a envoyé deux hommes au garage pour inspecter le site. »

Brunetti fut tenté d'aller voir les techniciens de Bocchese sur place, mais il savait qu'on lui dirait bientôt tout ce qu'ils avaient appris, alors qu'il était impératif de parler avec Flavia, tant qu'elle était encore sous l'effet de la peur. S'il lui concédait trop de temps, et si Freddy n'était pas grièvement blessé, elle pourrait avoir plus de réticences à se confier à lui.

Le pilote mit la sirène avec modération et l'actionna uniquement quand il lui fallait doubler un bateau. Ils passèrent sous le pont des Scalzi, puis sous celui du Rialto ; Brunetti prêtait à peine attention aux édifices qui défilaient devant eux. Lorsqu'ils approchèrent de l'Académie, il monta sur le pont et dit au pilote de le laisser à San Vio.

Le bateau s'amarra près du *campo* ; Brunetti jeta un coup d'œil à sa montre et vit qu'il y avait exactement trente-deux minutes qu'il avait parlé à Flavia : quelle merveille d'être un policier et de pouvoir enfreindre la loi impunément. Il se dit qu'il pourrait y prendre goût. Il s'arrêta sur le quai, remercia le pilote et se dirigea vers la Salute.

Il tourna à gauche dans la *calle* étroite menant chez Freddy et s'arrêta à la porte. Il vit deux sonnettes, une sans nom et une avec *F.I.* Il sonna à la première.

« Oui ? demanda une voix de femme.

— C'est Guido. »

La porte s'ouvrit promptement et il prit l'escalier. Arrivé au deuxième étage, il la vit sur le seuil, à moitié cachée derrière la porte de l'appartement, ce qui lui permettait de la claquer au premier visiteur montant l'escalier ou sortant de l'ascenseur. Elle était vêtue d'une jupe noire et d'un pull beige ; elle portait aussi, détail incongru, une paire de pantoufles de gondolier en feutre bleu foncé ; le genre de babiole que les touristes achètent, ramènent chez eux, puis abandonnent dans un coin.

Lorsqu'elle le vit, elle se détendit et lâcha la porte, mais il lui fallut un moment pour adoucir son visage et dessiner un sourire sur ses lèvres. Brunetti s'arrêta au sommet des marches pour lui laisser le temps de s'habituer à sa présence et sentir dans sa chair qu'elle n'était pas en danger.

Flavia recula et l'invita à entrer.

Il s'exécuta, tout en demandant la permission de franchir le seuil : un comportement aussi formel et convention-nel ne pouvait que la calmer davantage encore. Il s'arrêta juste à l'intérieur et ferma la porte très lentement. Puis, se tournant vers elle, il s'informa :

« On ne peut pas l'ouvrir de l'extérieur sans clef, n'est-ce pas ?

— Non », confirma-t-elle avec soulagement.

Brunetti attendit qu'elle fasse le premier pas.

« Nous pouvons parler ici », proposa-t-elle en prenant à droite pour passer dans une des pièces. Paola et lui étaient allés de nombreuses fois chez Freddy et Brunetti avait tou-jours imaginé que cet appartement était une copie de celui du dessus.

Il s'aperçut qu'il avait tort à la vue d'une petite pièce étroite, avec une seule fenêtre donnant sur un mur latéral et sur une fenêtre identique, percée dans la maison située de l'autre côté de la *calle.* Rien de grandiose, pas de Grand Canal, juste cette morne pièce étriquée, qui avait dû être créée en ajoutant le mur de gauche qui permettait de scin-der une pièce normale en deux plus petites, mais en la privant ainsi de lumière naturelle. Elle semblait aussi n'avoir aucune destination précise : il y avait deux fauteuils, une table ronde et une petite commode contre un mur. Pas de tableaux, aucune décoration : comme les salles d'interrogatoire à la questure.

« Qu'est-ce que vous regardez ? lui demanda Flavia.

— Cette pièce. C'est tellement… différent de la maison de Freddy. »

Flavia sourit, retrouvant sa beauté.

« Il est tellement non vénitien, Freddy. Il l'a toujours été. La plupart d'entre eux – d'entre vous – loueraient tout de suite cet endroit aux touristes. »

De mauvaise grâce, Brunetti hocha la tête en signe d'assentiment.

Elle alla vers la gauche et s'assit sur le bras d'un des fauteuils en velours élimé. Brunetti s'installa dans l'autre.

« Pouvons-nous oublier les Vénitiens un moment et parler de ce qui se passe ? » suggéra-t-il.

Elle changea d'expression, comme si elle avait été offensée par sa brusquerie, mais elle lui répondit.

« Silvana a appelé et m'a dit que les médecins ne lui ont encore rien dit, juste qu'elle peut aller le voir demain matin », lui apprit-elle d'un ton qu'elle cherchait vainement à teinter d'optimisme.

Elle pinça les lèvres et regarda le tapis.

Brunetti laissa s'écouler un certain temps.

« Comme je l'ai dit, il est temps de parler de ce qui se passe. Et ce qui se passe, c'est que quelqu'un a essayé de tuer Freddy : c'est bien de cela qu'il s'agit. »

Sa réponse, acérée, ne se fit pas attendre :

« Je ne vois vraiment pas qui voudrait lui faire du mal, et encore moins le tuer. »

Elle observa de nouveau le motif sur le tapis et ajouta :

« Je suis restée en contact avec lui depuis… depuis que nous avons rompu. »

Elle regarda Brunetti comme pour s'assurer qu'il savait de quoi elle était en train de parler. Il opina du chef.

« Et il n'a jamais évoqué de graves problèmes avec qui que ce soit. »

Elle écarta les bras en signe d'exaspération.

« Vous le connaissez, pour l'amour du Ciel, pouvez-vous imaginer Freddy – *Freddy* – avoir un ennemi ?

— Exactement », dit Brunetti.

Elle ouvrit les yeux en signe de grande confusion, mais cela ne marcha pas ; tout au moins, pas avec Brunetti.

Elle ne souffla mot ; elle s'installa sur le bras du fauteuil face à lui, en croisant les bras.

« D'accord, que dois-je vous dire ? finit-elle par céder, en se mettant le harnais et le vêtement de la douleur[1].

— Depuis combien de temps vivez-vous ici ?

— Quatre semaines. On m'a autorisée à venir tard pour les répétitions, donc je suis arrivée huit jours après les autres.

— Comment se fait-il que vous habitiez ici ? s'enquit Brunetti en désignant de la main la petite pièce.

— Je n'avais pas dit à Freddy que je venais, répondit-elle comme pour réfuter l'accusation d'être un parasite. Mais il a vu mon nom dans le programme lorsqu'on a annoncé la saison cet automne.

— Et puis ? »

Elle inspira d'un air agacé, à la manière d'un enfant voulant montrer à un adulte qu'il se donne du mal pour rien.

---

1. Shakespeare, *Hamlet*, I, 2, v. 286.

« Il m'a appelée et m'a dit que je devais loger ici, dans cet appartement. C'est plutôt pas mal. Ça, c'est la pièce la plus laide. Je ne sais pas pourquoi je vous y ai emmené. »

Brunetti supposa qu'elle l'avait choisie parce qu'elle était la plus proche de la porte et qu'elle pouvait ainsi se débarrasser plus rapidement de lui, mais il demanda :

« Le théâtre ne vous a pas trouvé de logement ?

— Eux ? répliqua-t-elle, sincèrement surprise. Tout ce qu'ils font, c'est nous envoyer une liste d'agences.

— Vous en avez appelé ? »

Elle commença à parler, mais le regarda et s'arrêta.

« Non. Je n'avais pas le temps. En outre, c'était plus facile de loger ici.

— Je vois, fit Brunetti avec douceur. Avez-vous passé beaucoup de temps avec eux ?

— Qui eux ?

— Freddy et Silvana. Ou avec Freddy.

— Je suis allée dîner avec eux deux quelques fois. »

Brunetti attendait.

« Parfois, avec Freddy tout seul. Silvana ne s'intéresse pas du tout à l'opéra ; en plus, c'est une drôle de… »

La phrase traîna un instant, puis s'interrompit car Flavia ne trouva pas le mot approprié.

Brunetti haussa les épaules, mais ne prit pas la peine de commenter.

« Donc il est possible qu'on vous ait vue avec lui ?

— Je suppose que oui », répondit-elle, cette fois comme un enfant boudeur.

Brunetti se leva lentement et alla vers la fenêtre. Bien que la proximité élargît son angle de vision, elle ne montrait que le mur en briques de l'autre côté de la *calle*. Comment Freddy pouvait-il avoir gardé cette pièce exiguë sans avoir fait abattre le nouveau mur pour avoir plus de lumière, plus de vie, plus de liberté ? Cette réflexion l'exhorta à marquer une pause et à se demander ce que les médecins avaient trouvé et de combien de lumière, de vie et de liberté Freddy pouvait encore jouir.

Il se tourna vers elle et déclara, sans ambages : « J'ai besoin d'informations sur vos derniers amants, Flavia. Peu m'importe qui c'était, ou qui c'est, mais j'ai besoin de savoir comment ils s'appellent et comment ces relations ont fini, s'il y avait du ressentiment entre vous. » S'il s'était penché sur une table dressée pour le dîner et qu'il eût craché dans la soupe, elle n'en aurait pas été plus choquée. Et dégoûtée.

« Et voulez-vous savoir, aussi, ce que j'ai fait avec eux ?

— Contentez-vous de jouer la comédie sur scène, Flavia, rétorqua-t-il, soudain lassé par son attitude. Celui ou celle qui a fait cela à Freddy est la même personne que celle qui vous a envoyé les fleurs et qui a poussé cette fille sur le pont. Vous êtes le seul lien entre eux. »

Brunetti lui laissa la possibilité d'émettre une objection ou d'exprimer sa colère, mais elle resta assise en silence, le regardant fixement, le visage encore figé par la surprise et tout rouge sous l'emprise de la rage.

« Je suppose que cette personne est jalouse, soit de ce que vous avez vécu ensemble autrefois, et perdu, soit de ce que vous vivez maintenant avec quelqu'un d'autre. Ou les deux. Je ne vois pas d'autre solution.

— Je ne suis pas d'accord avec vous ! tonna-t-elle, de plus en plus furieuse.

— Avez-vous une meilleure explication ? demanda Brunetti instamment.

— Non, bien sûr que non. Mais il n'y a aucune preuve que les deux agressions soient liées. »

Brunetti retourna vers elle et se tint à moins d'un mètre de son fauteuil.

« Ne soyez pas stupide, Flavia, dit-il en se penchant vers elle. Vous avez des défauts, mais pas celui-là. Quelle preuve attendez-vous ? Que quelqu'un soit tué ? »

Comme si elle voulait opposer une résistance aux mots du commissaire, elle se leva et s'éloigna de lui.

« Combien d'autres personnes encore devront être attaquées avant que vous l'admettiez ? demanda-t-il, sans chercher à étouffer sa colère croissante. Cela fait un mois que vous êtes ici, et cette personne vous observe. Je suis sûre que vous avez parlé à beaucoup d'autres gens : à combien d'entre eux doit-elle faire du mal avant que vous acceptiez la réalité des faits ? »

Il fit un pas dans sa direction.

Dès qu'il se retrouva devant elle, elle alla à la fenêtre, mais se tourna pour lui faire face. Ils se tenaient ainsi, chacun attendant que l'autre cède. Ils patientèrent un long moment, mais Brunetti se refusait à briser le silence.

« Combien d'années ? demanda-t-elle en regardant par la fenêtre.

— Deux, trois, précisa Brunetti.

— Il n'y en a pas eu beaucoup », dit-elle, comme si elle avouait une faiblesse.

Brunetti prit son carnet, l'ouvrit au hasard et sortit un stylo de la poche de sa veste. Comme elle lui tournait le dos, elle ne voyait pas ce qu'il faisait.

« Franco Mingardo. Il est médecin à Milan. J'ai emmené ma fille chez lui lorsqu'elle a eu une infection à la gorge. »

Elle fit une pause, mais Brunetti ne souffla mot.

« Il y a trois ans. Cela a duré un an. Il a rencontré quelqu'un d'autre. »

Brunetti écrivit le nom et nota brièvement les grandes lignes de l'histoire d'amour.

« Anthony Watkins, poursuivit-elle. C'est un metteur en scène anglais. Marié, deux enfants. Cela a duré le temps de *Cosi'* à Covent Garden. »

Puis elle ajouta, avec une résignation désabusée :

« Je pensais que notre relation durerait plus longtemps, mais, apparemment, pour lui cela fait partie de son travail et cela finit avec la production. »

Juste au cas où Brunetti ne l'ait pas saisi, ou peut-être pour se remettre en mémoire combien elle avait été stupide, elle affirma :

« Il se croit en droit d'avoir une liaison avec la prima donna. »

Brunetti perçut le changement dans sa voix et regarda dans sa direction, et vit ainsi qu'elle s'était tournée et le regardait de face.

« Je suppose que si j'avais chanté Despina, il ne se serait pas abaissé à me courtiser. »

Brunetti ne répondait toujours pas.

« Il y en a un autre, poursuivit-elle, et c'est tout. Gérard Piau. Il est avocat. Je l'ai rencontré à un dîner à Paris, où il vit. »

Brunetti opina du chef.

« Personne d'autre ? insista-t-il.

— Non », confirma-t-elle.

Pour faire gagner du temps à signorina Elettra, il demanda :

« Savez-vous où sont ces trois hommes, à présent ?

— Franco est marié et a un petit garçon. Anthony est à New York, où il met en scène les *Puritani* au Met, et il a une liaison avec Elvira, qui est une de mes amies. »

Elle laissa un moment s'écouler.

« Gérard viendra à Barcelone. »

Il hésita à lui poser de nouveau la question, mais il songea que c'était nécessaire.

« Personne d'autre ? Je veux dire, même quelque chose qui n'était pas sérieux ?

— Ce n'est pas mon genre, dit-elle simplement, et il la crut.

— Pensez-vous que l'un de ces hommes soit capable de se comporter de cette manière ? »

Elle secoua la tête, sans la moindre hésitation.

« Non. »

Comme des rivaux sentant une accalmie se profiler dans la bataille, tous deux regagnèrent leurs sièges. Ils observèrent une courte trêve, mais Brunetti décida qu'il était temps de reprendre leur entretien.

« Outre ce que vous m'avez dit au sujet des objets qui ont disparu de votre loge, du coup de fil à votre amie et des fleurs, s'est-il passé autre chose qui puisse être mis en relation avec cette affaire ? »

Elle secoua de nouveau la tête, comme pour rejeter la question.

« Est-ce que quelqu'un, venu vous remercier après une représentation, vous a semblé particulièrement insistant ? »

Elle lui lança un regard furtif, puis secoua la tête une fois encore.

« Ou s'est comporté d'une manière qui vous ait paru étrange ? »

Elle posa ses coudes sur les cuisses, puis mit son menton dans les mains et se frotta de chaque côté de la bouche. Elle le fit à maintes reprises, joignit ses mains en prière et posa ses lèvres contre ses index levés. Elle hocha la tête, mais ne dit rien. Puis elle réitéra ce geste et déclara :

« Oui, une fois.

— Je vous écoute.

— C'était à Londres, le soir où les fleurs sont tombées sur scène pour la première fois. »

Elle le regarda, puis baissa la tête et pressa ses doigts contre ses lèvres. Mais c'était trop tard : elle avait commencé.

« C'était une femme. Je pense qu'elle était française, mais je n'en suis pas sûre.

— Dans quelle langue vous a-t-elle parlé ? »

Il lui fallut un moment pour s'en souvenir.

« En italien, mais j'ai entendu un accent. Il pouvait être espagnol, mais il aurait très bien pu être français. Elle avait l'air française.

— Que voulez-vous dire ?

— Les Espagnoles sont plus chaleureuses, plus amicales. Elles vous tutoient tout de suite et vous touchent le bras spontanément. Mais pas elle. Elle a reculé, elle me vouvoyait et semblait vraiment mal à l'aise. Les Espagnoles sont plus décontractées, plus joyeuses.

— Que vous a-t-elle dit ?

— Les choses habituelles. Qu'elle avait apprécié la représentation, qu'elle m'avait déjà entendue, que ma manière de chanter lui procurait du plaisir.

— Mais ? » objecta-t-il, espérant que ce mot l'inviterait à se souvenir, ou à révéler ce qu'elle avait pensé à l'époque.

Elle pencha la tête et son nez s'écrasa contre le bout de ses doigts, mais visiblement elle n'en avait cure.

« Elle était folle.

— Quoi! s'exclama Brunetti. Et cela ne vous revient à l'esprit que maintenant?

— Je l'ai vue seulement cette fois-là, il y a deux mois. Et j'ai oublié. »

Elle ajouta, avec une certaine réticence :

« Ou je me suis forcée à oublier.

— Qu'a-t-elle fait qui vous ait fait penser qu'elle était folle?

— Rien. Rien du tout. Elle était très formelle et polie, mais, par-dessous, je sentais ce terrible désir. »

Voyant qu'il avait du mal à saisir, elle expliqua :

«Vous finissez par le reconnaître. Ils veulent tous quelque chose : de l'amitié, de l'amour, de la reconnaissance, ou... autre chose. Je ne sais pas. »

Elle leva une main vers lui.

« C'est effrayant. Toutes ces envies, alors que vous n'avez aucune envie de donner, ni même de savoir *ce que* veulent tous ces gens. Ils ne le savent probablement pas non plus. Je déteste cela. »

Sa voix devenait de plus en plus âpre. Elle posa ses mains sur ses cuisses, les pressant l'une contre l'autre comme pour chasser ses idées loin d'elle.

« Comment était-elle?

— Je ne sais pas.

— Comment a-t-elle pu susciter cette si forte réaction en vous, si vous ne vous souvenez plus de son aspect? » insista Brunetti.

Flavia secoua la tête à maintes reprises.

«Vous ne savez pas ce que c'est, Guido, quand vous avez tous ces gens qui grouillent autour de vous, qui veulent tous quelque chose, vous dire quelque chose à leur sujet. Ils croient qu'ils veulent vous dire combien ils ont aimé votre représentation, mais ce qu'ils veulent vraiment, c'est que vous vous souveniez d'eux. Ou que vous les aimiez.»

Elle le regarda, le visage contracté. «Il est possible qu'elle portait un chapeau. Elle était mince et n'avait pas de maquillage.»

Elle ferma les yeux et il l'imagina en train de se revoir, après l'opéra, fatiguée, contente ou mécontente de sa représentation, et en train d'y réfléchir, mais tenue d'afficher, devant ses fans, une mine détendue et heureuse. Bien sûr qu'elle ne pouvait en garder qu'un vague souvenir.

«Vous rappelez-vous ses mots? reprit Brunetti.

— Non, seulement de cette terrifiante anxiété qu'elle m'a communiquée. Et elle était tellement déplacée à cet endroit.

— Pourquoi? Et de quelle façon?

— Je ne sais pas. Peut-être parce qu'elle paraissait si seule au milieu de tous ces gens. Ou peut-être parce que je percevais son étrangeté et que du coup je ne la voulais pas près de moi, mais je ne savais pas comment le cacher.»

Elle recula dans son fauteuil et posa ses mains à plat sur les bras.

« C'est horrible de subir ce stress après un spectacle, alors que tout ce dont vous avez envie, c'est d'un verre de vin et de quelque chose à manger, et peut-être de bavarder avec vos amis ou vos collègues, mais vous devez vous arrêter et sourire aux gens, et signer des CD et des photos, puis attendre que toute votre excitation se calme, pour pouvoir enfin aller vous coucher.»

Tout en parlant, elle passait et repassait les doigts de sa main gauche sur la housse en velours du fauteuil. Elle le regarda avec ce regard intense, direct, dont il se souvenait bien.

«Vous savez, si ce n'était pour le chant, aucun d'entre nous ne ferait ce métier, assena-t-elle d'un ton féroce. Les voyages, la vie dans les hôtels, manger au restaurant, devoir toujours faire attention à ne pas être vu en train de faire quelque chose qui pourrait nuire à votre carrière, toujours penser aux conséquences de ce que vous dites pour votre réputation, essayer de dormir suffisamment, ne pas trop manger ni trop boire, être toujours poli, surtout envers les fans.»

Brunetti pensa que la plupart de ces contraintes s'appliquaient à toute personne publique, mais il estima plus sage de ne pas exprimer son opinion, vu l'humeur de Flavia.

« Sans compter l'épreuve physique que cela comporte. Des heures de répétition, tous les jours que Dieu fait, et puis le stress de la représentation, et ne jamais arrêter d'étudier, et, chaque année, au moins deux ou trois nouveaux rôles à préparer.

— Et que faites-vous du côté glamour? »

Elle rit, et Brunetti crut qu'elle allait perdre le contrôle d'elle-même, mais il se rendit compte ensuite que c'était un rire naturel, spontané, comme à la fin d'une plaisanterie juteuse.

« Le glamour? Bien sûr, le glamour. »

Elle se pencha vers lui et lui tapota le genou.

« Merci de me le rappeler.

— D'accord, oublions le glamour, suggéra-t-il et il revint à des questions plus importantes. Avez-vous vu cette femme ici? »

Flavia secoua la tête.

« Je ne la reconnaîtrais pas, j'en ai bien peur. Elle m'avait provoqué une si forte réaction que je ne voulais pas la regarder. L'idée du moindre contact physique avec elle – même juste lui serrer la main – me révulsait.»

Brunetti savait ce qu'elle voulait dire. Il avait éprouvé quelques fois cette sensation, qui n'avait rien à voir avec le sexe : cela lui était arrivé à la fois avec des hommes et des femmes. C'est ainsi que les animaux réagissent entre eux. Donc pourquoi pas les êtres humains ?

«Vous a-t-elle tenu des propos particuliers, qui vous auraient inspiré ce malaise ? Vous a-t-elle posé des questions sur votre vie ? Ou dit quelque chose qui vous ait effrayée ?»

Ce qu'il voulait comprendre, c'était si cette femme avait fait quelque chose de *réel*. Il savait que la sensation que Flavia essayait de décrire n'était pas réelle, au sens de transmissible par des mots, mais elle n'en était pas moins *vraie* pour autant.

« Non, absolument pas. C'était juste ce que j'ai toujours entendu dans la bouche de mes fans. Cela n'avait rien à voir avec ce qu'elle disait : *c'était – c'est* – sa manière d'être.»

Un bruit sourd arriva de l'extérieur de la pièce, les glaçant tous deux. Brunetti se leva et glissa autour de sa chaise, pour se placer entre Flavia et la porte. Il s'accroupit et regarda tout autour pour voir ce qu'il pourrait utiliser en guise d'arme. Mais il reconnut bientôt un bourdonnement de guêpe provenant du vestibule.

Flavia passa devant lui à la hâte et sortit dans le couloir répondre au téléphone, où il l'entendit dire son nom. Il revint à sa chaise et s'y affala, se disant qu'il était bien bête.

Brunetti eut un peu de temps pour réfléchir à ce point, avant le retour de Flavia dans la pièce, sans son portable.

« C'était Silvana. Les docteurs ont dit que la lame n'a pas pu traverser les tissus adipeux, ni les muscles. Un des coups a été bloqué par sa ceinture et a fini dans ses fesses.

Il a reçu deux autres coups entre les côtes et un contre son poumon droit, mais la lame était trop courte. »

Il détourna son regard du visage sidéré de Flavia, comme il l'aurait détourné d'un ami surpris dans sa nudité. Il repensa à son vœu de ne jamais plus taquiner Freddy sur ses poignées d'amour et formait maintenant celui de lui apporter, ou de lui envoyer, la plus grosse boîte de chocolats qu'il pourrait trouver en ville.

Il entendit un bruit suffoqué et se tourna ; il vit Flavia, une main appuyée contre le dossier de son fauteuil, son visage enfoncé dans l'autre. Ses épaules se soulevaient à chaque sanglot. Elle pleurait à la manière d'un enfant : sans discontinuer, comme si c'était la fin du monde. Au bout d'un moment, elle s'essuya le visage avec la manche de son pull.

« Je ne peux pas assurer les dernières représentations, annonça-t-elle d'une voix tremblante. Je ne peux pas. C'est déjà difficile en temps normal, mais là, c'est trop. »

Les larmes continuaient à lui couler des yeux. Lorsqu'elles atteignirent sa bouche, elle se sécha de nouveau les joues.

« Je n'ai jamais vu un opéra depuis les coulisses », dit Brunetti spontanément.

Confuse, elle lui lança un regard oblique.

« La plupart des gens non plus, constata-t-elle en réprimant un sanglot.

— Je pourrais venir aux représentations. »

De nouveau, il avait parlé sans prendre en considération les conséquences de sa proposition et se demanda aussitôt si Vianello ne voudrait pas venir avec lui.

« Dans quel but ? s'enquit-elle, fort embarrassée. Vous l'avez déjà vu. »

Il se dit qu'il devrait lui donner un coup de bâton sur la tête pour lui faire comprendre.

« Afin de veiller à ce qu'il n'arrive rien, répliqua-t-il, se rendant compte seulement à ce moment-là à quel point il péchait par présomption. Je demanderai à quelqu'un de venir avec moi.

— Et vous resterez dans les coulisses ?

— Oui. »

Elle s'essuya de nouveau le visage et il nota qu'elle avait cessé de pleurer.

« Avec un autre policier ?

— Oui.

— Dans *Tosca*, fit-elle, tous les policiers sont méchants.

— Nous serons là pour prouver que certains ne le sont pas. »

Déclaration qui fit sourire Flavia, mais ramena à l'esprit de Brunetti le lieutenant Scarpa.

23

Brunetti partit peu après ; il avait assuré à Flavia que Vianello et lui seraient présents lors de ses deux dernières représentations. Il regarda sa montre et fut étonné de voir qu'il était presque 21 heures. Il appela Paola pour lui dire qu'il était en route et qu'il serait là dans un quart d'heure. Elle marmonna quelques borborygmes et il raccrocha.

Il appela l'inspecteur, qui devait être chez lui, ou au moins dans un endroit où il y avait une télévision, car il entendait en bruit de fond les voix manifestement artificielles des speakers italiens effectuant le doublage des films étrangers. Vianello lui dit d'attendre et le son diminua au fur et à mesure qu'il s'éloignait. Brunetti lui fit part de la proposition qu'il avait avancée pour eux deux, et Vianello lui répondit que l'idée d'aller à l'Opéra l'attirait bien plus que la perspective de deux autres soirées de rediffusion de *Downton Abbey* qu'il ne pouvait supporter, mais qui ravissait Nadia.

« Tu crois que tu pourrais instituer une affectation permanente jusqu'à la fin de cette série ? »

Brunetti rit et lui dit qu'il le verrait le lendemain matin. Lorsqu'il atteignit le pont de l'Académie, il entendit le bruit d'un bateau approcher depuis la droite et il accéléra le pas pour l'attraper. Par chance, c'était le numéro 1 qui le rapprocherait davantage de chez lui que le numéro 2. Il entra dans la cabine pour chercher une place et la chaleur soudaine dans cet espace clos lui déclencha le même accès de fatigue que devant l'hôpital. Bien qu'il détournât la vue des passagers et regardât droit devant lui, il ne parvint à contrer les effets de cette atmosphère confinée, ni sa sensation d'épuisement. Espérant que l'air frais l'aiderait, il retourna sur le pont du bateau et s'appuya contre la vitre de la cabine, mais cette terrible léthargie persistait. *Voilà ce qui arrive avec l'âge*, se dit-il. *S'endormir dès qu'on entre dans une pièce chaude. Avoir besoin d'un mur de soutien, pour ne pas se laisser aller au sommeil. Désirer ardemment être à la maison et dans son lit.*

Il descendit à San Silvestro ; il traversa le passage couvert sur la gauche et sortit de la *calle* principale, puis prit sur la gauche jusqu'à la porte d'entrée. Au moment où il mit la clef dans la serrure et songea aux cinq volées d'escalier qu'il devait grimper, il prit conscience que déménager dans le *palazzo* Falier, le jour où cela arriverait, ne serait pas mieux, en vérité, car il y avait autant de marches, même si la famille utilisait rarement les deux derniers étages.

Trois ans auparavant, le comte avait demandé à un ingénieur d'étudier la possibilité d'installer un ascenseur, et, après un mois passé à taper, mesurer et percer les murs avec des mèches de l'épaisseur d'un crayon, l'ingénieur avait conclu que ce n'était pas faisable. Le comte avait demandé si le fait d'être allé à l'école avec le père du directeur actuel des Beaux-Arts et du Patrimoine pouvait jouer sur cette décision, mais l'ingénieur avait répliqué sans détour que, même si cette relation aurait pu, dix ans plus tôt, avoir une certaine valeur et exercer une quelconque influence, ce n'était plus le cas et qu'il n'y avait donc aucun moyen de réaliser cette installation.

Incapable de réprimer sa surprise, le comte avait demandé pourquoi, alors, tant de *palazzi* de ses amis de jeunesse étaient en train de devenir des hôtels, tous équipés d'ascenseurs.

« Ah, monsieur le comte, avait rétorqué l'ingénieur, il s'agit là de projets commerciaux, donc, naturellement, les permis sont garantis.

— Et je ne suis qu'un citoyen de Venise prenant de l'âge, je suppose ? Donc mon confort ne compte pas ?

— Pas face à celui de touristes aisés, signore », avait assené l'ingénieur avant de partir.

Et parce qu'il était, lui aussi, le fils d'un ancien camarade de classe du comte, il n'avait pas envoyé de facture et le comte, pour la même raison, lui avait envoyé une douzaine de caisses de vin.

Le temps que Brunetti se remémore cette histoire, il était à la porte de son appartement. Il entra, accrocha sa veste et alla au salon, animé par des éclats de voix. Il entra et trouva sa famille sur le canapé, devant la télé, où des gens habillés à la mode du début du siècle précédent étaient assis autour d'une grande table, visiblement pour un dîner formel. Le plateau de fruits disposé au centre semblait aussi haut qu'un cheval et laver et repasser la nappe – en admettant qu'elle parvienne à sécher suffisamment – devait sûrement avoir occupé les membres du personnel une journée entière.

« *Downton Abbey*, je suppose », dit-il en anglais, affirmation qui fut saluée par des *chut* de la part de toute sa famille.

Sur l'écran, une femme rigide de corps et d'esprit déclarait qu'elle n'était pas habituée à de telles remarques et exhortait la femme en face d'elle à répliquer qu'elle n'avait aucune raison de les prendre comme une attaque personnelle, car elle n'avait eu nullement l'intention de l'offenser. « Moi non plus », glissa Brunetti qui pivota sur ses talons et alla dîner à la cuisine.

Lorsqu'il arriva au bureau le lendemain matin, il vérifia d'abord ses e-mails et trouva, parmi un grand nombre de notes de service et de dossiers officiels qu'il aurait souhaité pouvoir traiter comme des spams, un message de signorina Elettra, où elle lui expliquait que la pièce jointe était tirée d'une caméra de surveillance du parking de Piazzale Roma, qui avait filmé les heures précédant l'agression de Federico d'Istria. Sa voiture était la septième de la rangée, précisait-elle.

Brunetti l'ouvrit et se mit à fixer l'étroite bande d'espace comprise entre un mur de ciment gris et la rangée de voitures garées tout du long. Il la regarda quelques instants et vit, à 12 h 35, une voiture entrer et se diriger vers la fin de cette ligne de véhicules. Un homme sortit de son automobile, claqua la portière et partit. La bande passa au mouvement suivant ; la petite horloge en haut, à l'angle droit de l'écran, indiquait qu'il s'était écoulé une heure et vingt-deux minutes. Un autre homme s'approcha d'une autre voiture, ouvrit la portière et y monta. Il fit marche arrière et s'en alla. Quarante-deux minutes plus tard, quelque chose d'énorme, provenant du côté droit, envahit le photogramme, et la scène devint noire.

Brunetti arrêta le film et recula le curseur d'une minute, puis recommença. Dès qu'il revit du mouvement, il fit de nouveau un arrêt sur image et étudia ce plan. Étaient-ce des géants volant sur des bâtons blancs ? Quelle était cette chose noire, en forme de faucille ? Il tapota le curseur et repassa la scène, mais ne saisit toujours pas ce qu'il voyait.

Il prit son téléphone. Il composa le numéro de signorina Elettra et lui demanda :

« Qu'est-ce que c'est ?

— Quelqu'un a placé le bouchon d'objectif d'un appareil photo par-dessus la lentille de la caméra vidéo.

— Et les choses qui ressemblent à des bâtons ?

— Ce sont des doigts, expliqua-t-elle, mais il s'en rendit compte au moment même où il lui posait la question.

— Blancs à cause des gants ?

— Oui.

— Merci, dit Brunetti. Autre chose ?

— Vous pouvez voir que la voiture d'Istria est garée dans le sens de la marche. Il a été agressé alors qu'il ouvrait le coffre, quinze minutes plus tard environ. Il était encore ouvert quand l'ambulance est arrivée.

— Des nouvelles de l'hôpital ?

— Je les ai appelés à 8 heures, mais tout ce qu'ils ont dit, c'est qu'il était en train de se reposer.

— J'attendrai jusqu'à 10 heures et j'appellerai sa femme. À quelle heure a-t-il été agressé ?

— L'appel est arrivé à 14 h 58, environ vingt minutes après que la lentille eut été recouverte.

— Qu'est-ce qu'il portait ?

— Comment ?

— On n'a rien trouvé sur lui ? Un porte-documents, ou une valise ?

— Laissez-moi jeter un coup d'œil », répondit signorina Elettra.

Il écouta le silence ; elle reprit bientôt la conversation :

« Un sac de sport avec deux raquettes de tennis.

— Merci, répéta Brunetti. Vérifiez si un taxi a emmené une femme de l'Académie à Piazzale Roma, à peu près à cette heure-là.

— Une femme ? s'étonna-t-elle.

— Oui.

— Bien, fit-elle. Je vais voir ce que je peux faire. »

Si l'agresseur de Freddy avait surveillé ses allées et venues et l'avait vu sortir dans la *calle* avec un sac contenant des raquettes de tennis, il aurait eu peu de doutes sur sa destination. Les gens jouaient au tennis sur le continent : il se rendait donc au parking de Piazzale Roma. Peut-être avait-il rencontré un ami et s'était-il arrêté prendre un verre ; peut-être son bateau était-il en retard ; ou peut-être avait-il décidé d'y aller à pied : tous ces faits avaient pu lui faire perdre suffisamment de temps pour permettre à l'autre personne d'arriver au parking avant lui, mais encore fallait-il que cette personne connût ses habitudes et sût comment se déplacer rapidement dans cette ville.

Brunetti recomposa le numéro de signorina Elettra.

« Nous avons besoin des vidéos du parking, prises de cette même caméra et de n'importe quelle autre, montrant les voies qu'empruntent les voitures pour entrer et sortir. Ainsi que des ascenseurs et des portes d'escalier donnant accès à cet étage. Nous sommes en train de chercher une femme que l'on voit sur ces images, mais qui ne va vers aucune des voitures ; elle jette juste un coup d'œil tout autour et s'en va. Et qui est là le jour des faits ou — avec un peu de chance — plus ou moins à l'heure où Freddy y était. »

Puis, après un moment de réflexion :

« Qu'est-ce qu'il disait, le mandat du magistrat?

— "Des enregistrements vidéo", répondit-elle immédiatement. "Ceux montrant la zone où est garée la voiture de la victime." »

Après une pause, elle déclara :

« J'adore le langage juridique. »

Brunetti ne releva pas.

« Bien. Rappelez-le aux gens du parking et demandez les bandes des trois dernières semaines.

— Nous avons besoin de quelqu'un pour les regarder. »

L'entendant s'exprimer au pluriel, il se souvint soudain de la situation et lui demanda :

« N'êtes-vous plus en grève? »

Elle rit.

« Non. J'y ai mis fin ce matin.

— Pourquoi?

— Certains des hommes qui travaillent avec Alvise ont vérifié – de manière tout à fait bénévole – les témoignages établis lors de la manifestation et ont interrogé les gens qui les leur ont fournis. Apparemment, l'un d'entre eux a fait une vidéo de la victime en train de trébucher sur un des poteaux où était attachée leur pancarte. »

Brunetti, qui était bien au fait de sa façon de penser, attendait le bouquet final.

« À l'arrière-plan, on peut voir Alvise, au moins à trois mètres de lui. Ils ont aussi trouvé deux personnes qui étaient avec le type pendant qu'il filmait et qui ont confirmé que la victime a trébuché et s'est cogné la tête.

— Assez parlé de violences policières. Alvise a donc pu recouvrer ses fonctions?

— À dater d'aujourd'hui. Cela ne pouvait mieux tomber.

— Pourquoi ?

— Parce que la tante de Francesca Santello l'a ramenée chez elle hier. À Udine. Et je ne savais pas quelle autre activité inventer pour Alvise.

— Qu'en est-il de son père ?

— Il m'a appelée après les avoir mises au train. Il a entendu des bruits qui courent au théâtre – il n'a nommé personne, mais je pense que nous savons qui c'est –, et il ne veut pas que sa fille reste en ville tant que tout ne sera pas rentré dans l'ordre. »

Brunetti était soulagé que la jeune femme soit, sinon en sécurité, du moins loin de Venise.

« Donc nous pourrions charger Alvise d'examiner les bandes du parking. »

Signorina Elettra se tut ; il attendait qu'elle évalue le degré de difficulté que cette tâche pouvait signifier pour le policier. Au bout d'un moment, elle affirma :

« D'accord. Il devrait être en mesure de le faire.

— Les recevrez-vous sur votre ordinateur, ou quelqu'un va-t-il vous les apporter ? »

Entendit-il son soupir ?

« Ils me les enverront par ordinateur, commissaire.

— Pouvez-vous lui trouver un endroit où il puisse les regarder ?

— L'assistant de Bocchese est en vacances : Bocchese laissera probablement Alvise se servir de son bureau et de son ordinateur. Il l'aime bien.

— C'est Bocchese qui aime bien Alvise, ou son assistant ? demanda Brunetti automatiquement, car il trouvait toujours intéressant de connaître les alliances se nouant à la questure.

— Bocchese.

— Bien. Pourquoi ne demandez-vous pas d'abord à Bocchese, ainsi il pourra commencer dès que les bandes arrivent.

— Oui, dottore. Je l'appelle immédiatement. »

Brunetti se souvenait qu'au début de sa carrière, lorsqu'il fallait trouver quelqu'un logeant en ville, ils avaient juste à contacter les hôtels et les *pensioni*, à donner une description de la personne et à fournir, quand ils le savaient, la nationalité. Il ne devait pas y avoir plus de cent endroits à appeler. Aujourd'hui, il était impossible de retracer la présence d'un individu avec les centaines de lieux à appeler ; il était impossible de retrouver une personne à travers le dédale des hôtels, des appartements à louer, des paquebots de croisière, des *pensioni*, des *bed and breakfast*, à la fois légaux et illégaux. Personne ne savait combien il y en avait ni où ils se trouvaient, qui les tenait, ou combien de clients ils avaient. Elle pouvait être n'importe où, conclut Brunetti.

Il sombra dans une longue rêverie, s'affala au fond de sa chaise, les mains derrière la tête, et réfléchit à la question du désir et de la violence. Flavia avait essayé d'expliquer les désirs étranges qui animent les fans, mais qui lui avaient semblé complètement inoffensifs : ces derniers voulaient juste être bien vus des gens qu'ils admiraient. N'était-ce pas monnaie courante ? Peut-être la vie avait-elle été trop bonne avec lui, car la seule femme qu'il eût vraiment désirée, au point de souffrir à la seule idée de ne pouvoir la conquérir, était Paola, la femme qu'il avait épousée et qui faisait maintenant partie de lui. Pour elle, et pour les enfants qu'il avait eus avec elle, il voulait le bien : il ne se souvenait plus quel philosophe avait défini l'amour ainsi, mais c'était la définition la plus parfaite qu'il ait jamais entendue.

Qu'advenait-il d'une passion non partagée ou non valorisée, ou ni même reconnue ? En quel étrange élément pouvait-elle se métamorphoser ? Que se passait-il quand l'objet de votre désir vous évinçait ? Et que toute cette ardeur ne savait où aller ?

On frappa à la porte, ce qui le tira de ses pensées et lui fit brusquement rabattre sur le sol les pieds de devant de sa chaise.

« *Avanti !* » cria-t-il.

Il leva les yeux et vit signorina Elettra, de nouveau vêtue de son costume de femme d'affaires, en chemisier et gilet, même si le chemisier d'aujourd'hui était noir, tandis que le gilet était en brocart de soie doré, couvert visiblement d'abeilles brodées à la main. La beauté du brocart rendant les mots superflus, Brunetti se limita à hocher la tête en signe d'approbation.

Il remarqua qu'elle avait des papiers à la main.

Elle les brandit.

« Ils viennent d'arriver.

— De quoi s'agit-il ?

— Ce sont des informations à propos du collier. »

Brunetti mit un moment à se souvenir du collier laissé sur la table de toilette de Flavia.

« Je vous écoute.

— J'ai envoyé des photos un peu partout.

— Et ?

— J'ai eu en l'espace de quelques heures la réponse d'un joaillier de Paris, disant qu'il avait réalisé ce collier il y a trente-huit ans pour un certain docteur Lemieux. »

Avant que Brunetti pût faire le moindre commentaire sur cette mémoire époustouflante, elle spécifia :

« Il se souvient encore des pierres.

— Que vous a-t-il dit d'autre ?

— Le docteur l'avait fait faire comme cadeau. Le joaillier pense que c'était pour sa femme, même si après tout ce temps il n'en est plus très sûr. Il se souvient bien, par contre, que le docteur lui avait dit qu'il avait ramené les pierres de Colombie longtemps avant. Ce n'étaient pas des pierres de premier choix, mais elles étaient déjà d'une très bonne qualité. Ce sont les mots du joaillier.

— Vous a-t-il dit combien le docteur avait payé pour ce collier ?

— Il a dit que sa réalisation avait pris un mois à son meilleur ouvrier. L'or et le travail coûteraient environ 20 000 euros aujourd'hui.

— Quoi ?

— 20 000 euros.

— Et les pierres ? »

Elle traversa la pièce et posa une photo sur le bureau devant lui. Des pierres vertes jonchaient un fond lisse, de couleur beige. La qualité de la reproduction en couleur était telle qu'elles auraient pu être des bonbons vert foncé. Certaines étaient carrées, d'autres rectangulaires, certaines plus grandes, d'autres plus petites, mais toutes avaient les mêmes bords biseautés que les pierres sur la photo de Bocchese.

Elle la tapota de son index et poursuivit :

« Le joaillier a pris une photo des pierres qui lui avaient été confiées.

— Où est le collier ?

— Il est encore dans le coffre-fort de Bocchese. Je l'ai appelé et lui ai demandé de me préciser leurs formes et leurs tailles.

— Est-ce que ce sont les mêmes pierres ? »

Brunetti la connaissait depuis assez longtemps pour sentir qu'elle lui cachait quelque chose : ce serait probablement la cerise sur le gâteau. Il imagina la satisfaction qu'elle en tirerait à coup sûr et lui posa donc la question finale :

« Et leur valeur ?

— Le joaillier a dit que, sur le marché actuel, elles valent environ 40 000 euros. »

Elle marqua une pause, sourit et précisa :

« Chacune. »

24

« Ce qui fait qu'il doit valoir un demi-million d'euros », calcula Brunetti, fort étonné, et il ne put s'empêcher de se remémorer qu'il avait traversé la ville avec ce collier dans un sac à commissions et qu'il l'avait laissé dans la cuisine toute la nuit.

Un demi-million d'euros.

Signorina Elettra, sans rien perdre de son pragmatisme, demanda :

« Et maintenant ? »

Cette question le tira de ses réflexions.

« Il nous faut trouver pour qui le docteur Lemieux a fait faire le collier, déclara-t-il en s'incluant dans sa réponse, comme s'il lui promettait de flotter dans l'éther au-dessus de ses épaules pendant qu'elle procéderait aux recherches qu'il lui demandait de faire. Et puis il nous faudra savoir à qui il appartient maintenant. »

Elle le regarda sans mot dire.

« Où vit-il ? s'informa-t-il.

— À Paris. Du moins, il y vivait lorsqu'il a fait faire le collier. »

Habitué à prendre certaines libertés chez lui, Brunetti devenait pointilleux lorsqu'il s'agissait de collaborer avec la police des autres pays.

« Nous n'avons donc d'autre choix que de contacter la police là-bas et de leur dire…, commença-t-il, puis il se tut pour réfléchir aux conséquences. Nous pouvons leur dire qu'au cours d'une enquête nous avons trouvé une pièce de joaillerie associée à sa personne et que nous aimerions… »

De nouveau, il ne parvint pas à finir, et conclut :

« Ils ne nous donneront pas cette information, n'est-ce pas ? »

Elle haussa les épaules.

« Est-ce que nous la leur donnerions ?

— Peut-être, mais pas avant des semaines. »

Il fixa le mur de son bureau, mais n'y vit qu'un mur. Après un long moment, signorina Elettra lui apprit :

« Il y a quelqu'un, là-bas, qui me doit une faveur. »

Peut-être pour s'épargner la gêne de devoir répondre à toute éventuelle question circonstanciée de Brunetti, elle précisa :

« Je lui ai donné certaines informations, il y a quelques années. »

Il pria qu'elle ne lui en dise pas plus.

Le silence se fit autour d'eux, un silence porteur de protection et de calme.

Se limitant aux points indispensables, Brunetti poursuivit :

« Il nous faudrait savoir qui le possède maintenant et, si possible, où se trouve cette personne. »

Conscient de la fadeur de ses propos, il ajouta :

« Pas besoin de mentionner ce que nous sommes en train de faire : juste une question de routine. »

Peu de gens étaient aussi doués qu'elle pour donner cette apparence de simple routine.

«Vous pourriez vérifier si le collier a été signalé comme volé. On ne sait jamais. »

Signorina Elettra reprit quelques notes au dos de la photo des pierres. Cette opération terminée, elle lui demanda, en désignant d'un geste vague une autre partie de l'édifice :

« Qu'est-ce que nous en faisons, à présent ? Nous le laissons dans le coffre-fort de Bocchese ? »

Maintenant qu'il en connaissait la valeur, Brunetti hésitait à laisser le collier chez le médecin légiste. Par le passé, on avait réussi à subtiliser, dans son bureau, des drogues et des armes qui avaient été saisies, tandis que le coffre-fort – jusqu'à preuve du contraire – n'avait jamais été dérobé. Mais un demi-million d'euros ?

Brunetti ne voyait aucun endroit sûr où le garder. Ils n'avaient pas de coffre-fort à la maison : les gens ordinaires n'en ont pas, n'ayant rien à y mettre.

Son beau-père en avait un, il le savait, où il gardait les papiers de famille et les bijoux de sa femme.

« Laissons-le là », conclut-il.

Lorsque signorina Elettra sortit de son bureau, Brunetti ne savait trop que faire en attendant son coup de fil et l'information en question. Pour passer le temps, il décida d'aller voir Vianello et de lui expliquer la *Tosca*, entreprise qui lui semblait moins ardue que de tenter de comprendre les élucubrations mentales responsables de leur présence au théâtre le soir même.

Ils se retrouvèrent au bar sur le pont, debout au comptoir, un verre de vin à la main. Mamadou, le barman sénégalais, écoutait l'histoire en même temps que Vianello : chantage sexuel, torture, meurtre, tromperie, trahison, le tout couronné par le suicide inéluctable. Vianello écouta attentivement jusqu'à la fin et s'étonna :

« Comment se fait-il que la police ait le pouvoir d'exécuter un prisonnier ? »

Mamadou passa un long coup de torchon sur le comptoir, le rinça et leva une main pour capter l'attention de Vianello.

« C'est comme dans mon pays, inspecteur. Si vous faites quelque chose qu'ils n'aiment pas, ils vous embarquent, et c'est fini. » Puis il ajouta, d'un ton quasi désapprobateur :

« Mais ce n'est jamais à la lumière du jour, comme ici. »

Vianello et Brunetti s'échangèrent un regard, sans rien dire. Ils prirent le chemin de la questure mais Brunetti, jetant un coup d'œil à sa montre, décida de rentrer déjeuner chez lui et de laisser ainsi suffisamment de temps à Alvise pour regarder les vidéos du parking.

« Mais tu l'as déjà vu, papa, insista Chiara en posant sa fourchette et en détournant son attention de son ragoût de gnocchis. Pourquoi veux-tu le revoir ?

— Parce qu'il est probablement différent, assena Raffi, à la surprise générale des convives.

— Depuis quand es-tu un expert ? » demanda Chiara.

Frappé par ces mots, Brunetti chercha à se remémorer le ton, mais il y perçut une plus forte dose de curiosité que de sarcasme.

Raffi posa aussi sa fourchette et but une gorgée d'eau.

« C'est du pur bon sens, en fait. Si je vais à deux concerts donnés par un même groupe, ils seront différents, n'est-ce pas ? Même s'ils jouent les mêmes chansons. Donc pourquoi devrait-il en être autrement avec l'opéra ?

— Mais l'histoire est toujours la même, rétorqua Chiara. Ce sont forcément les mêmes faits qui se produisent. »

Raffi haussa les épaules.

« Ce ne sont pas des machines, que je sache. Il y a des jours avec et des jours sans. Comme pour les autres chanteurs. »

Bien, songea Brunetti, au moins Raffi n'avait pas précisé de « vrais » chanteurs. Peut-être y avait-il encore de l'espoir.

Apparemment satisfaite de cette explication, Chiara se tourna vers sa mère :

« Pourquoi tu n'y vas pas ? » s'enquit-elle.

Paola lui fit son plus fade sourire, qui était souvent le plus dangereux.

« Tu vas aller travailler chez Lucia et Raffi va aider Franco à remettre son bateau à l'eau cet après-midi, et il restera dîner là-bas. »

Elle se leva et prit les assiettes qu'ils lui tendaient, les mit dans l'évier et revint avec un énorme plat de légumes grillés.

« Ça n'est pas une réponse, maman, répliqua Chiara.

— Tu comprendras un jour, quand tu seras mariée et que tu auras des enfants, ma chérie », intervint Brunetti.

Elle tourna son attention vers lui.

« Elle a envie d'être seule à la maison, explicita Brunetti.

— Qu'est-ce qu'il y a de si extraordinaire à cela ? » s'étonna Chiara.

Paola, qui était assise en face d'elle à table, lui lança un regard neutre, d'adulte à adulte. Elle goûta une fine tranche de courgettes, en apprécia la cuisson et en mangea un autre morceau. Elle posa son coude sur la table et enfonça son menton dans sa paume.

« Cela signifie que je n'ai pas à préparer le dîner, ou à le servir, et à faire la vaisselle après, Chiara. Cela signifie que je peux manger du pain, du fromage et de la salade, ou pas de salade, ou pas de pain ni de fromage, et que je peux me faire à manger ce que je veux. Mais le plus important, c'est que je peux manger quand je veux, et que je peux lire en mangeant, puis retourner à mon bureau et me coucher sur le canapé et lire toute la soirée. »

Voyant Chiara prête à prendre la parole, Paola leva la main et continua.

« Et cela signifie que je peux venir ici et prendre un verre de vin ou un verre de grappa, ou me faire un café ou une tasse de thé, ou prendre juste un verre d'eau, et que je n'ai pas à parler, ou à faire quoi que ce soit, pour qui que ce soit. Et puis que je peux retourner à mon livre et, si je suis fatiguée, aller me coucher et lire au lit.

— Et c'est de cela que tu as envie ? » demanda Chiara d'une si petite voix qu'elle aurait pu provenir d'une fourmi accrochée sous une feuille.

D'un ton plus chaleureux, Paola répondit :

« Oui, Chiara. Pour une fois, c'est de cela que j'ai envie. »

Du dos de sa fourchette, Chiara écrasa un morceau de carotte jusqu'à en faire une purée toute molle dans son assiette et finit par demander, avec un peu plus d'audace :

« Mais pas toujours ?

— Non, pas toujours. »

Sur le chemin du retour, Brunetti s'émerveilla de l'efficacité avec laquelle Paola parvenait à expliquer la vie à sa progéniture : la grâce et la charité qu'elle y mettait le laissaient souvent interdit. Enfant, il n'aurait jamais pu concevoir que sa mère ait sa propre vie. Par définition, elle était sa mère, c'était sa position et son rôle au sein du cosmos, une planète tournant autour du centre de gravité que représentaient ses fils.

Chiara avait juste été forcée à appréhender une nouvelle cosmologie, où les planètes suivaient leurs propres orbites et ne tournaient pas autour de son nombril. Brunetti avait lu, précisément cette semaine-là, un article rapportant que vingt-cinq pour cent des Américains ne savaient pas que la Terre tourne autour du Soleil : il se demanda combien d'individus avaient pris conscience que le monde ne tournait pas autour d'eux.

« Autant qu'elle l'apprenne maintenant », marmonnat-il dans sa barbe, et il jeta un coup d'œil nerveux autour de lui, espérant que personne ne l'ait entendu.

Il arriva à la questure à 15 h 30, au moment où Foa s'approchait du quai. Le vice-questeur Patta, montant de la cabine, vit Brunetti et lui fit signe de s'arrêter. Il sauta sur la rive, agile et souple comme une gazelle, et s'éloigna du bateau sans même remercier le pilote, qui lança un câble autour du taquet et, une fois le bateau amarré, prit la *Gazzetta dello Sport* du jour coincée derrière le volant.

Brunetti attendait, tenant la porte pour son supérieur. C'est peut-être son grade de commissaire qui lui valut le geste de reconnaissance de Patta.

« Montez dans mon bureau dans cinq minutes », lui ordonna-t-il en s'éloignant.

De toute évidence, songea Brunetti, *je ne suis pas le Soleil autour duquel tourne la planète Patta.*

Il décida de doubler ces cinq minutes et alla voir ce qu'Alvise avait découvert sur les bandes vidéo. Il le trouva dans une pièce qui avait la taille d'un cabinet où l'on avait entassé une chaise, un bureau et un ordinateur portable. Une lampe de bureau articulée éclairait la zone autour de l'ordinateur ; la lumière naturelle entrait par la seule fenêtre ovale, située derrière le policier.

Alvise se leva lorsqu'il aperçut Brunetti à la porte, mais ne lui fit pas le salut de rigueur, se méfiant sans doute de ce si petit espace.

« Bonjour, commissaire, dit-il d'un ton grave. Je pense avoir trouvé quelque chose.

— Qu'est-ce que c'est ? s'informa Brunetti, en se faufilant derrière lui afin d'obtenir la meilleure visibilité de l'écran.

— Une femme, qui est allée au parking. »

Alvise jeta un coup d'œil à ses notes, posées sur son bureau, et continua :

« Le 18 – c'est-à-dire il y a dix jours – à 15 heures. »

Il rapprocha un peu sa chaise et demanda : « Cela vous dérange si je m'assois, commissaire ? C'est plus pratique pour mon ordinateur.

— Non, bien sûr que non, Alvise », répondit Brunetti, qui se poussa un peu sur le côté pour permettre au policier de se glisser sur sa chaise.

Alvise posa son index sur le pavé tactile et déplaça le curseur sur l'écran. Brunetti se pencha pour mieux voir et, un moment plus tard, il vit Freddy arriver de la porte de l'escalier, marcher tout droit vers la caméra et disparaître rapidement. Un instant plus tard, une autre caméra le montra en train de s'éloigner : il descendit le long d'une grande file de voitures, s'arrêta à l'une d'entre elles, ouvrit le coffre et y lança son sac à bandoulière. Il gagna la portière du conducteur, l'ouvrit et monta dans la voiture, puis la sortit dans l'allée et partit.

Alvise déplaça de nouveau le curseur, et cette fois ce fut une femme qui surgit de la même porte et se mit rapidement sur un côté, où elle était à moitié cachée par un pilier en ciment. De temps à autre, une partie de sa tête émergeait de derrière le pilier, puis se dérobait tout aussi rapidement.

« Ceci s'est produit combien de minutes plus tard ? s'enquit Brunetti, qui n'avait pas noté l'heure précise dans le film précédent.

— Trente-quatre secondes, commissaire. »

La femme resta derrière le pilier deux minutes et sept secondes, puis elle retourna cahin-caha vers la porte, et disparut.

« L'as-tu revue ?

— Non, monsieur. La caméra qui montre la porte a cessé de fonctionner deux jours plus tard.

— A cessé, ou l'a-t-on fait cesser ?

— J'ai appelé les gens du parking et ils ont dit que ça arrive tout le temps.

— Merci pour ce travail, Alvise. Ce doit être épuisant, lorsque l'on a pour seul point de repère une voiture garée. »

Brunetti usa de la voix avec laquelle il félicitait ses enfants, dans le temps, pour leurs dessins.

« J'ai examiné toutes les bandes deux fois. C'est la seule personne à être entrée sans aller vers sa voiture et sortir du parking. »

275

Brunetti tapota le bras d'Alvise.

« Excellent résultat, déclara-t-il, mais pour éviter qu'Alvise ne le remercie à son tour pour cet éloge il ajouta d'un ton brusque : Tu peux retourner à la salle des policiers, maintenant que tu as réintégré l'organigramme. »

Alvise fut debout en un clin d'œil, mais réussit à cogner sa chaise en la reculant. Brunetti saisit cette occasion pour s'en aller.

Il monta chez signorina Elettra et, ne la voyant pas à son bureau, alla frapper à la porte de Patta.

« *Avanti !* cria son supérieur (c'était précisément le mot, nota Brunetti, que Tosca utilise après avoir donné ses coups de couteau à Scarpia).

— *Vade retro, Satana*, grommela-t-il en ouvrant la porte.

— Qu'est-ce qui vous prend de vous servir de ce crétin d'Alvise pour chercher un suspect ? » assena Patta au moment où Brunetti entrait dans son bureau.

Le commissaire s'approcha et, sans y avoir été prié, s'assit en face du vice-questeur.

« Ce n'est pas un crétin, et il l'a trouvée.

— Quoi ?

— Il l'a trouvée, elle, répéta Brunetti.

— "Elle" ? » s'étonna Patta.

Brunetti vit que son supérieur s'apprêtait à dire autre chose, mais changea d'avis.

« Il a examiné les bandes des caméras de surveillance du parking et il a réussi à repérer la personne qui a probablement essayé de tuer le marquis d'Istria, annonça-t-il calmement, en songeant que c'était sans doute la première fois de sa vie qu'il recourait au titre de Freddy.

— Quelles bandes ? D'où viennent-elles ? Comment est-il possible qu'Alvise les ait vues ? »

Brunetti croisa les jambes et expliqua, tout aussi calmement, qu'ils avaient demandé et reçu l'ordre du magistrat de les consulter, en veillant bien, comme à chaque fois qu'il suivait les procédures officielles pour obtenir des informations, à rapporter consciencieusement à son supérieur tous les éléments importants.

« Vous avez dit "probablement". Cela signifie-t-il que vous n'en êtes pas sûr ? demanda Patta, comme s'il s'attendait à ce que le suspect ait déjà signé des aveux.

— Lorsqu'il est arrivé au parking, elle est sortie par la même porte que lui, s'est cachée derrière une colonne et l'a observé jusqu'à ce qu'il monte dans sa voiture et s'en aille, puis elle a redisparu par cette même porte.

— Ses agissements pourraient-ils avoir une autre explication ?

— Je suppose que oui, approuva Brunetti d'une voix pondérée et amicale. Elle pouvait chercher un endroit où poser une bombe, ou peut-être voulait-elle mesurer les dimensions du parking. Ce pouvait être aussi une touriste qui avait confondu ce garage avec la basilique Saint-Marc. »

Puis, revenant à un ton plus sérieux, il répéta : « Elle l'a suivi, s'est cachée, l'a observé et s'en est allée. Si vous pouvez trouver une meilleure explication à son comportement, dottore, je la prendrai assurément en considération.

— D'accord, d'accord, répliqua Patta, en agitant sa main en signe d'exaspération face à tous ces faits. Qui est-ce ?

— Notre enquête n'a pas avancé à ce point, signore. Il se pourrait qu'elle soit française. C'est ce que nous sommes en train de vérifier.

— Ne traînez pas trop, qu'elle n'aille pas attaquer quelqu'un d'autre au couteau, conseilla Patta.

— Je ferai de mon mieux, monsieur le vice-questeur, déclara Brunetti d'un ton affable en se levant. J'y retourne immédiatement. »

Imitant la déférence d'Alvise vis-à-vis de ses supérieurs, il porta la main à la tempe, pivota sur ses talons et quitta la pièce.

Signorina Elettra était à son bureau ; elle parlait au téléphone. Elle couvrit le combiné de la main et leva le menton en un geste interrogatif. Brunetti indiqua l'étage du dessus et elle hocha la tête en signe d'assentiment. Elle jeta un coup d'œil en direction du bureau de Patta et se reconcentra sur son coup de fil.

Elle apparut à la porte de Brunetti une bonne demi-heure plus tard. Elle la ferma, s'assit en face du bureau de son collègue et posa quelques papiers sur ses genoux. Elle regarda la première feuille, le commissaire, puis de nouveau ce document, et commença :

« Le docteur Maurice Lemieux, chimiste, possède une société qui fournit les produits pharmaceutiques au système sanitaire national français. Il est veuf et a deux filles : Chantal, qui a trente-six ans ; elle est mariée avec un ingénieur d'Airbus, a trois enfants et vit à Toulouse. Et Anne-Sophie, qui a trente-quatre ans, n'est pas mariée et a vécu avec son père jusqu'à ces trois dernières années ; elle n'a jamais travaillé, mais a étudié au conservatoire, sans aller au terme de son cursus.

— Qu'est-ce qu'elle a étudié ? s'enquit Brunetti, même s'il le savait, en fait.

— Le chant. »

Brunetti plaqua son bras gauche sur l'estomac et, y posant son coude droit, se frotta la joue de la main. Il sentit ainsi une petite plaque juste au coin de la bouche qu'il avait oubliée en se rasant le matin, et continua à la gratter doucement du bout des doigts.

« Dites-m'en plus. »

Elle fit glisser la première page du dossier et la posa soigneusement à l'envers sur le bureau. Gardant la tête baissée, elle poursuivit :

« Il y a trois ans, le docteur Maurice Lemieux a obtenu une ordonnance restrictive à l'encontre de sa fille Anne-Sophie, qui n'a plus le droit de s'approcher à moins de deux cents mètres de lui, comme de sa sœur Chantal, de son mari et de ses trois enfants.

— Et pour quelle raison ?

— Parce que Anne-Sophie a accusé son père de lui dérober toute l'affection de sa sœur. »

Signorina Elettra le regarda, puis retourna à son dossier.

« En outre, elle a accusé son père d'avoir donné des objets – des objets que sa femme avait légués en parts égales à ses deux filles, mais dont le docteur Lemieux pouvait légalement jouir de son vivant – à sa sœur, qui soi-disant les aurait emmenés chez elle à Toulouse. »

Sans laisser le temps à Brunetti de poser la moindre question, elle anticipa la réponse :

« Il s'agit des bijoux de leur mère, de tableaux d'une grande valeur, de porcelaines rares, de meubles, et d'autres objets signalés dans la liste de l'accusation et figurant dans les dernières volontés de sa femme.

— Donc elle se présente comme la partie lésée ? conclut Brunetti, en maintenant un ton neutre.

— La police l'a vu d'un autre œil. Tout comme le système judiciaire.

— Que s'est-il passé ? »

Signorina Elettra fit glisser la deuxième page sur le côté et consulta la troisième. « Elle a harcelé son père au téléphone, l'accusant de trahison et de malhonnêteté. Lorsque le docteur Lemieux a cessé de répondre à ses appels, Anne-Sophie s'est mise à lui envoyer des e-mails, passant des accusations aux menaces. Au bout d'un an, il a fini par s'adresser à la police et a déposé plainte, après avoir produit des photocopies des e-mails qu'elle lui avait écrits. »

Signorina Elettra parlait comme si elle lisait à voix haute un conte de fées.

« Après que la police a authentifié et étudié les e-mails, et que le docteur a procuré l'affidavit d'un avocat commis d'office, déclarant que tous les objets listés dans l'accusation du plaignant étaient encore en possession du docteur Lemieux, et restés chez lui, le cas est passé entre les mains d'un magistrat et l'on a entamé un procès. »

Signorina Elettra leva les yeux de la feuille, qu'elle empila sur la dernière.

« Il a fallu un an pour obtenir le jugement. Cela ne vous rappelle-t-il pas des situations analogues, ici ?

— Vous allez trop vite, se limita à dire Brunetti.

— Elle doit rester à une certaine distance d'eux tous, d'après le jugement qui a été rendu.

— S'y est-elle tenue ?

— Il semblerait que oui. Elle doit avoir quitté le pays. Dans tous les cas, elle n'a pas été en contact avec eux pendant plus d'un an.

— Est-ce qu'ils savent où elle est ? »

Signorina Elettra secoua la tête.

« Je n'ai pas de contacts directs avec eux : tout ce que j'ai vu, ce sont les dossiers de la police. »

Brunetti pensa aux fleurs et aux émeraudes, et au fait qu'Anne-Sophie n'ait jamais travaillé.

« Est-ce une famille aisée ? »

Plutôt que de lui répondre directement, signorina Elettra préféra déclarer :

« Un des tableaux que son père aurait donnés à sa sœur est un Cézanne, et l'autre est un Manet.

— Ah, fit Brunetti. Est-ce que la mère a laissé de l'argent à ses filles ? »

Elle jeta un coup d'œil aux papiers, mais Brunetti songea que c'était inutile.

« Chacune a reçu plus de deux millions d'euros et la personne à qui j'ai parlé à Paris a dit qu'il était vaguement question de la Suisse. »

Quand on a affaire à des gens qui possèdent des Cézanne, Brunetti le savait, la Suisse n'est jamais bien loin.

« Y a-t-il une photo ? »

Le feuillet suivant était précisément une photo, qu'elle lui tendit en spécifiant :

« C'est la troisième à partir de la gauche, au second rang. »

Cette coïncidence déconcerta Brunetti, qui se demanda si signorina Elettra ne s'était pas inséré, d'une manière ou d'une autre, une puce dans le cerveau, lui permettant désormais de lire dans ses pensées.

Il regarda cette photo de classe où les adolescentes, appuyées contre une haute congère et toutes revêtues de leurs combinaisons, brandissaient leurs skis sur le côté. La troisième en partant de la gauche, au second rang, était effectivement une grande fille, avec un sourire joyeux plaqué sur le visage. Elle aurait pu être la sœur de n'importe quelle autre élève sur la photo : la plupart d'entre elles avaient le même air de famille.

« C'est quand, et où ?

— À Saint-Moritz, il y a environ vingt ans. Pendant des vacances scolaires à la neige.

— Quelle école ? demanda-t-il, se souvenant des tableaux fissurés et des sièges et des pupitres cabossés de son lycée.

— Une école suisse. Privée. Pas donnée.

— Vous avez d'autres photos ?

— Il y avait des photos de famille, mais elle les a toutes prises lorsqu'elle a quitté la maison de son père.

— Et pendant toute cette affaire juridique, où la presse a dû faire du petit-lait, personne n'a réussi à la prendre en photo ?

— Il y en a quelques-unes, mais certaines ont été prises de côté et d'autres de loin, répondit signorina Elettra en guise d'excuse, comme si elle était responsable de cette carence. Les Français sont plus discrets que nous sur ces histoires. Les procès ne tournent pas tous au cirque.

— Ils ont bien de la chance, constata Brunetti qui demanda, sentant qu'elle avait encore quelque chose d'important à révéler : Autre chose ?

— Elle a eu un accident de voiture il y a environ cinq ans et elle est restée plus de deux mois à l'hôpital.

— Que s'est-il passé ?

— Elle était à un carrefour ; quelqu'un a brûlé le feu rouge et lui est rentré dedans. »

Elle leva les yeux vers Brunetti, marqua une pause, et assena, sans prendre soin de consulter son papier :

« Sa mère était avec elle et n'a pas survécu. Comme le conducteur de l'autre voiture et le passager. »

Il bondit comme un diable hors de sa boîte.

« Qui a vu que le feu était rouge ? »

Son imagination s'emballait : culpabilité, déni, responsabilité dans la mort de sa mère et de deux autres personnes, avec des mois d'hôpital pour se rendre véritablement compte des choses, évaluer et reconnaître sa faute, puis la renier. Qui pourrait sortir indemne d'une telle situation ?

« Les gens qui la suivaient en voiture ont dit que le feu était vert, lui apprit signorina Elettra en mettant fin à ce scénario débridé. Elle a eu trois fractures à la jambe droite et depuis elle boite. »

Sa mémoire partit au galop et il revit tout d'abord la manière étrange dont la femme sur la bande vidéo du parking se déplaçait vers la porte après avoir vu Freddy monter dans sa voiture. Il avait remarqué aussi un autre détail, mais qui persistait à lui échapper. Il tâtonna dans ses souvenirs, comme lorsque l'on s'efforce de distinguer un objet dans le noir. Mais en vain.

Il prêta de nouveau attention à signorina Elettra et s'aperçut qu'il n'y avait plus de feuillets.

« Rien d'autre ?

— Non. Je vais essayer de me procurer son dossier médical, pour y jeter un coup d'œil, mais ce n'est pas facile de travailler avec la France. »

Elle semblait si contrariée que cela attisa la curiosité de Brunetti.

« Pourquoi ?

— Leurs dossiers sont mieux protégés, ou c'est peut-être moi qui ne suis pas adaptée à leur système, rectifia-t-elle avec une touche d'autodérision.

— Peut-être que votre ami Giorgio de la Telecom pourra vous aider, suggéra Brunetti, se rappelant le prénom de l'ami qui s'était révélé si serviable avec elle à maintes reprises.

— Il ne travaille plus à la Telecom. »

La panique de Brunetti ne dura qu'un bref instant : le temps de se dire qu'aucun des amis de sa collègue ne donnerait jamais le moindre nom.

« A-t-il changé d'emploi ? » demanda-t-il, en priant qu'elle réponde oui.

Elle fit un signe d'assentiment.

« Il a monté sa propre société de cybersécurité. Au Liechtenstein. Ils sont beaucoup plus portés sur le business là-bas, m'a-t-il dit.

— Y a-t-il longtemps qu'il y vit ? »

Elle lui lança un regard si intense que Brunetti s'interrogea de nouveau sur sa puce informatique et se demanda si elle n'était pas en train de vérifier qu'elle soit bien en place.

« Non, répondit-elle après un bon moment. Sa société se trouve là-bas, mais lui habite où il a toujours habité, à Santa Croce, juste à côté de ses parents.

— Ah, fit Brunetti. Je croyais que vous vouliez dire qu'il y avait déménagé.

— Non, il y a transféré seulement sa société. Il a installé un serveur proxy, ce qui fait qu'il la gère d'ici, mais en donnant l'impression qu'il vit là-bas. »

Brunetti hocha la tête, comme s'il comprenait à la fois les tenants et les aboutissants de l'affaire.

« Peut-être pourrait-il vous donner un coup de main pour cette enquête ? suggéra-t-il.

— Il s'y est déjà mis », déclara-t-elle en se levant.

25

Brunetti décida d'apporter sa contribution; il alluma donc son ordinateur, alla sur Google et entra le nom du docteur Lemieux. La plupart des articles qui s'affichèrent étaient en français et après les avoir lus lentement, et à sa façon, il en trouva un sur le *Sole 24 Ore*[1], remontant à cinq ans, qui expliquait le projet de fusion des laboratoires de recherche Lemieux avec une société pharmaceutique de Monza. Il en dénicha un autre paru plus tard, attestant que le projet de fusion avait été annulé, mais ne trouva rien d'autre en italien.

Il parcourut les titres des derniers articles en français et finit par tomber sur celui relatant l'accident de voiture où Anne-Sophie Lemieux avait été blessée et sa mère tuée, mais n'apprit rien que signorina Elettra ne lui ait déjà révélé.

Il ne connaissait pas le nom du mari de l'autre sœur et chercha donc Chantal Lemieux, mais en vain. Pour ce qui était d'Anne-Sophie, ne figuraient que le rapport sur l'accident et une brève mention de son rôle mineur dans une production d'*Orfeo*, six ans auparavant, avec les élèves du conservatoire de musique de Paris.

Se souvenant, en écho au perpétuel avertissement de signorina Elettra qu'on ne sait jamais ce qu'Internet peut

---

1. Quotidien italien spécialisé dans l'économie et la finance.

cacher dans ses plis et ses replis, il vérifia à tout hasard la date de l'article puis il éplucha, lentement et minutieusement, les programmes de l'Opéra de Paris des semaines antérieures et postérieures à la date d'apparition d'Anne-Sophie dans la production étudiante.

Quatre jours plus tard, Flavia Petrelli avait chanté dans *La Traviata* au Palais Garnier. Il sentit ses poils se hérisser sur son bras droit et il le frotta vigoureusement jusqu'à la disparition de cette sensation. L'étape suivante : abattre des poulets sur le balcon pour décrypter leurs entrailles.

Il ouvrit un autre onglet et tapa « *stalkers* » ; il ne fut pas du tout surpris de constater que le gros des articles affichés était en anglais. Plus d'un quart traquaient des célébrités ; lorsque le *stalker* recherchait l'amour de sa victime, le harcèlement durait en moyenne trois bonnes années et était opéré majoritairement par des femmes. Quant aux victimes, elles souffraient d'un manque de sommeil, déménageaient fréquemment pour tenter d'échapper aux attentions importunes, essayaient parfois de changer d'emploi et étaient hantées par l'idée de devoir traiter avec une personne dédaignant les codes du comportement humain.

La dernière fois qu'il avait vu Flavia, elle n'avait pu dissimuler son état de tension. Il se demanda comment elle parvenait à se concentrer sur le chant avec une telle épée de Damoclès au-dessus de la tête. Instinctivement, il l'aurait appelée, ne serait-ce que pour demander… Mais demander quoi ? Si une autre personne à qui elle avait parlé avait été agressée ? Si quelqu'un avait essayé de la tuer ? Sa proposition restait la meilleure solution : aller assister avec Vianello à la représentation de ce soir-là, puis à la dernière. Et voir ce qui se passerait.

Il composa le numéro de Vianello :

« Est-ce que tu as vu Alvise ? lui demanda-t-il.

— On aurait dit un jeune marié, répondit Vianello aussi joyeusement que s'il avait été invité à la noce. Il ne lui manquait plus qu'une fleur au revers de son uniforme.

— Quelle tâche lui as-tu assignée ? s'enquit Brunetti, certain que le policier devait être content d'avoir totalement réintégré son poste.

— Il avait si fière allure que je l'ai envoyé en patrouille entre San Marco et le Rialto.

— Il y avait des problèmes là-bas ?

— Non, mais il était si décoratif, s'amusa-t-il, que je voulais que les touristes le voient. L'an prochain, au Carnaval, on en verra probablement des centaines déguisés en policiers. »

Lorsque Vianello cessa de rire, Brunetti déclara, en espérant que Vianello fasse courir le bruit auprès des autres collègues :

« Il a franchement fait un bon boulot avec ces bandes vidéo.

— Il m'a dit que tu avais apprécié son travail, confirma Vianello, sans s'attarder davantage sur la question. C'est à quelle heure, ce soir ?

— Ça commence à 20 heures. Je t'attends à l'entrée des artistes à 19 h 30.

— Elle me signera un autographe ?

— Trêve de plaisanteries, Lorenzo, assena Brunetti d'un ton faussement sévère.

— Je suis sérieux. Nadia est folle d'opéra. Et, quand elle a su que j'y allais ce soir, elle m'a demandé de lui en rapporter un. »

Inquiet que Vianello n'en ait dit plus qu'il ne fallait, Brunetti s'informa :

« Nadia n'a pas trouvé bizarre qu'on y aille ?

— Non, je lui ai expliqué que j'étais affecté à une unité chargée d'accompagner le préfet et un diplomate russe. Et je lui ai bien fait comprendre que je n'en avais pas envie.

— Ce n'est pas vrai, n'est-ce pas ?

— Non. En fait, au début je n'aimais pas trop l'idée, mais j'ai regardé quelques extraits sur YouTube et je voudrais voir ce que ça donne en vrai. »

Brunetti ne savait pas trop ce qu'ils pourraient ou seraient autorisés à voir depuis l'arrière-scène, mais ils découvriraient quand même la production comme peu de gens pouvaient le faire : moins de glamour, plus de vérité.

Il dit à Vianello qu'il le verrait plus tard et raccrocha. Ses pensées revinrent vers Flavia et au paradoxe entre ce qu'il savait et ignorait à son sujet : il connaissait le nom de ses trois derniers amants, mais ne se souvenait pas du nom de ses enfants ; il savait qu'elle était terrorisée par les folles attentions d'une fan violente, mais ne savait pas quels étaient ses livres préférés, ses lubies alimentaires, ses films culte, ou d'autres détails encore. Il l'avait blanchie d'une accusation de meurtre et avait sauvé la vie de son amant, il y avait des années de cela, mais il ignorait pourquoi cette fois il était si important pour lui de l'aider.

Il jeta un coup d'œil sur son bureau et vit les papiers qui s'y étaient accumulés les derniers jours : abandonnés, pas lus, d'un piètre intérêt. Il fit glisser la première pile vers lui, prit ses lunettes dans le tiroir de son bureau et se força à s'en occuper. Affligé par la monotonie des trois premiers, il s'apprêtait à les balancer dans la corbeille du papier à recycler, où l'on pouvait jeter les documents non sensibles, mais il se limita à pousser la pile et se leva. Il avait appris de bonnes nouvelles concernant la santé de Freddy, le dispensant de lui rendre visite. Mais, puisqu'il avait le temps de faire un saut à l'hôpital avant d'aller se changer chez lui pour l'Opéra, il décida d'aller le voir.

Brunetti appela depuis la voiture de la police, en disant d'abord au standard puis au service de chirurgie qu'il était le commissaire Guido Brunetti et qu'il était en route pour aller parler au marquis d'Istria sur la tentative de meurtre commise sur sa personne. Alors que ni son grade ni le titre de Freddy n'avaient visiblement fait le moindre effet, le mot « meurtre » s'avéra remarquablement galvanisant et, dès son arrivée au service de chirurgie, on le conduisit à la chambre sans questions, ni hésitations.

Le marquis Federico d'Istria semblait en bonne forme. Il avait l'air fatigué, voire épuisé, et de toute évidence il avait mal, mais Brunetti avait vu beaucoup de gens victimes d'agressions et Freddy s'en sortait plutôt bien, comparé à d'autres. Il se tenait bien droit contre une banquise d'oreillers, les bras le long du corps, reliés à une perfusion. Un seul tube sortait de dessous les couvertures et se déversait dans un sac en plastique transparent, à moitié rempli de liquide rose.

Brunetti se dirigea vers le lit et posa les mains sur le bras de son ami, le plus loin possible de l'aiguille :

« Je suis désolé pour ce qui s'est passé, Freddy, lui dit-il.

— Ce n'est rien, murmura le marquis en claquant la langue en signe de mépris. Des problèmes, quels problèmes ?

— Te souviens-tu de quelque chose ?

— Tu me parles en policier ? demanda Freddy, sans parvenir à terminer la toute dernière syllabe.

— Je suis toujours un policier. Tout comme toi, tu seras toujours un gentleman. »

Au grand ravissement de Brunetti, Freddy afficha un large sourire à ces mots, puis il grimaça et ferma les yeux, inspirant l'air à travers ses dents serrées. Il l'expulsa en crispant les lèvres, comme Brunetti l'avait vu faire chez un nombre incalculable de personnes en état de souffrance.

Freddy le regarda et annonça :

« Plus de trente points de suture. »

Brunetti se demanda si Freddy, habituellement le plus modeste des hommes, n'était pas en train de se vanter.

« De petits trous, spécifia-t-il pour justifier le chiffre.

— Une sale affaire, approuva Brunetti. Qui explique la suite. »

Il leva un doigt vers le goutte-à-goutte et indiqua le tube que Freddy ne pouvait pas voir. Il commença à se sentir comme un des personnages des films de guerre britanniques qu'il regardait enfant. Devrait-il dire à Freddy de raidir sa lèvre supérieure ? Freddy semblait le faire de manière naturelle, indépendamment de la signification du geste.

« Te souviens-tu de quelque chose ? lui demanda-t-il de nouveau.

— Si je ne te le dis pas, tu enlèves ma perfusion ?

— Quelque chose de ce genre », dit Brunetti en secouant la tête.

Puis, d'un ton sérieux, il insista :

« Dis-moi. »

Lorsqu'il vit Freddy baisser les paupières, il lâcha :

« Cette personne va faire du mal à Flavia. »

Freddy ouvrit les yeux brusquement.

« Je ne plaisante pas. C'est elle la cible de la personne qui a envoyé les fleurs.

— *Maria Santissima* », murmura Freddy.

Il referma les yeux et remua ses épaules sur les oreillers, en faisant de nouveau une grimace.

« J'ai mis mon sac dans le coffre. Derrière moi, quelqu'un. Quelqu'un de mince. Puis la douleur dans mon dos. J'ai vu la main de la femme et le couteau. Je l'ai poussée du coude, mais je suis tombé. »

Il regarda Brunetti et son visage se détendit.

« Flavia », commença-t-il, et soudain il n'y eut plus personne. Brunetti se tenait au-dessus de lui et regardait sa poitrine monter et descendre, monter et descendre. Il voulait aider Freddy, et tout ce qu'il songea à faire fut de remonter la couverture sur lui, mais, comme cela pouvait gêner les aiguilles, il préféra poser sa main sur celle qui était le plus près de lui et il l'y laissa un long moment. Puis il la pressa doucement et quitta la chambre.

26

Lorsqu'ils se retrouvèrent à l'Opéra, Brunetti dit juste à Vianello que Freddy avait déclaré avoir été attaqué par une femme. Il souffrait, mais était apparemment hors de danger. Le reste de l'entretien lui semblait trop personnel pour être répété, même à l'inspecteur. Qu'est-ce que le marquis avait voulu lui dire à propos de Flavia, ou quel message voulait-il lui faire parvenir ? Freddy et Flavia avaient vécu à Milan le temps de leur liaison, mais Brunetti n'avait fait la connaissance de la cantatrice que quelques années plus tard. En fait, cette brève rencontre sur le pont de l'Académie était la seule fois où il les avait vus ensemble, autrement qu'en photo. Vianello lui tint la porte ouverte ; Brunetti abandonna ses pensées et entra à la Fenice.

L'espace autour de la loge du gardien semblait plus chaotique que la fois précédente et le volume des conversations plus élevé. Pour Brunetti, ces voix trahissaient davantage de colère que d'excitation mais il les ignora et, sans prendre soin de montrer sa carte professionnelle, il monta l'escalier à la recherche du régisseur qui l'avait autorisé, sur la requête de signora Petrelli, à rester à l'arrière-scène pendant les dernières représentations.

Ils parvinrent à son bureau non sans difficultés et furent accueillis par un jeune homme à l'air surmené, qui tenait deux *telefonini* ; l'un pressé contre son oreille gauche, l'autre contre sa poitrine :

« ... de fois dois-je te le dire ? Je ne peux rien faire », dit-il durement.

Il changea de portable, et de ton :

« Bien sûr, bien sûr, nous faisons tout ce que nous pouvons, monsieur, et nous sommes sûrs que le directeur général aura une réponse d'ici la fin du deuxième acte. »

Il écarta le téléphone un moment et s'en servit pour faire le signe de croix sur sa poitrine. Sur quoi il retourna écouter un instant, puis conclut : « J'y serai », et il enfouit ses deux portables dans les poches de sa veste.

Regardant les deux hommes en face de lui, il proclama : « Je vis dans un cirque. Je travaille dans un cirque. Je suis entouré de fauves affamés. En quoi puis-je vous aider ?

— Nous sommes à la recherche du régisseur, dit Brunetti sans présentations.

— Comme tout le monde, mon chou, répliqua le jeune homme en s'en allant.

— J'ai dit un jour à ma mère que ce devait être merveilleux d'être un acteur de cinéma, raconta Vianello d'un air impassible.

— Et ?

— Et elle a dit qu'elle s'immolerait si je redisais une chose pareille.

— Voilà une femme sage », observa Brunetti.

Il regarda sa montre. Il était 19 h 45.

« Je suppose que le mieux est de rester de chaque côté de la scène, suggéra-t-il à l'inspecteur. Elle m'a dit que deux agents de la sécurité l'accompagneront de sa loge à la scène et vice versa. »

Une femme en jeans, et munie d'écouteurs, se dirigea vers eux.

« Pour aller à la scène? lui demanda Brunetti.

— Suivez-moi », répondit-elle sans prendre soin de demander qui ils étaient, ou pourquoi ils étaient là.

Apparemment, une fois que l'on avait traversé le Styx, personne ne songeait à remettre en question votre droit d'être en Enfer. Elle passa devant eux et ils la suivirent le long du couloir, franchirent une porte, gravirent un escalier, longèrent un autre couloir où se succédaient plusieurs portes, puis descendirent une volée de marches.

« Continuez tout droit », leur dit-elle; elle ouvrit une porte et disparut.

Il y avait moins de lumière, mais ils entendaient le bruit provenant d'en haut. Ils marchèrent en file indienne, Brunetti en tête. Il songea à utiliser son téléphone comme une torche, mais préféra s'arrêter un instant pour s'adapter à l'obscurité. Il se remit en route, trouva une épaisse porte coupe-feu, l'ouvrit et pénétra dans un lieu empli de sons étouffés et de barres lumineuses.

Il lui fallut un moment pour comprendre : ils venaient de gagner l'arrière-scène, le point le plus éloigné de la fosse d'orchestre, située à main droite. Brunetti regarda la scène et reconnut l'intérieur de l'église de Sant'Andrea della Valle, où des échafaudages donnaient accès à une plate-forme construite en face d'un portrait de femme inachevé. En dessous de cette plate-forme se trouvaient une double rangée de bancs d'église, un autel et un énorme crucifix suspendu au mur derrière lui. Le lourd rideau séparant la scène du public était fermé.

Brunetti essaya de se souvenir si Tosca arrivait sur scène par la gauche ou par la droite, mais il ne réussit pas à se le rappeler. Elle n'apparaissait pas avant un certain temps, de toute façon, donc ils avaient des chances de se placer au meilleur endroit, encore fallait-il savoir lequel c'était.

« Tu restes de ce côté-ci, et moi je vais de l'autre. »

Vianello regardait autour de lui comme si on lui avait demandé de mémoriser la situation et d'en faire ensuite un rapport.

« Est-ce que j'arriverai à te voir, de l'autre côté ? » demanda l'inspecteur.

Brunetti évalua la distance et se remit l'opéra en tête. L'acte I se déroulait entièrement dans ce décor, donc ils avaient simplement à sélectionner deux points d'où ils ne se perdraient pas de vue, tout en gardant un œil sur la scène. L'acte suivant se passait dans le bureau de Scarpia et le troisième sur le toit du château Saint-Ange : quelques marches, le mur où Cavaradossi serait exécuté, et le bas parapet d'où Tosca s'élancerait et trouverait la mort. Brunetti ne savait absolument pas où il valait mieux se mettre : probablement avec le régisseur, s'ils arrivaient à le trouver, censé tout garder sous son contrôle du début à la fin de la représentation.

« Nous pouvons nous envoyer des messages, suggéra-t-il non sans se sentir stupide, surtout qu'il ne savait pas s'ils passeraient dans la zone derrière la scène. Reste ici et j'essaierai de me glisser sous les échafaudages.

— Donc nous cherchons bien une femme ? s'assura Vianello.

— Freddy a vu une main de femme et tout ce que nous avons appris porte à croire qu'il s'agit bien d'un individu de sexe féminin, confirma Brunetti et il ajouta, sans laisser le temps à Vianello de s'informer à son sujet : Le suspect est une Française de trente-quatre ans, grande, et qui boite. Aucun autre élément.

— Savons-nous ce qu'elle veut ?

— Seuls Dieu et elle le savent. »

Brunetti tapota deux fois le bras de Vianello et traversa la scène. Au moment où il s'avança, deux personnes sifflèrent et une autre jeune femme, avec un casque à écouteurs, se précipita vers lui et le tira en arrière, près de Vianello.

« Police, dit Brunetti sans donner d'autre explication. Je dois aller de l'autre côté. »

Il dégagea son bras de sa poigne.

Sans crier gare, elle le saisit par la manche et, chaussée de ses tennis, elle le mena à toute vitesse sur la gauche. Elle se glissa derrière le panneau de bois qui formait l'autel et le mur arrière de l'église et retourna de l'autre côté de la scène. Elle le laissa à un mètre de l'échafaudage, lui enjoignit de ne pas bouger et s'en alla.

Brunetti se faufila derrière cet échafaudage ; l'escalier le cachait à la fois du public et de la scène. Il chercha des yeux Vianello, à travers la fissure entre les planches de contreplaqué. Son ami regarda dans sa direction et leva une main.

Les voix du public lui parvenaient à travers le rideau : des chuchotements monocordes, tels le flux et le reflux des vagues sur la plage. Un homme portant un micro et des oreillettes traversa la scène à la hâte et posa un panier en osier au pied des marches menant au portrait, pivota, retraversa la scène furtivement et disparut à travers la grille en métal de la chapelle de la famille Attavanti.

Le bruit du public diminua lentement, s'arrêta, puis l'on entendit une salve de tièdes applaudissements, suivis d'une longue pause. On distingua ensuite les cinq notes initiales de l'opéra, lourdes d'affliction, le bruissement du rideau et, aussitôt après, la violente musique annonçant l'arrivée du prisonnier qui s'était échappé du cachot de Scarpia et qui était traqué.

Comme Brunetti savait qu'il resterait là pendant l'acte tout entier, il chercha à dégager son champ de vision et se pencha en arrière contre une planche horizontale qui soutenait l'échafaudage. Il regarda dans la direction de Vianello, puis des chanteurs déjà sur scène. Brunetti se laissa bercer un certain temps par cette musique familière, même si le son était plus assourdi à cet endroit.

Flavia avait raison à propos du chef d'orchestre : l'opéra traînait en longueur, même la première aria du ténor. De temps à autre, Brunetti faisait un tour complet sur lui-même, pour avoir une meilleure vue de la scène et de tout élément ou tout individu ayant un air suspect. La femme à l'oreillette apparut soudain près de Vianello, mais ils firent semblant de ne pas se voir.

Il était tellement concentré sur ce qui l'entourait qu'il ne s'aperçut même pas de la montée en puissance de la musique, à l'entrée en scène de Flavia, et ne revint à l'opéra que lorsqu'il l'entendit appeler « Mario, Mario, Mario ! ».

Le public salua son arrivée par un enthousiasme effréné, sans qu'elle ait même chanté la moindre note de ce premier acte où son rôle, dans le souvenir de Brunetti, restait tout à fait mineur. Elle se tenait à six, voire sept mètres de lui ; à cette distance, il pouvait noter son lourd maquillage de scène et le velours de sa robe élimé à plusieurs endroits. La proximité, toutefois, intensifiait aussi le champ de forces qui l'entourait lorsqu'elle murmurait ou chantait à voix basse ses accusations de jalousie à l'encontre de son bien-aimé. Le ténor, qui s'était montré raide et artificiel dans sa première aria, s'anima à ses côtés et chanta ses brefs passages avec une ferveur qui submergea Brunetti et déferla assurément sur le public. Il avait interrogé des personnes qui avaient tué par amour, et il avait décelé, dans leurs aveux, cette même fermeté dans le délire.

L'acte continuait. Flavia partit, et en son absence tout retomba. Brunetti voulait aller dans sa loge, mais il y renonça, autant parce qu'il ne voulait pas la distraire en pleine représentation que parce qu'il craignait d'être vu ou entendu s'il bougeait d'où il était.

Il observa l'action, regarda le ténor exagérer les différentes expressions de son visage avant de les projeter au-delà des feux de la rampe. Scarpia, avec son air plus méchant que les méchants, était peu convaincant mais, dès que Flavia revint et qu'il put cristalliser son désir sur elle, l'atmosphère se chargea de tensions ; même la musique s'emplissait d'inquiétude.

Elle rôdait sur la scène à la recherche de son amant, le corps vibrant de jalousie. Scarpia, le serpent, se métamorphosa en araignée et tissa sa toile jusqu'à ce qu'elle s'y empêtre et sorte de scène, terrassée par le doute devenu certitude. Seuls la majesté de la foule en procession et le *Te Deum* évitèrent que la représentation ne tombe trop bas, une fois la scène privée de l'énergie de la cantatrice. L'homme de spectacle qu'était Puccini avait su insuffler une grande puissance à ce moment crucial, s'achevant par l'aveu déchirant de Scarpia qu'il avait perdu son âme.

L'acte prit fin et les applaudissements fusèrent à travers, en dessous et autour du rideau. Brunetti regarda les trois protagonistes s'avancer vers le centre de la scène et, main dans la main, passer à travers l'ouverture pour venir cueillir leurs ovations, qui s'affaiblirent peu à peu.

Brunetti hésitait à se rendre dans la loge de Flavia. Les agents de sécurité, qui avaient regardé le premier acte depuis les coulisses, l'avaient immédiatement escortée. Il décida de ne pas aggraver son stress et de faire le tour de l'arrière-scène à la recherche de Vianello, afin de trouver tout individu ayant l'air aussi déplacé qu'eux en ce lieu.

Vingt minutes plus tard, ils étaient tous deux dans l'embrasure de la porte anti-incendie, en train de regarder les machinistes allumer et placer les chandeliers sur la table de Scarpia, retaper les coussins sur le divan où devait avoir lieu le viol de Tosca et poser le couteau soigneusement à droite de la coupe de fruits. Un homme arriva sur la scène, s'affaira autour de cette coupe, fit glisser le couteau d'un centimètre sur la droite, recula pour admirer la nouvelle disposition et s'en alla.

Scarpia traversa la scène en souriant et en parlant dans son portable, puis s'assit à son bureau. Il enfouit son téléphone dans la poche de sa veste en brocart et prit son porte-plume. Des applaudissements de l'autre côté du rideau signalèrent l'arrivée du chef d'orchestre, puis les premières notes retentirent.

Brunetti fut frappé par l'effet lénifiant de cette musique, qui ne laissait absolument pas présager de la tragédie imminente. L'obscurité se fit et Scarpia s'adonna aussitôt à ses fantasmes de violeur : mots qui perturbèrent profondément Brunetti car il avait souvent entendu le même genre de propos dans la bouche d'hommes en état d'arrestation : « Je préfère le parfum d'une conquête violente à un doux consentement » ; « Dieu a créé des plaisirs variés, et je veux tous les goûter ».

L'opéra passa rapidement des mots à l'action et Brunetti se trouva confronté au ton et à la vision de la violence : les menaces pesant sur Cavaradossi, le bon accueil réservé à Tosca, mais seulement pour abuser d'elle, l'enlèvement de son bien-aimé, hurlant de douleur sous la torture. L'horreur s'ajoutait à l'horreur, jusqu'à ce que Cavaradossi, en sang et vaincu, fût traîné sur la scène, puis évacué.

La musique s'adoucit, devint résolument enjouée, étrange prélude à cette pure abomination qu'est le chantage sexuel. Brunetti prêta de nouveau attention à Tosca, juste au moment où elle découvrait le couteau sur la table, le délicat petit couteau à fruits – avec sa lame minuscule, mais assez longue pour en envisager instantanément l'usage. Elle s'en saisit brusquement et il put quasiment distinguer la force que ce geste exigea de ses muscles. Est-ce que l'arme l'avait fait grandir ? Elle se tenait en tout cas plus droite et s'était libérée de l'emprise hypnotique de la faiblesse.

Scarpia posa sa plume, se leva de son bureau tel un ouvrier qui, s'étant dignement acquitté de sa tâche, viendrait chercher son dû. Il se dirigea vers elle, la narguant avec son sauf-conduit dans la main, tel un bonbon, et lui demanda de monter avec lui dans sa diligence, allez, sois mignonne, petite. Tandis qu'il l'attirait à lui, elle lui donna un coup de couteau dans le ventre, le remonta jusqu'au sternum et sortit la lame. Brunetti en avait eu le souffle coupé la semaine précédente et, la voyant refaire ce geste de plus près, et avec davantage encore de réalisme, il suffoqua de plus belle.

Scarpia tourna le dos au public pour faire jaillir le sang d'un tube qu'il tenait à la main, puis revint vers Tosca et l'empoigna. Et elle, rouge de colère, lui criait qu'il avait eu le baiser de Tosca et qu'il avait été tué par la main d'une femme.

« Regarde-moi, je suis Tosca ! » hurlait-elle en pleine figure à l'homme agonisant et, tout en ressentant l'horreur de cet acte, Brunetti s'émerveilla qu'aucune femme ne se lève dans le public pour l'acclamer.

Elle arracha le sauf-conduit de la main morte, plaça une bougie dans l'autre, laissa tomber un crucifix sur la poitrine de Scarpia et, tandis que la musique faisait écho à son trépas, elle s'esquiva pour aller sauver son bien-aimé.

Le rideau tomba et les applaudissements tonnèrent. Scarpia posa un genou par terre avant de se lever, puis il s'épousseta et tendit les mains à Flavia qui était restée dans les coulisses. Cavaradossi, le visage un peu moins en sang, vint unir ses mains aux leurs. Tous trois se faufilèrent à travers l'ouverture du rideau et furent happés par les acclamations.

« Mon Dieu, je ne savais pas, entendit-il Vianello dire à ses côtés. C'est magique, non ? »

Ça y est, un converti, songea Brunetti, qui répliqua :

« Oui, ça l'est, ou ça peut l'être. Quand ils sont bons, il y a peu de choses qui peuvent égaler l'opéra.

— Et quand ce n'est pas bon ? demanda Vianello, même si visiblement il ne pouvait le concevoir.

— Même quand ce n'est pas bon, en fait », certifia Brunetti.

Les applaudissements s'atténuèrent et, lorsqu'ils regardèrent de l'autre côté de la scène, ils virent Flavia flanquée des deux agents de la sécurité. Brunetti lui fit un signe, mais elle ne le vit pas et elle quitta la scène avec les deux gardes. Fatigués d'être restés debout si longtemps, ils demandèrent à un machiniste qui passait par là où se trouvait le bar et ils suivirent ses instructions. Ils se trompèrent deux fois, mais ils finirent par le trouver, prirent un café et écoutèrent les commentaires qui fusaient ici et là. Brunetti n'entendit rien de notable, mais Vianello écoutait attentivement, comme si les propos des gens pouvaient être instructifs.

Ils regagnèrent leurs places respectives quelques minutes avant le lever de rideau. Les échafaudages derrière lesquels Brunetti s'était caché étaient devenus un escalier montant au toit de château Saint-Ange, si bien qu'il n'avait plus d'endroit où se dissimuler. Il se déplaça lentement dans le noir jusqu'aux coulisses, d'où il pouvait apercevoir le toit où allaient se dérouler les événements du troisième acte.

Un moment plus tard, les deux gardes raccompagnèrent Flavia jusqu'aux marches au pied des remparts et attendirent qu'elle les gravisse, puis ils se remirent sur les côtés.

Même si la mort était la seule issue, la scène s'ouvrit par un doux son de flûtes, de cors et de cloches d'église, tandis que la nuit, plongée dans la plus parfaite tranquillité, retrouvait peu à peu la douceur du jour. Brunetti détourna son attention des changements d'éclairage et observa les gens de l'autre côté qui, immobiles, penchaient leur tête en arrière pour pouvoir suivre l'action sur les remparts qui les dominaient.

Brunetti voyait, de loin, la plus grande partie de l'espace où l'acte allait avoir lieu ; au-dessus de lui s'élevait la figure imposante de l'archange à l'épée, qui avait donné son nom au château. Cette perspective lui permettait aussi de regarder à travers la structure en bois qui soutenait les remparts, derrière lesquels se trouvait la plate-forme qui, s'appuyant sur un chevalet de levage à environ un mètre en dessous, était couverte des panneaux rembourrés de mousse de polystyrène censés amortir la chute de Tosca. Le mécanisme et la plate-forme étaient tous deux invisibles depuis la salle, voire depuis les remparts eux-mêmes et, grâce à une échelle, Tosca ressuscitée pouvait descendre de la plate-forme à la scène et arriver à temps pour faire la révérence.

Il observa le cours des événements, écouta le ténor chanter son aria, vit Tosca rentrer précipitamment sur scène, mais il baissa les yeux pour balayer du regard l'arrière-scène, à la recherche de tout signe ou de tout individu suspects. Il entendit des coups de fusil au-dessus de lui : Mario était perdu, même si Tosca l'ignorait encore. Avec le plus grand calme, elle attendit le départ des méchants, puis exhorta Mario à se lever, mais Mario était mort. La musique s'emplit de fureur, Tosca fut saisie de panique et cria. Et la musique hurla plus fort encore. Lorsqu'elle se précipita sur la gauche, Brunetti put la voir bien au-dessus de lui, debout au bord du mur, regardant en arrière, avec une main levée devant elle et l'autre dans son dos. « O Scarpia, avanti a Dio », chanta-t-elle. Puis elle fit le saut de la mort.

Les applaudissements couvrirent largement les pas de Brunetti, le rideau fermé le dissimulant aux yeux du public tandis qu'il passait derrière le décor peint pour s'approcher du pied de l'échelle appuyée contre la plate-forme. Il entendit piétiner au-dessus de sa tête, puis il vit apparaître un pied et une jambe. Flavia poussa du pied l'ourlet de sa robe et se mit à descendre.

Brunetti se plaça sur le côté et l'appela assez fort pour pouvoir dominer les applaudissements qui continuaient à provenir du théâtre. « Flavia, c'est moi, Guido. »

Elle se tourna et baissa les yeux, s'arrêta soudain, s'agrippa aux côtés de l'échelle et pressa le front contre le barreau devant elle.

« Qu'y a-t-il ? demanda-t-il. Qu'est-ce qui se passe ? »

Elle recula sa tête et, très lentement, recommença à descendre. Arrivée en bas, elle pénétra sur la scène et se tourna vers lui, les paupières closes, une main encore agrippée à l'échelle. Elle ouvrit les yeux et lui expliqua :

« J'ai le vertige. » Elle lâcha l'échelle.

« Ce plongeon est pire pour moi que chanter l'opéra tout entier. Ça me terrifie. »

Avant qu'il ne pût répondre, un jeune homme portant une boîte à outils surgit entre elle et le mécanisme qui soulevait la plate-forme jusqu'aux remparts. Même s'il avait au bas mot vingt-cinq ans de moins, il lui fit un sourire appréciateur :

« Je sais que vous détestez ça, signora. Alors on la baisse et on n'en parle plus, d'accord ? »

Il leva un anneau en métal d'où pendaient de nombreuses clefs et tourna son attention vers la machinerie.

Le sourire de Flavia s'élargit et elle s'éloigna du jeune homme pour s'approcher du rideau :

« Oh, comme c'est aimable à vous », lui dit-elle.

Brunetti secoua la tête face à cette scène de pure séduction :

« Eh bien, vous voici en bas maintenant, saine et sauve. »

Elle ne songea plus à son sourire qui disparut, faisant place à un visage tendu et fatigué.

« C'était merveilleux, ajouta-t-il, et il indiqua le rideau d'où provenaient encore la vague d'applaudissements et les cris. Ils vous réclament.

— Il me faut donc y aller, répliqua-t-elle et, tout en se dirigeant vers la source de tout ce bruit, elle mit une main sur son épaule et lui dit : Merci, Guido. »

27

Brunetti et Vianello se tinrent sur la gauche de la scène pendant les révérences des chanteurs : le baryton, le ténor et la soprano que le public applaudissait, lorsqu'ils sortaient le saluer séparément, avec un enthousiasme proportionnel à la tessiture de leur voix. Flavia remporta tous les honneurs, ce que Brunetti estima tout à fait juste et compréhensible. Il surveilla sa première révérence individuelle à travers l'ouverture du rideau. Aucun lancer de roses, ce qui le soulagea profondément.

Les applaudissements se poursuivirent, encore et encore, et leur écho sur la scène se mêlait au bruit des marteaux et des pas lourds. Les coups de marteau prirent fin bien avant les applaudissements et, lorsque ces derniers commencèrent à s'atténuer, le régisseur, qui se trouvait être le jeune homme aux *telefonini* qu'ils avaient croisé précédemment, apparut et fit signe aux chanteurs et au chef d'orchestre d'arrêter leurs salutations. Il les félicita pour le succès de la représentation et déclara :

« Vous avez tous été magnifiques. Merci et à bientôt pour la dernière, j'espère. Et maintenant, tout le monde à dîner. »

Lorsque le jeune homme remarqua Brunetti et Vianello, il s'arrêta et leur dit :

« Excusez-moi pour mon manque de courtoisie tout à l'heure, messieurs, mais j'essayais d'éviter un désastre et je n'avais pas le temps de parler.

— L'avez-vous évité ? » s'informa Brunetti.

De l'autre côté, les applaudissements s'amenuisèrent, puis cessèrent définitivement.

Il fit une grimace.

« Je croyais y être arrivé mais, j'ai reçu un message il y a cinq minutes qui m'a fait perdre tout espoir.

— Je suis désolé, répliqua Brunetti, qui ne pouvait s'empêcher d'éprouver de la sympathie pour ce personnage singulier.

— Merci pour votre soutien mais, comme je vous l'ai dit, je travaille dans un cirque et je suis entouré de fauves. »

Il leur fit poliment une demi-révérence et partit parler au ténor, qui n'avait pas encore quitté la scène.

Jetant un coup d'œil circulaire, Brunetti vit que le régisseur, le ténor, Vianello et lui étaient les seuls sur place et qu'il n'y avait pas non plus les bruits habituels de démontage de toute production. L'équipe avait dû probablement commencer sa grève.

Flavia avait réapparu et parlait maintenant au régisseur. Le jeune homme désigna de la main l'arrière-scène, ouvrit grand les bras, puis haussa les épaules de manière outrancière. Elle lui tapota la joue et lui sourit, et il partit d'un air flatté.

Elle se tourna et s'approcha de Brunetti, qui saisit l'occasion pour la présenter à Vianello. L'inspecteur, étonnamment, était mal à l'aise et ne put rien dire de plus que merci à plusieurs reprises, puis il sombra dans le mutisme le plus complet.

« Nous allons vous raccompagner chez vous, proposa Brunetti.

— Je peux difficilement imaginer que…, commença-t-elle à dire, mais Brunetti la coupa aussitôt :

— Nous vous raccompagnons chez vous, Flavia, et nous monterons jusqu'à l'appartement avec vous.

— Puis vous me donnerez un chocolat chaud et des biscuits ? demanda-t-elle d'un ton chaleureux et avec un petit rire.

— Non, mais nous pourrions nous arrêter en chemin si nous passons devant un restaurant encore ouvert.

— N'avez-vous pas mangé ?

— Les vrais hommes ont toujours faim, assena Vianello d'une voix exagérément grave et, cette fois, elle eut un rire plus franc.

— D'accord. Mais je dois appeler mes enfants. J'essaie de les appeler après chaque représentation. Si je ne le fais pas, ils râlent. »

Elle tendit la main très naturellement et saisit le poignet de Brunetti, mais juste pour le tourner et regarder sa montre. Rien qu'à la vue de l'heure qu'il était, elle se sentit submergée de fatigue.

« Je ferais mieux de chanter Lauretta », dit-elle.

Voyant que Brunetti ne comprenait pas, elle précisa : « Dans *Gianni Schicchi*.

— Parce qu'elle n'a pas à sauter ? » plaisanta Brunetti.

Elle sourit, ravie qu'il se souvienne de son appréhension.

« Oui, bien sûr, mais aussi parce qu'elle a une seule aria.

— Ah, les artistes », fit Brunetti.

Elle rit de nouveau, soulagée que cette représentation soit derrière elle.

« Je vais m'absenter un moment. Il faut un temps fou pour se débarrasser de tout cela, expliqua-t-elle en passant ses mains de haut en bas sur le devant de sa robe.

Brunetti regarda autour de lui et, ne voyant pas les deux gardes, il s'informa :

« Où sont vos gorilles ?

— Ah, je leur ai dit que des policiers seraient là pour le lever de rideau et qu'ils m'accompagneraient dans ma loge. »

Comme Ariane, elle connaissait bien le chemin : elle tourna à gauche, puis à droite sans hésitation et les mena, en l'espace de quelques minutes, à la porte de sa loge. Une femme assise à l'extérieur se leva à l'arrivée de Flavia.

« Je ne fais pas grève, signora, annonça-t-elle en réprimant sa colère. C'est juste ces flemmards de l'équipe technique. »

Brunetti s'abstint de toute remarque sur la solidarité de la classe ouvrière et préféra demander :

« Quand a-t-elle commencé ?

— Oh, il y a quelques minutes. Cela faisait des semaines qu'ils menaçaient de la faire et, ce soir, leur syndicat a voté pour.

— Mais vous n'êtes pas d'accord ?

— Ces idiots vont aller faire grève en plein milieu d'une crise financière, lâcha-t-elle sans chercher à masquer son irritation. Bien sûr qu'on ne va pas se joindre à eux. Ils sont complètement fous.

— Donc que va-t-il se passer ?

— Tout va rester tel quel et les gens qui viendront au concert demain verront le toit du château Saint-Ange en écoutant Brahms. »

Voilà quel était le sujet du fameux coup de fil, comprit Brunetti, et le désastre auquel avait fait allusion le régisseur, qui n'était pas certain de voir tout son personnel à la dernière représentation.

Sans doute la femme perçut-elle la rancœur dans sa propre voix, car elle précisa :

« Je comprends, ça fait six ans qu'on ne leur renouvelle pas leur contrat, mais nous non plus. On doit travailler. On a des familles. »

Des années auparavant, Brunetti avait fait le vœu de ne jamais impliquer des étrangers dans des discussions de politique ou de comportement social, conscient que c'était la manière la plus sûre d'éviter le conflit armé.

« Alors la représentation ne…, commença-t-il, mais Flavia le coupa.

— Je vais aller me changer et passer ces coups de fil. Revenez dans vingt minutes. »

Brunetti et Vianello sortirent et se mirent à descendre le couloir, pour faire lentement le tour de cet étage du théâtre.

Flavia ôta sa robe.

« Je vais l'accrocher et la laisser ici. Vous pouvez rentrer chez vous, Marina. Vous avez une clef, n'est-ce pas, pour demain ?

— Oui, signora. *Je* serai au travail », répondit-elle avec emphase.

Flavia ouvrit la porte de sa loge, alluma les lumières au-dessus de sa coiffeuse et s'enferma de l'intérieur.

« Bonsoir signora », lui dit doucement une voix de femme derrière elle.

Flavia en eut le souffle coupé et regretta de s'être autant pressée pour donner ces coups de fil et d'avoir décliné si vivement l'invitation prudente de Brunetti.

«Votre représentation de ce soir était exceptionnelle.»
Flavia chercha à garder son calme et afficha un sourire
forcé. En se tournant, elle vit une femme debout à côté de
sa table de toilette, qui tenait dans une main un bouquet
de roses jaunes et, dans l'autre, un couteau. Était-ce le couteau qu'elle avait utilisé pour attaquer Freddy ? Telle fut la
première pensée de Flavia, mais elle s'aperçut que la lame
était plus longue que celle qu'on lui avait décrite.

Tandis que Flavia la regardait, la femme entrait et sortait
de son champ de vision ou, tout au moins, Flavia percevait différents fragments de sa personne, mais jamais sa silhouette tout entière. Elle essaya, autant que faire se pouvait,
de voir son visage, mais tout ce qu'elle put distinguer au
début, ce furent les yeux, puis le nez, et ensuite la bouche,
mais, malgré son effort de concentration, elle ne parvenait
pas à cerner l'ensemble de ses traits. Même chose avec son
corps. Était-elle grande ? Comment était-elle habillée ?

Flavia adoucit son expression et continua à regarder
dans la direction de cette forme ondoyante à proximité
de sa coiffeuse. Les chiens sentent l'odeur de la peur, lui
avait-on dit une fois ; ils attaquent lorsqu'ils perçoivent
cette faiblesse.

Elle se souvint aussi d'un vieil adage de sa
grand-mère : «À brigand, brigand et demi.» Si un brigand
vous file un coup, il faut lui en rendre un et demi. Mais il
vaut mieux commencer par calmer le brigand en question ;
il faut bercer le monstre jusqu'à ce qu'il s'endorme.

Flavia ne quitta pas un seul instant le couteau des yeux,
mais, ignorant jusqu'où elle pouvait aller, elle misa sur les
fleurs :

«C'est donc vous qui m'envoyez ces roses. Je suis ravie
de pouvoir enfin vous en remercier. Je ne sais pas comment

vous avez réussi à les trouver en cette saison. Et en pareille quantité. »

Elle déblatérait de toute évidence de pures fadaises, mais elle était incapable, en l'occurrence, de trouver quelque chose de mieux. La femme ressentirait sa peur ; bientôt, elle en sentirait l'odeur aussi.

L'inconnue, cependant, se comportait comme si elle trouvait les commentaires de Flavia les plus normaux du monde, ce qu'ils étaient, en un sens, et expliqua :

« Je ne savais pas quelle est votre couleur préférée, mais je me suis souvenue que vous portiez une robe jaune lors de votre dîner à Paris il y a quelques années, et j'ai pensé que ce pouvait être un bon choix.

— Oh, cette vieille nippe, dit Flavia de ce ton dédaigneux qu'on adopte entre copines. Je l'ai trouvée en solde et je l'ai achetée sur un coup de tête – vous savez ce que c'est – et, en fait, je n'ai jamais été très sûre qu'elle m'aille bien.

— Je la trouvais très jolie, répliqua la femme d'un ton blessé, comme si elle la lui avait offerte et que Flavia dénigrait son cadeau.

— Merci, dit Flavia en se dirigeant très lentement et avec naturel vers sa table de toilette ; elle tira une chaise en face du miroir et s'assit, lui indiquant le divan d'un signe de la main : Ne voulez-vous pas vous asseoir ?

— Non, je préfère rester debout.

— Cela vous gêne si j'enlève mon maquillage ? demanda Flavia en attrapant sa boîte de mouchoirs en papier.

— Je vous aime bien avec. »

La voix de la femme était d'un tel froid sidéral que la main de Flavia s'immobilisa au-dessus de la boîte, incapable

315

du moindre geste, que ce fût pour se saisir d'un mouchoir ou pour la poser près de l'autre main, sur ses genoux. Elle la fixa, voulut la bouger pour la faire revenir vers elle, et au bout d'un moment elle y parvint : la main s'échappa vers son genou, où elle se recroquevilla autour de sa petite camarade.

« Vous mentez, déclara la femme calmement.

— À quel propos ? s'enquit Flavia en réussissant à adopter un ton curieux, et non point défensif.

— À propos des fleurs.

— Mais elles *sont* belles.

— Mais cet homme, celui qui a eu une liaison avec vous, les a jetées à la rue, le soir même où je vous les ai offertes, affirma-t-elle vivement, avant d'ajouter d'un ton redevenu glacial : Je l'ai vu faire.

— Freddy ? l'interrogea Flavia en éclatant de rire. Il a une peur bleue de sa femme et il redoutait tellement qu'elle s'imagine qu'il me les avait envoyées que, dès qu'il les a vues, il a été pris de panique et a dit qu'elles ne pouvaient pas rester chez lui.

— Mais cela ne l'a pas empêché de vous avoir dans la même maison avec lui, n'est-ce pas ? rétorqua-t-elle, la voix soudain lourde d'insinuations.

— C'était l'idée de sa femme, dit Flavia avec désinvolture. De cette manière, pensait-elle, il lui était plus facile d'avoir un œil sur nous. »

Elle s'apprêtait à faire une remarque désobligeante sur la jalousie féminine mais, à la vue de l'expression de l'autre femme, elle y renonça.

« En outre, tout au fond d'elle, elle sait très bien qu'il n'y a plus rien entre nous maintenant. »

Puis, comme si l'idée venait juste de lui traverser l'esprit, elle précisa :

« Depuis vingt ans, en fait. »

La femme, dont Flavia percevait maintenant le reflet dans le miroir devant elle, ne répondit pas. La cantatrice fut tentée de se détendre et d'arrêter ce jeu démentiel, mais la vision dans la glace se fit plus claire et le reflet du couteau suffit à lui faire reprendre ses esprits et à lui demander :

« Comment se fait-il que vous soyez ici ? »

Une fois, elle avait chanté *Manon* avec un ténor qui avait craché sur elle au cours d'une répétition et elle insuffla dans sa question la même chaleur que dans ses duos avec lui, et fit montre du même talent.

« Je vous ai déjà vue, vous savez », l'informa la femme.

Flavia allait dire que, si elle savait qu'elle avait porté une robe jaune, cela n'était pas surprenant, mais elle préféra enchaîner :

« Et je suppose que vous m'avez entendue chanter.

— Et je vous ai écrit, lui apprit-elle avec une féroce énergie.

— J'espère que je vous ai répondu, dit Flavia en souriant à leurs reflets réunis dans le miroir.

— Oui. Mais vous avez dit non.

— À quel propos ? demanda Flavia avec une curiosité qu'elle n'avait pas besoin de feindre.

— De cours de musique. Je vous ai écrit il y a trois ans pour prendre des cours de musique avec vous, mais vous ne vouliez pas. »

Flavia vit la femme se pencher pour poser les fleurs par terre. Mais seulement les fleurs.

« Je suis désolée, mais je ne m'en souviens pas.

— Vous avez refusé, insista-t-elle.

— Je suis désolée de vous avoir blessée, mais je ne donne pas de cours de chant. »

Puis, pour donner à sa déclaration valeur de principe, elle ajouta :

« Je n'en ai pas le talent.

— Mais vous avez parlé à cette étudiante, dit-elle d'une voix virant à la colère.

— Cette fille ? s'étonna Flavia avec un mépris convaincant. Son père est le meilleur répétiteur ici, le meilleur avec qui on puisse travailler. Que pouvais-je lui dire d'autre ? se justifia-t-elle, comme on supplierait une amie de comprendre un moment de faiblesse humaine.

— Lui auriez-vous donné des cours, à *elle* ? » demanda la femme instamment.

Songeant au premier acte de *La Traviata*, Flavia reproduisit le tintement dédaigneux des notes descendantes qu'elle avait chantées lorsque Alfredo lui avait déclaré son amour.

« S'il vous plaît, ne me faites pas rire. Si je devais donner des cours de chant, ce ne serait pas à une gamine comme elle : elle n'est pas capable de distinguer un violon d'une guimbarde. »

Pour la première fois depuis le début de ce cauchemar, la femme baissa lentement la main tenant le couteau jusqu'à mi-cuisse. Elle se pencha en avant, ce qui permit à Flavia d'avoir une idée de son visage. Elle devait avoir dans les trente-cinq ans, mais son regard sec, ses cernes fatigués autour des yeux la vieillissaient. Son nez était petit et droit, ses yeux disproportionnellement grands par rapport au reste de son visage, comme si elle avait brusquement maigri suite à une maladie grave.

Elle pinça les lèvres, d'un air d'insatisfaction chronique, ou peut-être de douleur, même si le résultat était le même. Elle portait un simple manteau noir en laine, ouvert sur une robe gris foncé qui lui arrivait aux genoux.

« Donneriez-vous des cours ? » répéta-t-elle.

Flavia vit un minuscule éclair de lumière à travers le trou de la serrure de la prison où cette femme l'avait piégée. Donnerait-elle un cours ?

On frappa à la porte.

« Flavia, êtes-vous là ?

— *Ciao*, Guido, répondit-elle avec une aisance gagnée au prix de gros efforts. Oui, je suis là, mais je n'ai pas fini. Ma fille est sur Skype avec son petit copain et m'a dit qu'elle est à moi dans cinq minutes. Et je n'ai pas encore appelé mon fils. »

Cela au moins était vrai.

« J'ai décidé de ne pas m'embêter avec le dîner, donc pourquoi n'allez-vous pas chez vous avec votre femme et je vous vois demain ? »

Lorsqu'elle eut terminé de parler, elle baissa les yeux et nota qu'elle avait déchiré, des ongles de sa main droite, deux bandes de velours de sa robe.

La voix de Brunetti lui fit écho, décontractée et légère.

« Vous devez être épuisée. Je comprends. Nous allons à l'Antico Martini. Si vous avez envie de nous rejoindre en rentrant chez vous, nous y serons. Sinon je vous vois demain matin, à 11 heures environ. *Ciao*, et merci pour votre représentation. »

Comme s'il n'y avait eu aucune interférence dans leur conversation, la femme réitéra sa question :

« Donneriez-vous des cours ? »

Flavia s'efforça d'afficher un sourire naturel et dit :

« Pas avec cela sur le dos, je ne pourrais pas. Les gens ne se rendent pas compte à quel point il est difficile de chanter avec tout cet attirail sur soi. »

Elle croisa ses mains fatiguées sur son corsage et les descendit le long des lourds plis de sa robe.

« Si vous pouviez vous changer, donneriez-vous des cours ? » demanda la femme avec une insistance obsessionnelle.

Flavia augmenta la luminosité de son sourire.

« Si je pouvais me changer, je donnerais un cours de claquettes. »

Elle cessa de rire et laissa la femme saisir la plaisanterie. Mais cette dernière ne semblait pas trouver son trait d'esprit bien drôle. Lorsque Flavia revint sur leur conversation, elle s'aperçut que la femme avait tout pris au premier degré et était sourde à tout ce qui échappait à la signification littérale des mots. Il valait donc mieux ne pas jouer avec un tel individu.

« Eh bien, si je pouvais me mettre à l'aise, je suppose que je pourrais l'envisager.

— Alors changez-vous », ordonna la femme en agitant vers elle la main qui tenait le couteau.

En voyant la pointe dirigée vers son visage, sa poitrine ou encore son estomac – mais peu importait *où* elle visait, en fait –, Flavia se figea. Elle ne pouvait plus bouger ; elle ne pouvait plus parler, elle pouvait tout juste respirer. Elle fixa le miroir sans y percevoir ni sa silhouette, ni celle de la femme debout près de la porte, et réfléchit, et ce n'était pas la première fois, aux projets qu'elle n'avait pas accomplis dans sa vie, aux gens auxquels elle avait fait du mal, aux bêtises dont elle s'était préoccupée.

« J'ai dit que vous pouviez vous changer », reprit la femme d'un ton désagréable, celui des gens qui n'aiment pas être ignorés.

Flavia se força à se lever et se dirigea vers la salle de bains.

« Mes vêtements sont là », expliqua-t-elle.

La femme s'avança vers elle, en claudiquant.

«Vous pouvez les amener ici.»

Le ton ne laissait aucune ouverture à la négociation. Flavia entra dans la toute petite pièce et saisit son pantalon, son pull et ses chaussures. Gardant la tête baissée, elle regarda dans le miroir pour examiner s'il y avait un moyen de se dérober et de claquer la porte, mais la femme était déjà debout dans l'embrasure, en train de la suivre des yeux ; Flavia renonça donc à l'idée. *Voilà comment on brise votre volonté*, se dit-elle. *On vous empêche de faire les choses les plus infimes, ce qui vous prive de toute probabilité d'en faire de grandes.*

Prenant appui sur sa jambe droite, la femme recula, mais bloqua la porte de son corps. Flavia vint vers elle et déposa ses vêtements sur le dossier de la chaise. Elle passa les mains derrière la tête et chercha de ses doigts nerveux la tirette de la fermeture Éclair dans le dos de sa robe. Elle la trouva, la perdit, la ressaisit et la descendit à moitié, puis croisa les bras dans le dos et la descendit jusqu'en bas. Elle laissa la robe tomber par terre et poussa d'un coup de pied les pantoufles en velours sempiternellement trop serrées qu'elle portait avec son costume.

Debout, en sous-vêtements, elle évita de se regarder dans le miroir et prit son vieux pantalon bleu en laine qu'elle mettait souvent pour aller à l'Opéra, tout en se refusant à y voir le moindre trait de superstition. Elle garda la tête baissée pendant qu'elle remontait la fermeture Éclair sur le côté mais elle parvint, à travers les cheveux de la perruque qui lui tombaient au milieu du visage, à jeter un coup d'œil à la femme. Son expression lui rappela celle de certaines religieuses de l'époque du lycée : un ennui théâtral, enveloppant leurs expressions débordantes de désir, qui était aussi troublant que déroutant pour les jeunes filles.

Elle arracha la perruque sans prendre soin d'en enlever d'abord le diadème risible et la lança sur la table, puis se regarda dans le miroir pour retirer le sous-bonnet en caoutchouc. Elle passa son pull par-dessus ses cheveux trempés de sueur et se sentit plus à l'aise lorsqu'elle le descendit sur ses seins. Elle mit ses chaussures et les laça, contente qu'elles lui maintiennent bien le pied et soient dotées d'une semelle souple.

Encore penchée sur ses chaussures, elle s'entraîna à sourire et crut un moment que son visage – ou son cœur – allait se briser en mille morceaux sous cet effort. Lorsque sa bouche retrouva son aplomb, elle s'assit bien droite et lui demanda :

« C'est vous qui voudriez cette leçon ?

— Oui, s'il vous plaît », répondit la femme d'un ton poli et, à la vue de sa joie enfantine, Flavia craignit de ne pouvoir s'empêcher de crier.

Elle essaya de se rappeler ce que son propre professeur lui avait demandé le jour où elle avait pris son premier cours particulier. Sa mémoire ne lui fit pas défaut.

« Êtes-vous en train de travailler un morceau spécial, en ce moment ? »

La femme regarda ses pieds, joignit les mains, mais ne put les unir à cause du couteau et dit quelque chose que Flavia ne put entendre.

« Pardon ?

— *Tosca* », dit la femme et Flavia inspira profondément à deux reprises.

Je vais lui demander. Je vais lui demander. Je vais prendre une voix normale, et lui demander.

« Quel acte ?

— L'acte III. La scène finale.

— Oui, c'est difficile, n'est-ce pas, car ses émotions fusent de tous côtés. Quelles sont ces émotions, d'après vous ? l'interrogea Flavia d'un ton dépassionné, voire pédant.

— Je n'y ai jamais réfléchi, avoua-t-elle, déconcertée. Je ne me suis penchée que sur la musique et la manière de chanter les notes.

— Mais tout cela dépend de ses émotions ; c'est ce qui détermine tout le reste. »

Le dernier acte de Tosca, et elle dit ne s'être jamais intéressée aux émotions ? Elle pourrait donc enfoncer ce couteau dans ma chair sans le moindre scrupule. Flavia arbora un air sérieux.

« Elle monte sur le toit, où elle trouve Mario. Elle tient le sauf-conduit qu'elle a obtenu au prix de la vie de Scarpia. Donc il y a de la joie, mais elle vient de tuer un homme. Ensuite, elle doit dire à Mario de faire semblant de mourir quand ils le mettront en joue et, au moment où ils le font, elle croit qu'ils ont eu ce qu'ils voulaient et elle le félicite d'avoir si bien joué. Mais lorsqu'ils sont seuls, et qu'il est mort, elle prend conscience qu'elle a tout perdu. Puis ils viennent la capturer et elle sait que sa seule issue, c'est la mort. Émotionnellement, ce sont de véritables montagnes russes, vous ne croyez pas ? »

Le visage de la femme était impassible.

« Je sais que c'est difficile à chanter, surtout le duo qui prélude à toute cette scène. »

Il valait mieux être d'accord avec elle, il valait mieux lui laisser croire qu'elle savait tout sur cet opéra.

« Oui, c'est vrai, confirma Flavia sagement. Vous avez sûrement raison à ce propos.

323

— Et puis elle meurt », assena la femme et Flavia retint son souffle un bon moment.

Elle essaya de songer à ce qu'elle devait dire, mais son cerveau, son imagination, son esprit, tout ce qui constituait son être fondamentalement, avait cessé de fonctionner. Elle baissa les yeux et vit ses lacets : qu'ils étaient beaux et parfaits ; quelle magnifique manière de lacer des chaussures et de garder efficacement les pieds sains. Et saufs.

Elle se redressa et proposa :

« Voudriez-vous en essayer la dernière partie ?

— Oui. »

Voilà une façon de sortir de cette pièce.

« Mais nous ne pouvons pas le faire ici, expliqua Flavia. Dans un si petit espace, je ne peux absolument pas juger votre voix. »

Il fallait lui laisser prendre cet argument en considération.

« C'est vraiment le moment le plus dramatique de l'opéra, n'est-ce pas ? demanda-t-elle d'une voix neutre, alors que la banalité et la vulgarité criante de ce passage heurtaient sa sensibilité musicale. Peut-être pourrions-nous trouver une des salles de répétition ? »

Elle prit un air peu convaincu, mais s'abstint de proposer un autre endroit où elles pourraient s'exercer.

« Elles sont toutes trop petites, déclara la femme, et Flavia se demanda comment elle pouvait le savoir.

— Alors nous n'avons d'autre choix que de rester ici, conclut-elle en se dirigeant avec une hésitation patente vers le piano droit qui se tenait contre l'autre mur.

— Pourquoi pas la scène ? »

Et Flavia, qui s'attendait à cette suggestion, qui l'espérait, la souhaitait de toutes les fibres de son corps, répondit :

« Pardon ?

— La scène. Pourquoi ne le ferions-nous pas sur la scène ?

— Parce que…, commença Flavia. Mais ce n'est pas…»

Puis, cédant à la surprise, elle accepta, comme si c'était la révélation du siècle :

« Bien sûr. Bien sûr. Il n'y a plus personne. Il n'y a aucune raison de ne pas nous en servir. »

Elle se tourna vers elle avec un sourire qu'elle essaya immédiatement de dissimuler, comme si elle se refusait à traiter cette femme de manière amicale : après tout, comment un amateur pouvait-il avoir eu une si brillante idée alors qu'elle, qui connaissait le théâtre comme sa poche, n'y avait pas pensé ?

« Je connais le chemin », dit la femme en faisant deux pas en direction de la porte.

Elle se mit sur le côté et prit le bras droit de Flavia dans son bras gauche ; Flavia en sentit les muscles solides, s'aperçut que la femme avait presque une tête de plus qu'elle. Sentir la main de la femme sur son bras, même à travers la laine de son pull, lui donnait la chair de poule, une expression qui avait toujours été pour elle d'un ridicule achevé. Comment un humain pouvait-il avoir la chair d'une poule ? La réponse était la simplicité même : en ayant envie d'éviter instinctivement tout contact avec une substance lui inspirant du dégoût.

Le toucher de la femme était loin d'être délicat et, même si elle ne lui faisait absolument pas mal, il la répugnait. Flavia régla son pas sur elle, consciente de la légère irrégularité de sa démarche. Elle se demandait où était Brunetti, ou son collègue dont elle avait oublié le nom.

Étaient-ils devant, ou derrière ? Comment pouvaient-ils rester cachés si ni l'un ni l'autre ne connaissaient le théâtre ? *Parle, idiote, parle, surtout ne t'arrête pas de parler.*

« Avez-vous travaillé sur *"Vissi d'arte"* ? » demanda-t-elle d'un ton où elle essaya d'infuser un intérêt sincère.

Chaque fois qu'elle l'avait chanté, de sa toute première expérience d'étudiante à ce soir même – cela faisait donc combien de temps, oh mon Dieu ? –, Flavia avait détesté cette aria. Elle n'aimait pas la lenteur plaintive de la musique, la liste, interminable, des pleurnicheries de Tosca, ni le marché que l'héroïne cherchait à passer avec Dieu : Moi je t'ai donné ça, donc toi tu me dois ça.

« C'est une des plus belles arias qu'il ait écrites.

— J'ai du mal avec ce rythme lent, objecta la femme.

— Oui, reconnut Flavia d'un air méditatif, c'est un des problèmes de ce passage, surtout si vous travaillez avec un chef d'orchestre qui cherche à traîner en longueur et la fait durer encore plus longtemps. »

Tout comme elle tâchait de faire traîner chacun de ses propres mots pour les faire durer le plus longtemps possible, la meilleure stratégie pour prévenir Brunetti qu'elles s'approchaient ou s'éloignaient de lui.

« Sur la scène, dit-elle plus fort, c'est plus facile, je pense, et en général ça porte ses fruits. »

La femme s'arrêta et se retourna pour voir Flavia de face.

« Je vous ai dit que je voulais travailler sur le dernier passage, et pas sur *"Vissi d'arte"*. »

Elle regarda Flavia de près, et Flavia vit ses yeux pour la première fois.

« Il y a trop d'émotions. »

Cette remarque plongea Flavia dans le silence. Elle fit un signe d'assentiment et ne put s'empêcher de reculer d'un demi-pas.

La femme avait vicieusement refermé l'étau sur son bras, en comprimant un nerf contre l'os, mais, que ce fût intentionnel ou accidentel, cela ne changeait pas grand-chose à l'affaire, en fait. *Est-ce qu'elle veut me voir souffrir ?* se demanda-t-elle. *Ou vaut-il mieux pour moi que je fasse semblant de rien ?*

« Le troisième acte, consentit Flavia d'un ton réfléchi, à partir d'où ?

— Du moment où ils gravissent les marches.

— Hmmm, fit Flavia. Il y a beaucoup de cris, et la musique est très intense, donc il faudra veiller à ce que votre voix domine tout cela. »

Elle décida de prendre le risque et commença juste au moment où les soldats montent les marches à toute vitesse pour gagner le toit.

« Tout ce qu'elle dit, en vérité, c'est *"Morto, morto, o Mario, morto tu, così."* »

C'était un stratagème qu'elle utilisait souvent lors de dîners ou de soirées, pour se glisser dans le rôle et passer d'une voix normale à un air chanté à tue-tête.

L'étau se resserra encore plus fort, et la femme la tira d'un coup sec. Comme une souris à l'approche du chat, Flavia ne pouvait que la fixer, puis baisser les yeux sur sa main prisonnière. Elle regardait l'autre main, celle avec le couteau, s'approcher de la sienne et elle vit la femme passer la lame très lentement sur le dos de sa main captive, légèrement, une caresse d'acier qui laissa derrière elle une petite ligne rouge lorsqu'elle retira la lame de la peau.

« Ne faites pas autant de bruit, protesta-t-elle ; pas avant que nous soyons sur la scène. »

Flavia hocha la tête et regarda les minuscules gouttes qui se formaient à la surface de sa main et s'unissaient comme des gouttes de pluie sur la vitre d'un train. Laquelle tomberait la première ? se surprit-elle à se demander.

La femme ouvrit une porte coupe-feu de couleur rouge ; elles étaient bel et bien arrivées sur la scène.

28

Brunetti et Vianello, qui se tenaient cachés de l'autre côté du rideau, ne pouvaient pas être vus depuis la scène, mais la fente entre les deux pans du rideau leur permettait de la surveiller grâce à l'éclairage de sécurité. Ils purent enfin découvrir les remparts du château Saint-Ange, ainsi que son mur coupé à l'arrière et partiellement ouvert afin d'en assurer la visibilité au public, ce qui leur avait été impossible pendant la représentation. Ils virent Flavia passer précipitamment de la porte coupe-feu à la scène et y apparaître soudain, tandis que la femme derrière elle la tirait d'un coup sec par le bras. L'obscurité les empêchait de lire l'expression de leurs visages, mais la terreur de Flavia transparaissait clairement dans la gaucherie de ses gestes et la manière dont elle se dérobait à chaque mouvement de la femme.

Ni l'un ni l'autre ne bougèrent ni ne respirèrent lorsque la grande femme fit traverser la scène à Flavia et la mena au pied des marches conduisant au toit et aux remparts, dominés par l'archange Michel avec son épée. Brunetti lui murmura une prière, dans l'espoir qu'il les aide à vaincre l'ennemi.

Le commissaire vit la femme au couteau pousser Flavia, malgré sa résistance, vers l'escalier, où elle rechignait à avancer et secouait la tête avec défiance. La femme tourna brusquement Flavia pour la regarder de face, lui pointa le couteau au milieu de l'estomac, puis se pencha en lui chuchotant quelque chose qu'il ne put entendre. Le visage de Flavia se figea sous l'effet de la plus pure terreur et il crut l'entendre supplier :

« Non, s'il vous plaît. »

Elle baissa la tête et claudiqua quelques secondes, comme après un coup de couteau, puis elle hocha la tête faiblement deux ou trois fois et gagna l'escalier. Elle mit un pied sur la première marche et se hissa de la main gauche, montant lentement jusqu'en haut, avec la femme à sa droite.

Flavia s'arrêta brusquement sur la dernière marche, car elle se trouvait désormais à quelques mètres seulement de l'endroit d'où elle avait sauté pour se tuer, moins d'une heure auparavant. Aucun des décors n'avait été démonté, remarqua-t-il, et personne n'avait ramassé le manteau bleu de soldat qui avait été jeté sur le cadavre de Mario. Un fusil était négligemment posé contre le mur au sommet de l'escalier. La grève avait interrompu le travail et les remparts resteraient en place tant que la situation ne serait pas réglée.

Il vit Flavia s'approcher du manteau ; la femme, encore accrochée à son bras telle une sangsue, l'arrêta et lui dit quelque chose.

Brunetti tapota l'épaule de Vianello et lui indiqua l'escalier, puis sa propre poitrine où avec deux doigts il imita de tout petits pas. Il partit sur la droite : s'il entrait sur scène de ce côté-ci, ni l'une ni l'autre ne le verraient, mais du coup lui aussi les perdrait de vue. Il fit furtivement le tour du rideau pour se glisser dans les coulisses où il percevait leurs voix, mais il ne put distinguer leurs mots qu'une fois arrivé au pied des marches.

« C'est l'endroit d'où vous chantez, donc il faut vous assurer de bien faire face au public, sinon votre voix ne l'atteindra pas, entendit-il Flavia expliquer la gorge nouée. Si je me tourne, ajouta-t-elle, et sa voix s'affaiblit, il ne m'entendra pas, alors que c'est le contraire si je lui fais face. N'oubliez pas la taille considérable de l'orchestre : plus de soixante-dix musiciens. Si vous ne chantez pas assez fort, ils vous domineront et vous excluront complètement.

— Est-ce que je devrais passer de l'autre côté de son corps ? s'enquit la femme.

— Oui. C'est bien. De cette façon, vous vous retrouvez de manière naturelle devant le public et vous gardez aussi un œil sur l'escalier qui est le seul accès au toit, d'où arriveront les hommes de Scarpia pour vous capturer. »

Brunetti interpréta ces mots comme un message envoyé dans une bouteille à la mer.

Il entendit des pas au-dessus de sa tête et en profita pour couvrir le bruit qu'il faisait lui-même en gravissant les marches. Lorsque le bruit des pas cessa, il s'immobilisa, à moitié penché.

« Laissez-moi me mettre entre vous et l'escalier, ainsi je verrai si votre voix peut l'emporter sur tout ce vacarme ; et elle ajouta, une seconde plus tard : Je *ne* pars *pas*. J'ai juste besoin d'un angle de vue pour vous observer et me rendre compte de la puissance de votre voix. »

Puis Flavia spécifia, par pure fatigue nerveuse, et sans le moindre brin d'ironie :

« En outre, je n'ai aucun moyen de monter là-haut, n'est-ce pas ? »

Même si la femme répondit, Brunetti ne put saisir ses mots.

« D'accord, commençons par *Andiamo. Su* », entendit-il Flavia lui suggérer, d'un ton professoral.

Tant mieux si elle parvenait à affirmer son autorité ; il doutait cependant de ses chances de succès.

« Non, plus bas, directement vers son visage. Vous devez vous pencher comme s'il était vivant, et lorsque vous chantez *Presto. Su*, vous devez sembler joyeuse et jubiler sur le *"su"*. Vous venez de leur jouer un tour magistral et maintenant, tous les deux, vous allez vous échapper, partir à Civitavecchia et vous embarquer, et vous vivrez heureux pour toujours. »

Flavia s'arrêta et Brunetti la sentit réfléchir à ces propos. Les gens peuvent vivre heureux, beaucoup y parviennent, et elle avait assurément connu de longues phases de bonheur dans sa vie, mais personne ne vit heureux jusqu'à la fin des temps. D'ailleurs, personne ne vit jusqu'à la fin des temps.

Il monta encore un peu et, se retrouvant à deux marches du sommet, il en redescendit une et s'assit courbé, afin de garder la tête bien cachée.

Une voix de femme, qui n'était pas celle de Flavia, cria : « *Presto ! Su, Mario. Andiamo* » – d'un ton âpre, dénué de toute émotion ou toute beauté – et elle n'avait pas plus tôt chanté ces mots que Flavia s'écria :

« Non, non, pas comme ça. Vous devez être *heureuse*. Vous lui apportez de bonnes nouvelles. Il est vivant, et vous êtes tous les deux sains et saufs. Vous allez vivre. »

Si la voix de Flavia ne s'était pas brisée sur le dernier mot, Brunetti y aurait vu une excellente prestation.

Pour masquer cette défaillance, Flavia lui dit, d'une voix plus forte :

« Maintenant, essayez le *"Morto, morto"*, mais vous devez y mettre tout votre cœur. Elle sait qu'il est mort et elle est assez intelligente pour savoir qu'elle va le suivre dans la mort, et sans tarder.

— Montrez-moi comment je devrais le chanter, dit la femme d'un ton neutre. Je ne comprends pas comment je dois m'y prendre.

— *Morto, morto*, répondit Flavia d'une voix étranglée, puis elle continua : *Finire così. Così'? Povera Flavia.* »

C'était à donner des frissons. C'était la voix de quelqu'un qui savait qu'il allait mourir, et vite. Le bon temps était passé. Mario était mort, et elle était la prochaine victime.

Brunetti avait apporté son revolver, mais il savait qu'il risquait de les atteindre toutes les deux. Il avait toujours trouvé les entraînements d'un ennui inutile, et voilà le résultat : être si près de quelqu'un en passe de commettre un meurtre et ne pas être capable de l'en empêcher. S'il se levait brusquement, elle pouvait aussi bien donner un coup de couteau à Flavia que l'attaquer lui personnellement.

« Elle s'appelle Floria, pas Flavia, corrigea la femme.

— Oui, bien sûr, entendit-il répliquer Flavia, qui émit un bruit, entre le sanglot et le hoquet.

— C'est au moment où elle les voit, n'est-ce pas ?

— Oui. Ils gravissent les marches. »

Était-ce un signal, une requête, ou simplement les faits advenant réellement dans l'opéra ? La voix de Flavia ne livrait aucun indice.

« Et c'est lorsqu'elle monte sur les remparts ?

— Oui. Là-haut. Le mur est bas. Ils le font toujours de cette taille pour que l'on n'ait pas de mal à monter dessus, bien qu'il semble plus élevé aux yeux du public.

— Mais pour le saut ?

— Il y a un matelas géant sur une plate-forme installée derrière. Le pire qui puisse vous arriver, c'est de rebondir, et que les spectateurs dans les galeries vous voient en partie. »

La voix de Flavia avait retrouvé son calme et un ton proche du bavardage familier.

« Cela m'est arrivé à Paris, une fois, il y a des années. Quelques personnes se sont esclaffées, mais rien de grave. Ce matelas se compose d'au moins dix couches de caoutchouc et de plastique. C'est très agréable de tomber dessus. »

Puis Flavia détourna l'attention de la femme – et de Brunetti – en la prévenant :

« Vous devez être prudente quand vous appelez Scarpia et que vous lui dites que vous le verrez devant Dieu. Elle s'apprête à se suicider et elle sera jugée pour cet acte, mais elle est sûre qu'elle sera pardonnée. Et elle rappelle à l'âme de Scarpia qu'il sera jugé en même temps qu'elle, mais qu'il n'y aura pas de pardon pour lui.

— Mais il l'aimait, répliqua la femme, manifestement confuse.

— Mais elle, elle ne l'aimait pas », dit Flavia et Brunetti perçut l'accent de résignation dans sa voix, comme si elle savait que ces mots pouvaient signer son arrêt de mort, mais n'en avait plus cure.

Il n'entendit plus rien un long moment et prit le risque de jeter un coup d'œil. Il leva la tête au-dessus du niveau du plancher et se tourna en direction des voix. Il vit Flavia regarder vers les spectateurs absents ; la femme se tenait debout près d'elle, mais en position inverse, et tournait donc le dos à Brunetti. Flavia, habillée de manière décontractée, en pull et pantalon, avait encore tout le maquillage de Tosca, même si elle ne portait plus le diadème ni la perruque. Mais sa proximité avec la femme et le manque de fond de teint, dû par endroits au frottement, ou à d'autres à la transpiration, donnaient une allure encore plus grotesque à ses traits exagérément marqués.

Flavia grimpa sur les remparts et, en regardant la femme qui était encore en dessous d'elle, aperçut Brunetti. Son expression changea du tout au tout. Elle se pencha pour aider la femme à grimper sur le mur, mais celle-ci ignora la main tendue de Flavia, tout comme le sang sur elle, et la rejoignit, non sans difficultés. En écartant les bras pour maintenir son équilibre, elle approcha tellement le couteau du visage de Flavia que cette dernière dut vite reculer pour l'éviter.

Brunetti enfonça la tête dans les épaules et regarda vers le rideau. Il put distinguer, à travers la fente, le visage blême de Vianello. Brunetti lui fit un signe ; Vianello leva un seul doigt et l'agita rapidement en un geste négatif. Brunetti garda la tête baissée et écouta.

« Oui, il l'aimait vraiment, approuva Flavia avec véhémence. Mais Tosca ne l'aimait pas et voulait qu'il soit damné. C'est ce que vous devez exprimer si vous voulez que la scène fonctionne. »

Brunetti n'avait pas plus tôt perçu la colère dans sa voix que Flavia la métamorphosa en un chaleureux encouragement :

« Essayez, juste une fois. Votre voix peut être rauque, si vous le voulez, du moment que vous exprimez sa haine. Cela pourrait même apporter quelque chose de plus.

— Je n'ai jamais la voix rauque, objecta l'autre femme.

— Bien sûr que non, rectifia Flavia à la hâte, comme si elle ne voulait pas gâcher son temps en commentant ce qui allait de soi. Ce que je voulais dire, c'est que vous pouvez la forcer dans ce sens, pour l'effet que ça crée. »

Et elle lui montra comment faire, en s'arrêtant après « *O Scarpia* ».

« Qu'en pensez-vous ? demanda Flavia. Ce caractère brut rend sa colère plausible. Après tout, elle a raison d'être furieuse. »

Elle le proféra sur un tel ton que Brunetti leva la tête pour voir d'où pouvait provenir toute cette rage. La femme l'avait-elle menacée de son couteau ?

Non, elle était encore là, face à Flavia, suspendue à ses lèvres. Et Flavia poursuivait :

« Tendez les bras, levez-les au ciel où vous pensez que Dieu vous attend et appelez Scarpia par son nom. »

La femme resta immobile, devant Flavia, sans mot dire.

« Allez-y, essayez. Ce sont des scènes comme celle-ci qui libèrent les chanteurs », insista Flavia.

Derrière elle, Brunetti regarda d'abord le bras gauche de la femme puis le couteau, qu'elle tenait encore dans sa main droite. Elle s'écria : « *O Scarpia, davanti a Dio* » et s'éloigna de ce qui était censé être son public, les bras tendus en avant. La laideur manifeste de sa voix fit trembler Brunetti de pitié. Trois ans de conservatoire, pour ce résultat ? Ô mon Dieu, que c'était pathétique, et quel gâchis, quel terrible gâchis.

Il ferma les yeux à cette pensée et, lorsqu'il les rouvrit, il vit Flavia faire un brusque écart, probablement pour éviter le couteau de la femme qui s'agitait. Ses pieds cherchaient désespérément une prise sur l'étroit rempart et elle faillit perdre l'équilibre ; son bras passa dangereusement près du visage de la femme. Décontenancée, cette dernière lâcha le couteau et, en se penchant pour l'attraper, elle se retrouva, de par ce mouvement soudain allié à son poids, au bord du faux mur. Elle trébucha et tomba. Brunetti se leva au bruit de sa chute sur la plate-forme où Flavia était tombée deux semaines durant.

Après ce qui avait semblé un long silence, mais n'avait duré probablement que quelques secondes, il entendit un bruit sourd bien plus bas, où il vit Flavia.

Flavia se tenait sur le mur, regardant droit devant elle, puis elle se pencha au bord du parapet et enfonça la tête dans ses genoux. Il entendit des bruits de pas le long de la scène, mais il les ignora et gravit les dernières marches.

Il traversa la plate-forme en courant et s'accroupit.

« Flavia, Flavia, appela-t-il en prenant soin de ne pas la toucher. Flavia, tout va bien ? »

Ses épaules se soulevaient comme si elle cherchait à faire entrer de l'air dans ses poumons et à l'expirer, en pressant ses mains croisées sur sa poitrine. Il vit le sang couler sur le dos de sa main droite. La coupure était assez profonde pour laisser une cicatrice, se dit-il et il s'émerveilla de songer à un tel détail, dans de telles circonstances.

« Flavia, vous sentez-vous bien ? répéta-t-il, espérant qu'il n'y ait aucune autre coupure. Flavia, je vais poser ma main sur votre épaule, d'accord ? »

Il crut la voir hocher la tête. Il plaça sa main sur elle, la laissa un moment, comme pour lui assurer un contact avec le reste du monde. Elle hocha de nouveau la tête et sa respiration ralentit progressivement, mais elle ne levait toujours pas les yeux.

Entendant Vianello monter vers eux, il lui ordonna :

« Appelle-les, puis descends et va jeter un coup d'œil sur elle.

— Je l'ai déjà fait, affirma l'inspecteur. Elle est morte. »

À ces mots, Flavia leva la tête et regarda Brunetti. Ce n'est qu'à cet instant précis qu'il se souvint du jeune homme avec la clef, qui avait souri à Flavia en lui disant qu'il abaisserait la plate-forme en panneaux de polystyrène, puisqu'elle l'avait tellement en horreur.

Derrière lui, il entendit Vianello s'en aller et passer un coup de fil.

Il retira sa main et la vit prendre conscience de ce geste.

« Elle m'a dit qu'elle savait où habitent mes enfants », déclara Flavia.

Brunetti se leva, mais sans la quitter des yeux. Puis il la prit par le bras et l'aida à se relever.

«Venez, je vous raccompagne chez vous. »

Photocomposition Belle Page

Achevé d'imprimer en septembre 2016
par CPI Brodard et Taupin (La Flèche)
pour le compte des Éditions Calmann-Lévy
21, rue du Montparnasse 75006 Paris

calmann-lévy s'engage
pour l'environnement en réduisant
l'empreinte carbone de ses livres.
Celle de cet exemplaire est de :
400 g éq. CO_2
Rendez-vous sur
www.calmann-levy-durable.fr

PAPIER À BASE DE
FIBRES CERTIFIÉES

N° d'éditeur : 2077494/01
N° d'imprimeur : 3018978
Dépôt légal : octobre 2016
Imprimé en France